講談社文庫

OUT(上)

桐野夏生

講談社

OUT アウト 上

目次 *contents*

OUT アウト 上

絶望に至る道とは、いかなる種類の体験を持つことも拒絶することである。

フラナリー・オコナー

第一章　夜勤

1

駐車場には、約束の時間より早めに着いた。

車を降りると、湿気を多く含んだ七月の濃い闇に包まれた。蒸し暑いせいか、闇が黒々と重く感じられる。

香取雅子《かとりまさこ》は息苦しさを覚えて、星の出ていない夜空を見上げた。冷房の効いた車内で冷やされ乾いた皮膚が、たちまちねっとりと汗をかきはじめる。

新青梅《しんおうめ》街道から流れてくる排気ガスに混じって、揚げ物の油臭い匂いが微《かす》かに漂っていた。これから、雅子が出勤する弁当工場から来る匂いだ。

《帰りたい》

この匂いを嗅ぐと、この言葉が思い浮かぶ。どこに帰りたくてそんな言葉が生まれるのかわからなかった。今出てきたばかりの家でないことは確かだ。なぜ、家に帰りたくないのか。いったいどこに帰るというのか。道にはぐれた気分が、雅子を当惑させる。

午前零時から朝五時半まで延々と休みなく、ベルトコンベアで運ばれる弁当を作り続けなければならない。パートにしては高い時給だが、立ちづめのきつい作業だ。体調の悪い時などはその辛《つら》さを思ってここで身がすくんだことも一度や二度ではない。が、このあてどない気持ちはそれとは違っていた。

雅子はいつものように煙草《たばこ》に火をつけ、その行為が工場の匂いを消すためにしていたのだ、と初めて思い至った。

弁当工場は武蔵村山市《むさしむらやまし》のほぼ中央、広大な自動車工場の灰色の塀が続く道に面してぽつんと立っている。周囲は埃《ほこり》っぽい畑地と小さな自動車整備工場群。空のよく見える平べったい土地だ。工場の駐車場はさらにそこから徒歩で三分。荒涼とした廃工場の先にある。

駐車場は簡単に整地しただけの広い空き地だ。テープで駐車位置が決められてはいるが、砂埃にまみれてその線も定かではない。従業員を運ぶワンボックスカーや、軽自動車などが乱雑に停められていた。

誰かが草むらや車の陰に潜んでいてもわからないだろう。ここも物騒な場所だ。雅子は念のために周囲を窺《うかが》いながらドアをロックした。

土を噛むタイヤの音がして、黄色いヘッドライトが夏草の茂みを一瞬だけ煌々《こうこう》と照らし出した。緑色のゴルフカブリオレが駐車場に入ってくる。キャンバストップを上げた運転席から、太めの城之内邦子《じょうのうちくにこ》が首を突き出して頭を下げた。

「すみません。遅くなって」

邦子は雅子のぼけた赤色のカローラの横に、ゴルフを無造作に停めた。右に大きく曲がっているが気にする様子もない。サイドブレーキを引く音も、ドアを閉める音も不必要に強く、万事が派手でけたたましかった。雅子は煙草をスニーカーの先で揉み消した。

「あんたの車、かっこいいわね」

工場でも何かと話題にのぼっている。

「そうですか」邦子は嬉しそうに舌をちろっと出した。「でも、これのせいで借金抱えちゃって馬鹿ですよね」

雅子は曖昧《あいまい》に笑った。邦子の借金は、車のせいばかりでもなさそうだ。邦子の持ち物はブランド品が多く、服装も金がかかっている。

「早く行こう」

駐車場から弁当工場までの道のりに痴漢《ちかん》が出没するようになったのは、今年に入ってからだった。これまでに何回か、パート従業員が暗がりに連れ込まれて危ない目に遭っている。なるべく連れだって出勤するように、と昨日会社から注意が出た。

二人は街灯のない真っ暗な未舗装路を歩きだした。右手はアパートや庭の広い農家などが無秩序に並び、雑然としているが人の気配はある。左側は夏草の茂る暗渠《あんきょ》の向こうに廃屋となった旧弁当工場や閉鎖されたボウリング場などが続く、寂しく荒れた場所だった。痴漢の被害に遭ったパート主婦たちは、この廃工場跡地に連れ込まれたのだという。雅子は注意深く視線を左右に走らせ、邦子と並んで足早に歩いた。

右手の奥にある小さなアパートから、ポルトガル語で喧嘩《けんか》する男女の声が聞こえてきた。同じ工場で働く仲間の誰かだった。工場では、雅子たちパート主婦のほか、日系や白人のブラジル人たちが多く雇用されている。中には夫婦者も多い。

「痴漢ってブラジルさんじゃないかって皆言ってる」

邦子が闇の中で眉を顰《ひそ》めている。雅子は黙ったまま相手にせずに歩く。どこの国の男だろうと仕方がないことだと思う。あの工場で働いている限り、心身に溜まる鬱屈《うっくつ》は何をしても癒《いや》されはしないだろうから。女はせいぜい自衛するしかない。

「大きな男なんだって。力が強くて一言も言わずに抱きすくめるんだって」

邦子の口調には、憧れさえ感じられる。雲が厚く垂れ込めて星空を覆っているように、邦子の心も何かに塞《ふさ》がれているのだろうと雅子は感じる。

背後から自転車のブレーキが軋《きし》む音がした。緊張して振り向く。

「お二人さんか。おはよう」

働き者の吾妻《あづま》ヨシエだった。五十半ば過ぎ。寡婦《かふ》。手先が器用で、人一倍仕事が早い。工場の仲間からは小さな揶揄《やゆ》を込めて「師匠」と呼ばれていた。雅子はほっとして挨拶をした。

「よかった、師匠か。おはよう」

邦子は、ヨシエを苦手としているのか半歩下がった。

「あんたまで師匠なんて言わないでよ」

そうは言っても、まんざらでもなさそうなヨシエは自転車を降りて、一緒に歩きだした。いかにも肉体労働に向いていそうな、小柄ながらもがっちりした蟹《かに》みたいな体格をしている。しかし、肉体に比して小作りな顔は闇夜に白々と浮いて、どことなくあだっぽかった。そこが、ヨシエに薄幸な印象を与えていた。

「痴漢騒ぎで一緒に来たんだろ」

「そう。邦子さんは若いからね」

邦子はくくっと笑った。邦子は二十九歳だ。ヨシエは闇に光る水たまりを避けながら、雅子の顔を見る。

「あんただって現役のくせに。まだ四十三だろ」

「馬鹿馬鹿しい」

そんな艶《なま》めかしい気分になったことなど最近はほとんどない。雅子は笑わずに答えた。

「もう干上がっちまったの？　冷たいね、乾いてるね」

ヨシエは冗談めかしたが、雅子はその通りだと思う。冷たく乾いて地べたを這《は》っている。自分の今の有様は爬虫類《はちゅうるい》だ。

「それより、師匠はいつもより遅いじゃない」雅子は話題を変えた。

「ああ、婆さんがちょっとごたごたしてね」

寝たきりの姑《しゅうとめ》を看ているヨシエは、それ以上言おうとせず顔を顰《しか》めた。

雅子は何も聞かないで行く手を見た。左側の廃屋群が切れた辺りに、弁当を敏速にコンビニエンス・ストアに運ぶ白いトラックが何台か溜まっている。そして、その先に不夜城のごとく、蛍光灯の照明を青白く輝かせて深夜の弁当工場が聳《そび》えていた。

隣接する自転車置き場に自転車を置きに行ったヨシエを待ち、三人は揃って、擦り切れた緑の人工芝を敷き詰めた外階段を登った。

二階が玄関となっていて、右手に事務所。廊下の奥にサロンと更衣室がある。工場は一階にあるので、従業員は着替えてからまた降りることになる。

玄関の中からは土足禁止で、赤いパンチカーペットが敷いてあった。蛍光灯の光に赤い色が沈んで、廊下が陰気に見える。女たちの顔色もどす黒くくすんで映った。自分もこんな表情をしているのだろうと、雅子は仲間の疲れた顔を見つめる。

下駄箱の前に、衛生監視員の駒田《こまだ》が、手に粘着テープのローラーを持って待ちかまえていた。口数の少ない駒田は不機嫌な表情で、一人一人の背にローラーを転がす。こうして外から運び込まれる埃や塵《ちり》をあらかじめ落とすのだ。

広い畳敷きのサロンに入る。従業員が数人ずつ固まって談笑していた。皆、すでに白い作業衣に着替え、菓子を食べたり、茶を啜《すす》ったりして作業時間が来るのを待っている。少しでも寝不足を解消しようと横になって目を閉じている者もいた。

百人近い夜勤者の構成は、全体の約三分の一がブラジル人で、その男女比はほぼ同数。長期休み中には学生アルバイトも増えるが、労働力のほとんどは四十代、五十代の主婦パートだった。

古参の連中と挨拶を交わして更衣室に向かって行くと、部屋の隅に山本弥生《やまもとやよい》が一人座っているのに気付いた。三人の姿を見ても笑いかけず、何かに心奪われた様子で畳にへたりこんでいる。雅子は声をかけた。

「山ちゃん、おはよう」

弥生はほっとした笑みを浮かべたが、泡が弾けるようにすぐ消えた。

「疲れてるみたいだね」

素直に頷《うなず》き、弥生は口を噤《つぐ》んで憂い顔をした。四人の女たちの、いや夜勤者の中でも弥生は一番の美貌の持ち主だった。顔は完璧な形をした部分の集合体だ。広い額、眉と目の優美なバランス、上を向いた鼻とぽってりした唇。その肉体も小さいながら均整がとれていて美しい。工場ではひどく目立つため、苛められもし可愛がられもする。

雅子は弥生を庇護《ひご》していた。理に合わないことを極力排そうとする自分と違い、弥生は幾つも余分な感情の袋をぶら下げている。自分は鬱陶《うっとう》しいと切り捨ててきたものを無自覚に持つ弥生は、複雑な心の襞《ひだ》を日替わりで見せる可愛い女だからだ。

「どうしたんだよ、元気ないね」

ヨシエが赤らんだ手で肩をぽんと叩いた。弥生はびくっと全身を震わせる。その反応に驚いたヨシエが雅子を振り返った。雅子は目顔で二人に先に行くように頼み、前に座った。

「あんた、具合悪いんじゃないの」

「ううん、何でもない」

「ダンナと喧嘩でもしたの」

「喧嘩するくらいならまだいいんだけど」

意味深《いみしん》に弥生は言い、焦点が合わない暗い目つきで雅子の背後の中空を睨みつけている。

雅子は時間を節約するために、肩までの髪をバレッタでまとめながら訊ねた。

「何があったの」

「後で話す」

「今話せば」壁の時計を確認してから促す。

「いいって。長い話だから」

ほんの一瞬だけ、弥生の顔に憤怒《ふんど》の表情が現れてすぐ消えた。雅子は諦めて立ち上がった。

「わかった」

急いで更衣室に入り、自分の作業衣を探す。更衣室とは名ばかりで、サロンとカーテン一枚で仕切られた空間である。デパートのセール品売場同様、頑丈なハンガーかけが所狭しと並び、作業衣が私物のハンガーにかけられている。昼間の勤務の者の場所には使い終わった作業衣が、反対に夜勤者のところには、着替え終わった色とりどりの私服が下がっていた。

「先行くよ」

ヨシエと邦子が頭に被るネットと帽子を手に、連れだって出て行った。タイムカードを押さなくてはいけない時間になっている。十一時四十五分から十二時までの間にカードを押し、下の工場の入口で待機する規則なのだ。

雅子は自分のハンガーを探し出した。前にジッパーのついたジャンパー式の白衣と、ウエストにゴムの入った作業ズボンがかかっている。手早くTシャツの上に白衣を羽織り、サロンにいる男たちの目を気にしつつジーンズを脱いで、ズボンをはく。ここは男女別の更衣室などない。二年近く働いているが、この無神経さにはいまだ慣れることができなかった。

バレッタでまとめた髪を黒のネットで押さえ、さらに「つくつく帽子」と呼ばれている紙製のシャワーキャップ型の帽子を被る。透明ビニールの長いエプロンを手に更衣室を出ると、弥生はまだ所在なげに同じ場所に座っていた。

「山ちゃん、早く」

弥生が緩慢《かんまん》に身を起こすのを見て苛立つよりも、何事かと心配になる。サロンにいた従業員たちのほとんどは出て行ってしまっていた。残っているのは、数人のブラジル人の男たちだけだ。疲れた様子で骨太の足を前に投げ出し、壁に寄りかかったまま煙草を吹かしている。

「おはよう」

中の一人が短くなった煙草を持った手を上げ、声をかけてきた。雅子は小さく微笑《ほほえ》みながら頷いた。胸の名札に「宮森《みやもり》カズオ」とあるが、色が浅黒く、眉のせりだした中高な顔は外国人にしか見えなかった。カズオは確か、白飯を台車で運んではオートメーションの機械に入れる力仕事をしているはずだ。

「おはよう」

カズオは弥生にも声をかけた。放心している弥生は振り向きもしない。カズオの顔に失望が刻まれた。ぎすぎすしたこの工場で、こんなことはしょっちゅうだった。

トイレを済ませてマスクとエプロンをつけた後、手と腕をブラシで洗い、消毒液に漬ける。タイムカードを押して白い作業靴を履いてから、今度は工場に降りる階段口で待ち受ける衛生監視員のチェックを受ける。駒田は粘着テープのローラーで、再び二人の背を擦《こす》り上げて厳しい目で爪と手指を調べた。

「傷ないね？」

少しでも手に傷があれば、食物に触ることは許されない。二人は手を見せて検査を通った。心なしか、弥生の足元がふらついている。

「あんた、そんなんで今日、大丈夫なの」

「うん、何とか」

「子供はどうしたの」

「うん」弥生は曖昧な返事をした。

雅子は弥生の顔をもう一度見遣《みや》った。作業帽とマスクのせいで、力の失せた目元しか見えない。弥生は雅子の探る視線にも気付かない様子だ。

一階の工場に降りて行くと、きつい冷気とさまざまな食材とで、冷蔵庫を開けた時と同じ臭いがした。コンクリートの床から冷気が這い出してくる。夏でも冷える仕事場だった。

二人は工場の入口のところで、従業員たちが扉が開くのを待っている列に追いついた。先頭にいるヨシエと邦子がこちらを振り返って目で合図する。四人はいつも一緒に作業し、助け合う仲間なのだ。仲間がいなければ、このきつい仕事はやっていけない。

扉が開いた。一斉に従業員が中に入り、もう一度手と腕を洗って消毒する。足首まで届くエプロンも消毒液で拭《ふ》き清めなければならない。動作ののろい弥生と、彼女を待つ雅子が手洗い消毒をようやく済ませてコンベアの前に行った頃には、すでにほかの者は作業の準備を始めていた。

「遅い遅い!」と焦《じ》れたヨシエが雅子をどやす。「中山が来るよ」

中山は、早朝部と呼ばれるこの夜勤担当の工場主任だった。まだ三十になるかならないかの若造だが、口が悪くてノルマにうるさいので、パートタイマーたちに嫌われている。

「ごめんごめん」

雅子は急いでビニールの使い捨て手袋と消毒済みの手拭き用布巾を取りに行き、弥生の分も届けてやった。弥生は手に押し込まれた物を見て、初めて作業に気付いたかのようだった。

「しっかりしてよ」

「ありがとう」

コンベアの先頭に戻ると、ヨシエが写真付きの仕様書を見せた。

「最初はカレー弁当。千二百食だって。あたしがご飯出しするから。あんた、いつものように容器渡しやって。いい?」

「ご飯出し」は、ラインの先頭ですべてを仕切る要《かなめ》の仕事だった。熟練したヨシエは必ず「ご飯出し」を引き受け、コンベアの速度を決定する。ヨシエに弁当容器をひとつずつ渡す仕事は、気心の知れた雅子が確保している。

雅子は重なったプラスチックの容器を渡しやすいように捌《さば》いて下準備をしながら、弥生を振り返った。弥生はもたつき、カレーをかける楽な作業を他人に取られている。自分だけはカレーかけを確保した邦子が肩をすくめた。仲間がカバーしようにも、本人がやらなきゃどうしようもない。

「あの子、どうしたんだい。体の調子でも悪いの？」

ヨシエが眉を顰《ひそ》めた。雅子は黙って首を振った。今日の弥生の様子は只事ではない。案の定、作業ラインから弾き出された行き場のない弥生が仕方なく、やり手のない「ご飯均《なら》し」にまわってきた。雅子は舌打ちしたい気持ちを抑えて、横に来た弥生に囁《ささや》いた。

「これ、きついのに」

「わかってる」

主任の中山が飛んで来た。

「早く流せ！　馬鹿野郎、何してんだ」

つくつく帽子の上に、さらに庇《ひさし》のついた作業帽を被っているため表情はわからないが、黒縁の眼鏡の下の小さな目が脅すように光っている。

「ほら来た！」ヨシエが舌打ちした。

「あのタコ！」

馬鹿野郎とまでなじられたことに腹が立って、雅子は小さな声で言い捨てた。居丈高《いたけだか》な中山が大嫌いだった。

「あの、ご飯均ししろって言われたんですけど、何をすればいいんですか」

初めてらしい中年女がおずおずと訊ねる。

「あんたはね、ここでご飯を平たく均すんだよ。あたしがこうやって器にご飯を入れるからさ。それにカレーをかけられるように手で伸ばすの。あんたの向かい側の人も同じ仕事するから、それを真似してやんな」

ヨシエにしては親切に、コンベアの対面に立っている弥生を指さして教えてやっている。それでも要領の飲み込めない女は、困って周りを窺《うかが》っている。が、ヨシエは容赦《ようしゃ》なくコンベアのスイッチを入れた。ごーっと音がしてコンベアが動きだした。雅子は、ヨシエが普段より速い速度に設定したのを横目で確認した。作業が遅れ気味なので、ヨシエは逆に張り切っているのだ。

雅子は慣れた手つきでヨシエに容器を一枚ずつ手渡しはじめた。オートメーションの口からぽろっと一個分のご飯が四角く出てくる。ヨシエはそれを容器に受け、一応秤《はかり》に載せて分量を確認した後に下に流す。鮮やかな手つきだった。

四角いご飯を平らに均す者、カレーをかける者、鶏の唐揚げを切る者、それをカレーの上に載せる者、福神漬けの分量を量ってカップに入れる者、プラスチックの蓋《ふた》をする者、スプーンをテープで留める者、シールを貼る者、細《こま》かい作業がコンベアの下流に沿って連なり、ようやく一個のカレー弁当ができ上がる。

こうしていつもの作業が始まった。雅子はちらっと壁の時計を眺めた。まだ十二時五分過ぎだ。あと五時間半も冷たいコンクリートの床の上で立ち仕事が続く。トイレに行くにも一人ずつ交代で行かなければならない。申し込んでから自分の順番が来るまで、二時間近くかかることだってある。だから、ひたすら自分を労《いたわ》り、仲間同士で助け合い、なるべく楽な動きをしなくてはならない。それが、体を毀《こわ》さずにこの仕事を長く続ける秘訣だった。

一時間ほどしたところで新入りが音《ね》を上げたのがわかった。たちまち効率が落ちはじめた。ラインが遅れ気味になる。すると、弥生が急いで新入りの分まで手を伸ばしてご飯を均してやった。人が好い、と雅子は思う。自分のことだけ考えなくてはいけないのだ。ましてや、今日の弥生は疲れている様子なのに。

「ご飯均し」がいかにきつい仕事かはベテランなら皆知っている。白飯は炊き立てではないから冷たく固まっている。四角く固まった白飯を一瞬のうちに平たくするには、手首と指の力が要って、さらに中腰でその作業を続けるために腰まで痛みだすのだ。一時間もやれば、背中から上腕まで痛みが走り、しばらくは腕も上がらなくなる。だから、何も知らない新人にまわす。しかし、弥生は諦めたような悲しげな目つきで手を動かし続けている。

カレー弁当、千二百食を作り終えた。作業班は敏速にコンベア上を片付けて、すぐ別のコンベアに移らなければならない。

次の仕事は、「特製幕の内弁当」二千食だった。「特製幕の内」は詰める物が多いのでラインも長くなる。青いつくつく帽子を被ったブラジル人従業員たちが後ろに長くついた。

ヨシエと雅子は例によって「ご飯出し」。要領のいい邦子が気をきかせて、弥生には一番楽な、豚カツにソースをつける仕事を確保していた。豚カツを両手に一枚ずつ持ってソースのバットに浸《ひた》し、浸した側を二枚くっつけて並べておく。ラインの慌ただしさから少し逃れられるいい仕事だ。これなら弥生も保《も》つだろう。雅子は安心して作業に没頭していた。

ところが、作業が終わり片付けが始まった途端、何かをひっくり返した激しい音に工場中の者が度肝《どぎも》を抜かれた。弥生が豚カツソースを入れた容器に蹴躓《けつまず》き、もんどり打って転んだのだ。金属製の蓋ががらがらと隣のコンベアにまで転がり、辺り一面、照りのある濃い茶色いソースの海ができた。

工場の床はこぼれた脂やソースでぬるぬる滑る。慣れた者ならそれを熟知しているから、滅多にそんな事故は起きない。

「どうしたんだよ、いったい」血相《けっそう》を変えた中山が飛んできて、怒鳴り散らした。「あーあ、こんなにこぼしやがって」

モップを持った男たちが駆け寄ってきた。

「すみません。足が滑って」

ソースの中に尻餅をついた弥生は呆然として腰を上げようともしなかった。雅子は走り寄って抱え起こした。

「早く起きなよ」

雅子は、弥生のめくれた作業衣の下、鳩尾《みぞおち》の辺りに青黒い大きな痣《あざ》があるのを見た。これが弥生の元気のない原因だったのか。神様が不吉な印を押したように、白い腹にそれはくっきりと目立った。雅子は舌打ちし、弥生の作業衣の裾《すそ》を急いで下ろして痣を人目から避けた。

着替えに戻っても、代わりの作業衣はない。弥生は尻と両袖に豚カツソースをべったりつけたまま作業を続けた。白衣についた濃いソースはすぐに茶色く固まって、中までは染み込まない。ただし、匂いは強烈だった。

午前五時半。残業もなく、作業を終えた従業員たちは二階に戻ってきた。雅子たち四人は着替えが済んだ後、サロンの自販機で飲み物を買って二十分ほど世間話をして帰るのを常としていた。

「あんた、今日は調子悪いね。どうかしたの」

何も知らないヨシエが弥生を見た。徹夜仕事を終えたヨシエの顔には、年相応の疲れが滲《にじ》み出ている。弥生は紙コップに入ったコーヒーを一口飲み、しばらく考え込んだ後に答えた。

「昨日、ダンナと喧嘩しちゃったの」

「喧嘩なんて誰だってするよ。ねえ」

ヨシエが同意を求めて邦子に笑いかけた。邦子は細いメンソール煙草を蓮《はす》っぱに横でくわえて目元を細め、当たり障りなく同調する。

「山本さんとこ、仲いいじゃないですか。しょっちゅうお子さん連れで出かけたりして」

「最近しないわよ」弥生がつぶやいた。

雅子は黙って弥生の顔を見つめている。いったん座り込むと、少しの間、動けないほど疲れが全身にまわる気がした。

「そういう時だってあるよ。長い人生、谷もあればさ」

寡婦のヨシエが決まり文句で片を付けそうになると、弥生は激しい口調で言い捨てた。

「だって、貯金全部遣《つか》っちゃったって言うんだもの。頭にきちゃって」

弥生の口振りの激しさと、その内容の深刻さに皆静まり返った。

「何に遣ったの」

雅子は煙草に火をつけて煙とともに質問を口にした。

「博打《ばくち》だっていうの。バカラとかいうゲームなんだって」

「あんたのダンナって割と堅いサラリーマンだろ。どうして博打なんかに手を出したのよ」

ヨシエが呆れたように目を剝《む》いた。

「さあ」と弥生は力なく首を振る。「通っているお店があって、そこで遊ぶらしい。あたしはよく知らないの」

「貯金って幾らくらいあったんですか」

好奇心を隠せずに、邦子が目を輝かせた。

「五百万くらい」

弥生が小さな声で答える。邦子が息を呑み、一瞬羨《うらや》ましそうな顔をした。

「許せないですよね」

邦子が言うと、弥生はさっき雅子に見せた怒りの表情になった。

「でしょ。しかも、おなか殴ったのよ」

弥生は上着をめくって皆に痣《あざ》を示す。ヨシエと邦子が顔を見合わせた。

「今頃反省してるよ」と、ヨシエがとりなす。「あたしもずいぶん夫婦喧嘩したよ。そのたび殴り合ったりしてさ。うちの亭主は乱暴者だったけど、あんたのとこはそういう人じゃないでしょう」

「知らない！」

弥生は吐き捨てて、Tシャツの上から鳩尾を撫《な》でた。

外はすでに明るい。前夜に引き続き、湿っぽく暑い一日になりそうだ。自転車で帰るヨシエと弥生とは工場の玄関先で別れ、雅子と邦子は駐車場に向かった。

「今年は空梅雨みたいだね」

「水不足になるんでしょうかね」

邦子がどんよりした空を見上げた。邦子の顔に脂が浮いている。

「このままいけばそうだろうね」

「ね、雅子さん。山本さん、どうするんでしょうね」

さあ、と雅子は肩をすくめた。邦子が大きなあくびを洩らしながら続けた。

「あたしだったら離婚するな。頭に来るなんてもんじゃないですよね。夫婦の貯金勝手に遣われたら」

「そうだね」

相槌《あいづち》は打ったが、弥生の子供はまだ五歳と三歳だった。すぐに踏み切れるほど、ことは単純ではない。帰る先がわからないのは、雅子だけではなさそうだ。

二人は黙ったまま駐車場まで歩き、それぞれの車のドアを開けた。

「じゃ、おやすみなさい」

「おやすみ」

朝に、おやすみなさいか。雅子はシートに腰を沈めて思った。疲労がどっと押し寄せてきて、空を見上げると眩《まぶ》しくて目が痛んだ。

2

　邦子はゴルフのイグニッションキーをまわした。一発でかかり、大きなエンジン音が頼もしく駐車場に響き渡った。このところ、車の調子がいいのでありがたい。去年は修理に二十万もかかってしまった。

「じゃ、お先に」

　あまり愛想を振りまかない先輩の雅子が軽く手を挙げて、駐車場を出て行く。邦子は礼儀正しく頭を下げて見送った。違う風に吹かれて何を考えているのかわからない雅子が苦手で、姿が見えなくなるとほっとした。工場の仲間たちと別れると、邦子の表面を覆っていた分厚い衣が剝げ落ち、たちまち地が出てくる。

　雅子の車が駐車場を出たすぐ先で信号待ちしている。へこんだ傷のあるカローラの尻を見ながら、よくもまあ、あんな古い車に乗っていられるものだと思う。赤の塗料は古ぼけているし、あの汚れ方は十万キロ以上走ったとしか思えない。それに、交通安全の赤いステッカーを貼るなんてださすぎる。自分みたいに、中古でもいいから見場《みば》のいい車に乗ればいいのに。でなければ、新車をローンで買えばいいのだ。

　あの人は年の割には顔もスタイルも悪くない癖に、見栄を張らないのがよくない。

邦子はカーステレオに夫のカセットテープを放り込んだ。ポップスを歌謡曲のように歌う、甲高い女の声が車内に充満した。暑苦しい。邦子はすぐにテープを取り出した。音楽などにまったく興味はなかった。きつい労働から解放された気分と、自分の車の機能を確かめたいからしてみた行為だった。

邦子はクーラーの風が体に直接当たるよう風の向きを変えてから、キャンバストップを巻き上げた。殼を脱ぐ蛇のように幌《ほろ》が徐々に上がっていく。平凡だと思ったものが劇的に非凡になるこの瞬間が大好きだった。人生もそうだったらいいのに、と思う。

それにしても、と邦子はまた雅子のことを考えた。あの人は、ジーンズに洗いざらした息子のTシャツやポロシャツしか着ない。冬はその上にスエットシャツか地味なセーターで、さらにひどいのは、穴にガムテープを張って羽毛が出るのを防いだダウンジャケットを羽織っていることだ。あれはいただけない。

冬の裸木を見て、雅子みたいだと思ったことがあった。余分な物をすべて削《そ》ぎ落とした体型とやや浅黒い膚《はだ》。目が鋭くて、鼻も唇も薄く一切無駄がない。ちょっと化粧をして、自分のように高い服を着れば、あの人も五つ六つは若く見えるいい女になるだろうに。ほんとに惜しい。邦子は羨みとも蔑《さげす》みともつかない複雑な心境になった。

それにひきかえ、この私はブスだ。ブスでデブだ。バックミラーを覗き込みながら、邦子はいつも感じる絶望的な気持ちを味わった。

えらが張って顔が大きいが目は小さい。鼻はひしゃげて幅が広いのに、口は反対におちょぼ口で尖《とが》っている。私の顔の造作は、全部がこの大小の取り合わせの失敗なのだ。特に夜勤の終わった朝は、ひどく醜く見える。邦子はプラダの化粧ポーチから、脂とり紙を取り出して脂の浮き出た辺りを叩いた。

何の取り柄もない女の場合、容姿が悪いと実入りのいい仕事に就《つ》けないことはよくわかっている。だから、こんな工場の夜勤パートなんかやっている。そのストレスでますます食べる。そして太る。

邦子は急に何もかもが腹立たしくなって、激しい勢いでギアをドライブレンジに入れた。そして、エンジンを吹かしてぽんとブレーキペダルを外した。ゴルフは弾むように駐車場を飛び出した。ほんの少し土煙が立ったのがバックミラーに映って嬉しかった。

邦子は新青梅街道に出てしばらく都心に向かって走り、やがて信号を国立《くにたち》方面に向かって右折した。左手の梨畑の向こうにいかにも間取りの小さい古い団地が見えてきた。それが邦子の住まいだ。

邦子はこの団地に住まうのが嫌で嫌で仕方ない。しかし、内縁の夫、哲也《てつや》と自分の収入に見合った部屋は今のところ、ここしか考えられない。違う女になって、違う場所で、違う男と違う生活をしてみたい。勿論、違うというのは何ランクも上ということだ。ランクを気にして、そんな夢のようなことばかり考えている自分はどこかおかしいのだろうか。

邦子は団地の駐車場の指定位置にゴルフを停めた。周りはすべて、軽自動車や国産の大衆車ばかりだ。自分の車が誇らしくなった邦子は、思いっきり乱暴にドアをバタンと閉めてやった。誰かがこれで目を覚ませばいい気味だと思う。しかし、そのことで怒鳴り込まれれば、平謝りに謝るはめになるのはわかっていた。その場しのぎでも、要領よく生きていかなければならないのだから。

落書きだらけのエレベーターに乗り、三輪車や生協の発泡スチロールのボックスなどが出しっぱなしのだらしない廊下をぺたぺた歩き、五階の自分の部屋に辿《たど》り着く。鍵を開けて暗い室内に入ると、奥の部屋から動物のような鼾《いびき》が聞こえてきた。いつものことなので気にもならない。邦子はドアの外から抜き取った朝刊を、通販で買った合板のダイニングテーブルの上に置いた。

テレビ欄以外、新聞など読んだこともなかった。夫の哲也だって三面記事とスポーツ欄しか読まないのだ。もったいないからやめてしまいたいのだが、広告は必要だった。邦子は大量の不動産広告の中に埋まっている女性の求人情報を取り出して横に置いた。あとでゆっくり眺めるつもりだった。

部屋の中は蒸し暑い。邦子はクーラーをつけて冷蔵庫を開けた。このままでは空腹で眠れそうにない。が、何もなかった。確か、昨夜、スーパーで買ったポテトサラダとおにぎりを入れておいたはずなのに。哲也が食べたに違いない、断りもなしに。

腹が立った邦子は、力まかせに缶ビールのリングを倒した。ビールを飲みながらスナック菓子の袋を開け、テレビをつける。早朝のワイドショーにチャンネルを変えて、芸能人のスキャンダルをいち早く楽しみながら酔いのまわるのを待っている。

「うるせえなあ。テレビの音、小さくしろよ」

奥から哲也が怒鳴った。

「何よ。どうせもうじき起きるんでしょうが」

「まだ十分くらい、いいんだよ」

何かが飛んできて腕に当たった。百円ライターだった。当たった箇所が赤くなっている。邦子は、そのライターを摑むと、哲也の寝ているベッドの横にぬっと立った。

「この野郎。あたしが疲れてんのがわかんねえのかよ！」

「何だよ」目を開けた哲也の顔に怯《おび》えが走った。「俺だって疲れてんだよ」

「だからってこんなもん投げつけてもいいと思ってるのか」

邦子はライターに点火し、哲也の顔の前にかざした。

「やめろよ」

哲也は手で払いのけた。ライターは畳の上で弾んで転がっていく。邦子は逆に哲也の手を邪険に叩いた。

「てめえ、何すんだよ。キレたんだよ、あたしは。えっ、こっち見ろよ、てめえ」

「やめろよ、朝から」

「うるせえんだよ。てめえ、あたしのサラダとか食ったろ」

「その言葉遣い、何とかなんねえのかよ」

邦子よりひとまわり小さくて華奢《きゃしゃ》な哲也は、さも嫌そうに顔を顰めた。一昨年、ようやく病院回りのプロパーの職に就いた哲也は、肩まであった髪を短く切ってしまった。そのため、なおさら貧相に見える。邦子はそれが気に入らない。渋谷センター街でぶらぶらしていた頃の哲也は馬鹿だったがかっこよかった。邦子が渋谷のゲーセンで仕事をしている時に二人は知り合ったのだ。

当時の邦子は今よりずっと痩せていて、哲也程度の男なら容易に引っかけることができた。もっとも、その時買い込んだ服や装飾品のクレジットローンのせいで、現在、尻に火のついた暮らしを余儀なくされているのだが。

「食ったろ。正直に言って謝れよ」

邦子はいきなり、タオルケットをかけて寝ている哲也の上に馬乗りになった。重みで哲也が懇願の悲鳴を上げた。

「やめろって言ってんだろう」

「言え。正直に言えば許してやる」

「食ったよ。悪かったよ。だって、帰って来たって何もねえんだもの」

「おめえが自分で買ってくりゃいいんだよ」

「わかったよ」

哲也が顔を背《そむ》けると、邦子はすかさず股間を探った。それは力なくうなだれている。

「何だよ、インポ。朝立ちもしねえのか」

「どけろよ」哲也はさもうんざりとした口調で吐き捨てるように言った。「どけてくれよ。重いんだよ。てめえ、何キロあんのか自分でわかってんのかよ」

「その言いかたは何」

邦子は太股《ふともも》で哲也の貧相な首の辺りを絞めつけた。哲也が、ごめん、と謝ったが、声にならない。

「ふん」邦子は哲也の上から乱暴に降りた。最近の哲也との性生活には失望ばかりしていた。私よりずっと若い癖に。ほんとに情けない男だ。

むかついて居間に戻ると、哲也がのろくさと上半身を起こすのが見えた。

「あーあ、遅刻するぜ」

知ったことか、と横を向き、煙草に火をつける。Tシャツと派手なトランクスだけの哲也が出てきて、喉元《のどもと》をさすりながらテーブルの上の邦子のメンソール煙草を一本抜き取った。

「あたしの煙草、吸うなよ！」

「いいじゃねえか、一本くらい。俺のねえんだよ」

「じゃ、一本二十円」と手を出す。

まんざら冗談でもない口調に、哲也が溜息をついた。邦子は振り向きもしないでテレビに没頭しはじめる。

十五分後、哲也が無言で出勤すると、邦子は自分より細い人型に窪《くぼ》んだベッドに横になった。

邦子が起きたのは午後二時近くだった。

すぐにテレビをつけてワイドショーを見ながら煙草を吸い、ゆっくりと体が覚醒するのを待った。ワイドショーの中身は朝見たのとほとんど変わらないが、気にならなかった。

腹が空いている。邦子は顔も洗わず、食べ物を買いに出た。団地の入口にコンビニエンス・ストアがある。そこは偶然にも、自分たちの作った弁当を売っているチェーン店だった。

特製幕の内弁当を手に取ると、「ミヨシフーズ　東大和《ひがしやまと》工場　午前七時出荷」とある。間違いなく自分たちのラインが手がけた弁当だ。邦子は、卵焼きを入れる楽な仕事をしたのだ。中山に「卵入れすぎるな」と怒鳴られはしたが。ほんとにあいつは嫌な男だ。いつかヤキを入れてやらなきゃ気がすまない。

昨夜の勤務はいつになく楽だった。ヨシエと雅子についていきさえすれば、楽でいい仕事を選ぶことができる。これからもついていこう。邦子は低い笑いを洩らした。

部屋に戻り、邦子は再びワイドショーを見てウーロン茶を飲み、弁当を食べた。ソースが茶色く染みた豚カツを口に入れた時、ソースの容器に蹴躓《けつまず》いた山本弥生のことを思い出した。今朝の弥生はドジだった、と邦子は舌打ちする。互いに助け合うこともできないほど上の空だった。あれではチームを組んでいる自分も迷惑する。亭主に殴られただなんて、とんでもないことだ。自分なら殴り返す。

邦子は豚カツを食べ終わり、固くなった冷凍シューマイに醬油《しょうゆ》を垂らして芥子《からし》を塗りたくりながら、弥生の顔を思い浮かべた。あんなに綺麗なら、何も夜勤なんてしなくたってよさそうなもんだ。自分だったら、絶対にスナックかパブで働く。それにもっと実入りのいい、風俗に近い仕事だって構わない。残念なのは、自分の顔とスタイルに自信がないことだけだった。

ちょうどテレビで女子高生の特集をやっていた。邦子は割り箸を置いて、思わず見入った。茶色に染めた長いまっすぐな髪、スタイルの抜群な女子高生が顔にモザイクをかけられ、変えた音声で喋っている。

「オヤジは財布、財布だよ。え、あたし？　オヤジに何を買ってもらったかって。スーツ。四十五万の」

「馬鹿野郎、ふざけんじゃねえよ」

邦子はテレビに向かって怒鳴っていた。四十五万のスーツなら、たぶんシャネルとか、アルマーニだろう。自分だってシャネルのスーツが欲しい。なのに、こんな若くて可愛い女がごろごろしているから、自分に商品価値がなくなるのだ。許せねえよ、と邦子は何度もつぶやいた。

あの弁当工場で働いていてよかったことはただひとつ、雅子と知り合ったことだけだ。邦子は俵型《たわらがた》の冷たい飯を食べながら思う。雅子は以前、堅い会社で事務をやっていたが、リストラで辞めさせられたのだそうだ。雅子があの弁当工場のきつい夜勤を続けるような人間でないことは自分にだって勘でわかる。いずれ準社員に昇格することだってあり得るだろう。いや、幹部だって夢ではないかもしれない。その時、雅子にくっついていたら何かいいことがありそうな気がする。ただ気に入らないのは、雅子自身がこの自分をあまり信用していないということだった。

邦子は洗う余地のないほど綺麗に食べ終わった弁当の殻を流しの横のゴミ箱に捨てた。そして、新聞に入っていた求人情報のチラシを眺めた。工場のパート収入だけでは、膨《ふく》れ上がった借金を返すどころか、その利子を払うので精一杯だった。しかし、昼間のパートは時給が悪い。昼間の八時間と夜中の五時間半とが同じなのだから夜勤を辞めるわけにはいかない。そうすると、昼間寝なくてはもたないし。いつまでたっても堂々巡りだ。邦子は自分が怠け者だと認めたくはなかった。

自分の借金が幾らになったのかは考えたくもなかった。近頃は利子の支払いにもこと欠く始末で、元金が減っているのか、その元金が幾らかさえもわからなかった。

夕方、邦子は化粧をしてシャネルまがいのスーツを着て外に出た。十一時半に出勤するまでの間にできる、格好のバイトを見つけたのだ。

自転車置き場に行くと、隣家の主婦が帰ってきたところだった。スーパーででも売っていそうな安物の夏のスーツを着て、くたびれた様子で買い物袋を提げている。会社でいいようにこき使われているのだろう。

軽くお辞儀《じぎ》をしたら、主婦が微笑んで挨拶を返しながら、鼻をくんくんさせた。たぶん、自分の香水に驚いているのだろう。今日は「ココ」をつけている。この女はそんな香水があることも知らないに違いない。工場では香水は禁止だが、どうせ出勤前に風呂に入るからいい。

邦子は自転車にまたがり、車がひっきりなしに通る狭い街道を不器用に走った。そのパブは、隣駅の東大和にある。駐車場はないだろうから、自転車で行かねばならないのが欠点といえば欠点だ。雨の日はどうしたらいい。電車に乗るには、邦子の団地は駅が遠くて不便だった。もしうまくいって採用されたなら引っ越してもいい。

二十分後、邦子は店の前に立っていた。「べるふぁーれ」というのだ。駄目でもともと、と思って来たが、こんな田舎にあるパブなら自分でも採用されるのではないだろうか。邦子は勇気が湧いて、久しぶりに胸がときめいた。

「フロアレディ。十八歳から三十歳まで。時給三千六百円。制服貸与。送りあり。五時から一時まで。飲めなくてもかまいません」

雇用条件を思い出すと、採用のあかつきには工場を辞めてしまってもいいとまで邦子は思った。あの一晩のきつい労働が、ここではたったの二時間分の稼ぎなのだ。つい先ほどまでは雅子に何としてもくっついていこうなどと考えていたのに、早くも心が変わっている。

「あのう、採用のことで電話した者なんですけど」

入口に原色のスーツを着た若い男が数人と、客引きらしい超ミニのスカートをはいた若い女が立っていた。その中の一人に言うと、男はびっくりしたように邦子を見た。

「それだったら裏口にまわって」

「どうも」

男たちが邦子の後ろ姿を見て笑いを洩らしたのを邦子は背中で意識した。男の指し示した場所には、「べるふぁーれ」と小さいプレートを貼ったアルミのドアがあった。

「ごめんください。さっき電話した者ですが」

静かにドアを開けて中を覗く。黒服の中年男が電話を置いたところだった。男は鑿《のみ》で刻んだような額の深い皺《しわ》を手で撫で上げ、ちらっと邦子を見た。

「ああ、はいはい。どうぞ」

目つきは怖いが声は低く優しい。男はデスクの前に置いてあるソファを指さした。

「そこにどうぞ、遠慮なくね」

すました邦子が背を伸ばして浅く腰かけると、男は名刺を差し出した。マネージャーとある。男は軽く頭を下げたが、目を上げる時に素早く足元から邦子を値踏みしたのがわかった。居心地が悪い。邦子は緊張しながら切り出した。

「広告にあったフロアレディに申し込みたいんですけど」

「それはどうもご応募いただきまして。じゃ、ちょっと話しましょうかね」男は如才なく言って、ソファの向かい側の椅子に座る。

「あなた、年お幾つですか」

「二十九です」

「そう。何か証明できるものあります」

「あ、今日は持ってきませんでした」と邦子が言った途端、男の口調がぞんざいになった。

「そう。あなた、こういう仕事したことある?」

「いいえ。初めてです」

主婦は駄目だと言われたらどうしよう、と邦子は心配していたのに、男はもう何も聞かずに立ち上がっていた。

「実をいうとね、あの広告出した途端に十九歳の子が六人も来たんだよね。素人っぽいってこともうちの売りだし、やはり若い子はお客さんに喜ばれるしね」

「はあ、そうですか」

そればかりではあるまい。邦子はたちまちエレベーターが降下するように急速に落ち込んでいった。顔がきれいでスタイルが良ければ年を取っていたって何とかなるのではないだろうか。本当に年齢のことが問題なのだろうか。邦子の内に巣食う根深いコンプレックスが頭をもたげる。

「だから折角だけど、ほんと申し訳ないけど、やっぱ今回は」

はあ、と邦子は暗い気分を何とかしなくてはと焦りながら頷いた。

「わかりました」

「あなた、今は何してるの」

「近所でパートしてます」

「そのほうが絶対にいいよ。うちの仕事、結構きついから。お客さんは一時間に一万も二万も使うとね、ただじゃ帰らないものなんだよ。わかるでしょ、あなたの年なら。そう、抜かせろってことになるの。そんなの嫌でしょ?」男は下卑《げび》た表情で笑う。「じゃ、わざわざ悪かったね。これはお車代ですから」

手の中に薄っぺらな封筒を押し込まれた。たぶん千円だろうと見当をつける。男が疑うように聞いた。

「あんた、ほんとは三十過ぎてんじゃない」

「そんなことないです」

「冗談だけどね」男は侮蔑《ぶべつ》を隠さなかった。

邦子は憮然《ぶぜん》として店の裏口を出た。表にまわれば客引きの男たちがいる。またあの目つきに合うのは不愉快だったので、邦子は裏通りを歩いて牛丼屋の横から自転車を置いた場所に戻ろうとした。

むしゃくしゃして腹が空いている。邦子はこの車代を使ってしまおうと牛丼屋に入った。

「牛丼ひとつ」

注文してから、ふと後ろを見ると大きな鏡があった。邦子の厚ぼったい背中ととぼけた不細工な顔が映っている。三十三歳という本当の年齢がそこには映し出されているような気がして、邦子はすぐ前に向き直った。邦子は工場の仲間たちにも年齢を詐称《さしょう》していたのだ。溜息をついて封筒を開けると、二千円入っていた。ラッキー、まあいいや。邦子はメンソール煙草を口の端にくわえた。

工場への出勤時間まではまだ間があった。

3

音をたてないように玄関の戸を開けた途端、クレゾールと糞尿《ふんにょう》の臭いが微かにした。どんなに空気を入れ替えても、よく絞った雑巾で畳を拭き上げても、この臭いがヨシエの家から消えることはない。

ヨシエは寝不足でぴりぴりと引きつる目元を指で押さえた。これからヨシエが数時間の短い睡眠を得るまで、しなければならないことがある。

狭い間口の三和土《たたき》を上がると、すぐ三畳の畳敷きの部屋がある。古ぼけた卓袱《ちゃぶ》台《だい》や茶簞笥《ちゃだんす》、テレビなどが所狭しと置かれ、足の踏み場もなかった。ここがヨシエと娘、美紀《みき》との、食事をしたりテレビを見たりする居間となっていた。

玄関の前なので来客には丸見えだし、冬は隙間風が入って寒くてたまらない。美紀はみっともない、と文句を言うが、この狭い家ではどうしようもなかった。

ヨシエは、洗うために持ち帰った工場の白衣と作業ズボンの入った紙袋を部屋の隅に置き、襖《ふすま》が開けっ放しの六畳間のほうを眺めた。カーテンを引いた部屋は薄暗いが、敷きっぱなしの布団が小さく動いているのは気配でわかる。寝たきりとなって六年も経つ姑は、もう目を覚ましているに違いない。

しかし、ヨシエは声をかけようとせず、部屋の真ん中に突っ立っている。工場では張り切っているのだが、家に帰ると自分がボロ布みたいに疲れてくすんでいるのがはっきり感じられる。すぐに横になって、ほんの一時間でも寝られたらどんなにいいだろう。自分自身の手で、がっちりと肉のついた堅い肩を揉みほぐしながら、ヨシエは朝の光の入らない、煤《すす》け、ごたついた家の中を見まわした。

右手の四畳半は、すべてを拒否するように固く襖が閉じられている。そこは美紀の部屋だ。

美紀が中学生までは姑と一緒に六畳で寝起きさせていたのだが、さすがに年頃になればそれはもう強制できなかった。自分が姑の隣に布団を敷いて寝《やす》むことにしたのだが、気になってよく眠れないため、近頃はそれがとても重荷だ。自分ももう年なのだろう。ヨシエは狭い部屋のわずかに見える畳の部分に腰を落とした。

卓袱台の上にある急須《きゅうす》を覗く。出勤前に自分が飲んだ茶葉がそのまま入っていた。捨てて洗う面倒を思えばそれでも構わない。人のための労は惜しまないが、自分のことになるとどうでもよかった。ヨシエは脇のポットから温《ぬる》くなった湯を急須に注いだ。そして、出がらしの茶を啜《すす》りながらしばらくぼんやりした。実は、頭を悩ませていることがある。

こんな古い木造住宅は住みにくいだろうから、小綺麗なアパートに建て替えたいと大家が言ってきていた。ヨシエは、自分たちを追い出すための口実ではないかと危ぶんでいる。追い出されたら、ほかに行き場がない。仮に戻れるとしても家賃は値上がりするだろうし、ほかのアパートに一時的に移るにしても大きな金が要るのはわかっている。が、そんな余裕などまったくないぎりぎりの生活をしているのだった。

《金が欲しい》

ヨシエは切実に思った。夫が死んだ時に出た多少の保険金も、寝たきりの姑のために遣ってしまったし、貯金も食い潰した。中学しか出ていない自分は、美紀にせめて短大くらいは行かせたいと思っていたが、このままでは不可能だし、老後の貯えなど夢のまた夢である。だから、辛い弁当工場の夜勤もけして辞めることはできないのだった。昼間に別の仕事をしたくても、いったい誰が姑を看《み》るというのだろうか。さすがのヨシエも、これからのことを思うと、本当にどうしたらいいのかわからなくなる。

よほど大きな溜息をついたらしい。六畳から、か細い声がした。

「ヨシエ、いるの?」

声を出すのもやっとのような、力のない声だ。

「ああ、帰ってきてるよ」

「おしめが濡れてるんだよ」

遠慮がちだが、有無を言わせない響きがある。

「はいはい」

温く薄い茶をもう一飲みして、ヨシエはよいしょと立ち上がった。結婚した当初、姑が自分にどんなに意地悪だったかはもう忘れてしまった。今は自分がいなければ生きていけない哀れな老人なのだ。

自分がいなければ、成り立たない。この思いだけが、ヨシエの生きがいだ。工場でもそうだ。「師匠」と呼ばれ、自分がラインを采配《さいはい》する。それが辛い労働をやり抜くための原動力、つまりヨシエのプライドなのだ。

現実を見るのは辛すぎると心の中ではわかっていた。なぜなら誰も助けてくれないからだ。その代わりに、プライドと称するものがヨシエを苛酷な労働に駆り立てている。ヨシエは物事の本質に蓋をして注意深く心の底にしまい込み、いつのまにか勤勉を自分の金科玉条《きんかぎょくじょう》とした。現実を見ないようにすることが、ヨシエの生きて行く術だ。

ヨシエは黙って、六畳間に入って行った。強い大便の臭いがしている。ひるむ心を奮い起こして、カーテンを開け、籠もった臭いを出すために窓を静かに開けた。

窓の外は、ヨシエの家と同様、古くて小さな木造住宅の台所の窓がほんの一メートルの間隔で迫っていた。早起きの隣家の主婦がいち早く察し、苛立ちを表すように台所の窓を音をたてて閉めた。ヨシエはむかっ腹が立った。しかし、朝から病人の大便の臭いを嗅がされたのではたまらないだろうと同情もする。

「早く替えておくれよ」

そんなことにも気付かず、姑はもぞもぞと体を動かしている。

「動かないでよ。ずれるからさ」

「だって気持ち悪いんだよ」

「そりゃそうだよ。ウンチしたんだろ」

薄い夏掛布団をはいで、姑の寝間着の紐を解《ほど》きながら、ああ、これが赤ん坊のおしめだったらどんなにいいだろうとヨシエは思う。赤ん坊ならば、大便が手につこうが小便で服を濡らされようが、汚いなんて感じたことは一度もなかった。なのに、老人の大小便が汚いものと感じるのはどうしてだろう。

唐突に、ヨシエは山本弥生のことを思い浮かべた。弥生はまだ幼児のいる主婦なのだ。下の子がようやくおしめが取れたと喜んでいたばかりではなかったか。それがどんなに幸せな時期か、ヨシエにはよくわかっていた。

だけど、弥生の様子はこのところおかしい。亭主に腹を殴られたということだが、よほど気に障ることでも言ったのではないだろうか。

働き者の女房は便利な存在だが、怠け者の夫にとっては目の上のたんこぶにもなる。うちの人がそうだった。ヨシエは、五年前に肝硬変で死んだ夫のことを思い出した。ヨシエが姑によく仕え、家計を助けて内職をしたり、家のことを一生懸命やればやるほど、夫はヨシエを鬱陶しがったものだ。

たぶん、弥生の亭主という人も、弥生がよくやるので気に入らないのだろう。夫と同じ我《わが》儘《まま》な男なのだ。世の中というものはどういう訳か、我が儘な亭主には働き者の女がくっついてしまうようにできている。でも、我慢して尽くすしかないのだ。弥生は自分に似たところがあると、ヨシエは勝手に思っている。

手慣れた動作でおしめを交換した。汚れた布を便所で振り洗いし、それから風呂場に洗いに行かなければならない。紙おむつという便利な物があるのは知っていたが、高くておいそれとは買えなかった。

「ねえ、汗もかいたんだよ」

部屋を出ていくヨシエの背中に、姑が寝間着を着替えさせてくれと催促の声をかけてきたが、それはまだ後の仕事だった。

「わかってるって」

「気持ち悪いんだよ。風邪引いちゃうよ」

「これ終わってからね」

「わざとのろくさやってんじゃないか」

「そんなことないよ」

と返しながらも、一瞬、殺意に似た感情がヨシエにどっと押し寄せてきた。風邪を引くなら引けばいい。肺炎を起こして死んでしまえばいい。すっきりする。が、ヨシエは働き者の常で、すぐさまその感情を打ち消した。とんでもないことだ。自分を必要としている人間に死んでしまえばいいなどと思うなんて、罰《ばち》が当たる。

隣の四畳半で目覚しベルの鳴る音がした。もう七時近い。都立高校に通う美紀が起きる時間だった。

「美紀、時間だよ」

ヨシエが声をかけると、襖が開いてTシャツとショートパンツ姿の美紀が不機嫌な顔を出した。

「わかってるってば」美紀はさも嫌そうに顔を背けた。「お母さん、そんなもの持ったまま襖開けないでよ」

「ごめんごめん」

ヨシエは謝って台所の脇にある狭い風呂場に行ったが、美紀の思いやりのなさにショックを受けていた。以前は優しい子で、下の世話だって手伝ってくれたではないか。年頃になって、友人と何かと比較するようになった美紀が、この環境を恥じているのは勿論わかっていた。

なぜ恥じる、と叱る強さが自分にないことをヨシエは気付いている。が、それを美紀に言う勇気はなかった。一番恥じ入り、惨《みじ》めに思っているのはほかならぬ自分なのだから。

でも、仕方がない。誰が救ってくれるというのだ。生きていかなくてはならない。奴隷のように感じても、永遠の下働きと思えても、自分がやらないとどうしようもないのだから。一生懸命やるしかないのだから。そうしなければ罰が当たる。方策を考えようとする前に、ヨシエの勤勉さがまた現れてくる。

洗面所で顔を洗う美紀が真新しい洗顔フォームを使っている。石鹸とは違ういい匂いがしているのですぐわかる。コンタクトレンズも流行のヘアムースも、すべてアルバイトの金で買い揃えているらしい。美紀の髪が朝の光で茶色に光っている。

おむつを洗い終わり、手を消毒したヨシエは、鏡の前で真剣な顔で髪をとかしつけている美紀に話しかけた。

「あんた、髪染めたのかい」

「ちょっとね」美紀は手を休めずに答えた。

「髪染めるなんて、不良だよ」

「不良なんて死語だよ」美紀は笑いのめした。「そんなこと言うの、お母さんだけだよ。皆やってるよ」

「そうかな」近頃、娘が派手になったような気がして心配になった。「あんた、夏休みのバイトどうしたの」

「決めてきたよ」

美紀は長い髪に透明のスプレーを振りかけた。

「どこ」

「駅前のファーストフード」

「時給どのくらいなの」

「高校生は八百円だって」

ヨシエは衝撃を受けてしばらく黙った。弁当工場の昼間の勤務の時給より七十円も高い。若いということはそれだけで価値があるというのか。

「どうしたの」

不思議そうに美紀がヨシエの顔を見た。

「別に。おばあちゃん、ゆうべは何でもなかったね」ヨシエは話を変えた。

「うなされてた。おじいちゃんの名前呼んだりして、チョーうるさかった」

昨夜、姑はどういう訳か幼児のようにむずかり、なかなかヨシエを夜勤に出してくれなかったのだ。出ようとすると、置いていくつもりなんだね、と嫌みを言う。どうせあたしなんか厄介者《やっかいもの》だとひがむ。脳梗塞《のうこうそく》で倒れて右半身が不随になってからというもの、人が変わったようにおとなしくなったのだが、最近は幼児以下の我が儘を隠さなくなった。

「変だね。ボケも来たんだろうか」

「あー、やだやだ。勘弁してよ」

「あんた、そんなこと言わないで汗拭いたりしてあげなよ」

「やだよ。眠いもん」

美紀はそう言い捨てると、冷蔵庫の中からアルミパックの飲み物を出して、ストローで吸いはじめた。それが、コンビニで売っている朝食代わりの食物だということにヨシエは長い間、気付かなかったものだ。美紀は、友人の間ではやっているというので買ってきたのだ。

そんなものを吸わずに、昨夜、ヨシエが炊いた飯と味噌汁で朝食を済ませればいいのに。贅沢な無駄遣いだとヨシエの心は沈んだ。弁当も、以前は自分であり合わせの総菜を弁当箱に詰めていたのに、最近は友達とファーストフード店で食べたりしているらしい。どこでそんな金を得ているのだろうか。ヨシエは美紀を、無意識に観察する目で眺めていた。

「なんだよ、その目つき」

美紀は視線を振り払うように、睨みつける。

「何でもないよ」

「お母さん、それから修学旅行の費用だけどさ。どうする。明日までに持ってこいだってさ」

すっかり忘れていたヨシエは驚いて眉を上げた。

「いくらだっけ」

「八万三千円だよ」

「そんなに高かったっけ」

「前に言ったじゃない」美紀は怒って叫んだ。

とてもそんな余裕はなかった。ヨシエが考え込むと、美紀はさっさと着替えて学校へ行った。それにしても金が欲しい。ヨシエはさらに心を重くした。

「ヨシエったら」姑の催促が聞こえてくる。

ヨシエは急いで洗濯したての寝間着を持って六畳間に行った。重労働の着替えを済ませ、朝ご飯を食べさせ、もう一度おむつ交換をして、山のような洗濯物を洗い終えたヨシエがようやく姑の隣に延べた床に就いたのは、午前九時近かった。

姑もうつらうつらしている。が、昼近くにはまた起きだして騒ぐため、おちおち眠ってもいられない。昼飯も食べさせなくてはならない。

そのため、ヨシエは数時間しか眠ることができなかった。午後は姑の看護の間隙《かんげき》を縫って居眠りする。後は、出勤前のひとときにも多少眠ることができた。切れ切れの睡眠が全部で六時間足らず。ぎりぎりの体力でようやく保つ生活。これがヨシエの日常だった。いつか破《は》綻《たん》が来るのではないかと恐れることもある。

ヨシエは弁当工場の総務課に電話を入れてみた。給料が振り込まれる月末までに間があるので、前借りできないかと頼むためだ。

「特例は認めてないんだよね」工場の経理主任が冷たい口調で言った。

「それはわかってるけど、あたしもこの仕事長いんだし」

「だけど規則は規則だから」主任はにべもない。「それはそうと、吾妻さんね。あんた一週間に一日は休んでもらわないと困るんだよね。労働基準局うるさいから」

ヨシエはこのところ休みなしで出勤していた。一日でも多く日当が欲しいからだった。主任は侮蔑するように言葉を投げつける。

「そこんとこ気を付けてよ。あんただって保護受けてんでしょ。上限越えたらやばいんじゃないの」

逆に謝る羽目になり、ヨシエは頭を下げながら受話器を置いた。ほかに頼れるところは、雅子しかなかった。これまでに何度か急場を助けてもらっていた。

「はい」と低めの声が出た。雅子自身だった。眠っていたのか、少し鼻声だった。

「あたしだけどさ。起こしたかしら」

「ああ、師匠か。いや、いいよ」

「頼みがあるんだよ。駄目なら駄目って言って」

「言うよ。何」

雅子なら本当に言うだろうと、ヨシエはたじろぐ。余計な思惑や、社交辞令を嫌う雅子の率直さには、工場でも時々驚かされていた。

「お金を貸してくれないかな」

「幾らくらい」

「八万三千円。美紀の修学旅行の費用なんだけどね。うち、金がすっからかんなの」

「いいよ」

けして余裕がある訳ではないはずの雅子が、ふたつ返事で引き受けてくれたことがヨシエは嬉しかった。

「ありがとう。恩に着るよ。ああ、助かった」

「銀行に行って、今夜持っていくから」

ヨシエはほっとしてへたりこんだ。雅子に借金するのは惨めではあるが、そんな友達がいることが嬉しい。

卓袱台に伏せて居眠りしていると、玄関のブザーが鳴った。夕陽を背に、雅子が立っていた。化粧気のない浅黒い顔が、こちらをまっすぐに見ていた。

「師匠、考えてみれば工場に現金は置いておけないでしょう。だから、今持ってきたよ」

雅子は銀行の封筒を目の前に差し出した。銀行で金を下ろしてから、そう考えて自分のところに寄ったのだろう。いかにも行動的で雅子らしい遣り方だった。それに工場では人目につく。そのことも慮《おもんぱか》っているのだろうと、ヨシエは雅子の優しさに気付いている。

「ありがとう。月末には必ず返すからさ」

「分割でいいよ」

「そうはいかない。あんたのとこだってローンがあるだろう」

「大丈夫」

雅子は小さく笑った。作業中は滅多に綻《ほころ》んだ顔など見せないから、ヨシエは珍しいものでも見るように雅子の笑い顔に見とれた。

「でも」

「師匠は気にしなくていいよ」

きっぱり言うと、雅子は真顔になった。そうすると、傷跡に見える小さな縦皺が眉間の右眉の脇に浮かぶ。それが雅子の屈託に思えてヨシエはいつもうろたえるのだった。それが何かはわからない。また、わかったとて自分のような平凡な女には到底理解できないのではないかという不安な気持ちになるのだ。

「あんたみたいな人がどうしてあそこに来てるのかね」

「何言ってんのよ。じゃ、後で」

雅子は手を振って、表通りに停めた赤いカローラに向かって歩いて行った。入れ違いに美紀が学校から帰ってきたので、ヨシエは封筒を渡した。

「ほら、お金」

美紀は当然という顔で受け取って、中身を覗いた。

「幾ら入ってんの」

「八万三千円」

「サンキュー」

美紀は封筒を黒いリュックのポケットに無造作に突っ込んだ。その顔に、しめた、という表情が浮かんでいるのを垣間見《かいまみ》て、費用が本当はもっと安いのではないかという疑念がヨシエの心に湧いた。しかし、いつものように本質を見ることをヨシエの本能が避けた。美紀が嘘をつくわけがないではないか。母親の困窮をそばで見ている実の娘が。そんなはずはない。

4

佐竹光義《さたけみつよし》は、一心不乱に銀色の玉の行方を追っていた。

新台が入荷したというので、早起きして並んで取った台だ。もう三時間も打ち続けているのだから、そろそろ確変を引くだろう。それまでの辛抱《しんぼう》だ。色鮮やかな台を見つめていると、睡眠不足のためか目が疲れて仕方がなかった。佐竹は前に置いたイタリア製のポーチから目薬を取り出した。打つ手を休めて、目薬を両目に垂らす。薬は乾いた眼球に沁《し》みて涙が溢《あふ》れ出た。子供の頃から滅多に泣いたことのない佐竹は、頬を伝う液体の熱い感触を楽しみ、流れるがままにしておいた。

隣で打っているリュックを背負った若い女が、佐竹の顔をちらと見た。興味を感じる一方で、佐竹のような派手な服装の男と関わり合いになりたくないという素振りが露骨に見える。佐竹は涙で曇った目で、若い女の肉がぴんと張った頰を眺めた。やっと二十歳を出たというところだろうか。出会った女を瞬時に品定めする癖がついている。

佐竹は四十三歳。短く刈った頭を太い首が骨太の体につないでおり、全体の印象はごつい。が、体格に比して、小さい上がり目は怜悧《れいり》で鼻筋が通っており、指の長さと関節のバランスが絶妙な美しい手をしていた。体つきは頑丈で、繊細な顔と手。そのアンバランスさが、佐竹に得体の知れない印象を与えている。

佐竹は、てかりのきつい黒のパンツのポケットから、ブランド物のハンカチを取り出し、美しい手で目元を拭った。パンツと揃いで誂《あつら》えた黒地の絹シャツに、こぼれた涙の染みができている。佐竹はその箇所もハンカチで丁寧《ていねい》に叩いた。この派手な服も、素足に突っかけたグッチのローファーも、佐竹にとっては衣装にすぎない。もし、佐竹がビジネススーツを身につけていたら、隣の若い女がもっと興味を示すであろうこともわかっていた。

佐竹は左腕にはめた金無垢《きんむく》のロレックスを見た。すでに午後二時近い。約束の時間が迫っていた。舌打ちして帰り支度を始めようかと、受け皿に残った玉を見下ろしたちょうどその瞬間、佐竹の台が確変を引いた。玉が面白いようにポケットに入り、受け皿から溢れ出す。

て見た。

「畜生」タイミングの悪さに思わず声が出る。佐竹は隣の女の腕を肘《ひじ》でつついた。女が驚い
「時間ないんだよ。よかったらやんなよ」

「え、いいんですか」

喜びながらも、女は警戒するように佐竹の顔を眺め、佐竹が本当に出て行こうとするまで移動してこなかった。佐竹は苦笑し、ポーチを手に取ると機敏な動作で立ち上がった。そして、重低音の利いたラップが流れるパチンコ屋の通路を歩きながら、今の若い女に自分がどう見えたのかを考えていた。

騒音に満ちた店の自動ドアから一歩表に出ると、別の喧噪が佐竹を包んだ。映画館の呼び込み、男の叫び声、カラオケボックスから流れる流行歌。すでに体に染み込んだ歌舞伎町の空気に身を浸《ひた》してどこか安心しながらも、自分はここにいるべきではないという居心地の悪さも感じている。佐竹は汚れたビルに囲まれた狭い空を見上げた。どんより曇った、今にも降りだしそうな蒸し暑い天気にうんざりする。

ポーチを脇に抱えて足早に歩きだす。コマ劇場の前に差しかかると、革張りの靴裏に張りついたチューインガムが気になり、歩道の端で擦り落とした。大気の湿り気を吸ったガムが粘ってうまく取れず、佐竹は苛ついた。一晩中この辺りにたむろしている若者が飲み食いしたものが、歩道に黒い染みを残してべとついている。踏まないように注意して歩いている

と、コマの歌謡ショーに並んでいる初老の女たちの列にぶつかりそうになった。右手を挙げて列を横切ろうとしたが、女たちはお喋りに夢中で気が付かない。佐竹は軽く舌打ちはしたものの、微笑みながらまわり込んだ。関係のない人間たちには腹が立たない。そんなことよりも靴裏のガムのほうが余程頭に来る。

ビラ配り、風俗の客引き、連れだって歩くけばい女子高生らは、うまい具合に佐竹をよけてくれた。佐竹の発信する危険な波動がよくわかっている連中だった。佐竹はパンツのポケットに両手を入れたまま、不機嫌な面持ちで裏通りに入って行った。

佐竹の店「美香《みか》」は、区役所通りから一本路地を入った雑居ビルの中にある。佐竹は獣を思わせる敏捷《びんしょう》さで階段を駆け上がると、二階の突き当たりにある「美香」の黒い扉を押した。

中は煌々と照明がつけられ、ギリシャ彫刻風の彫りのある曇りガラスの窓から微かに入る外光と相まって妙に白々としていた。女が一人、入口に近いテーブル席に腰かけて佐竹を待っていた。時間にうるさい佐竹が、約束時間に待たされるのを嫌っていることを熟知している証拠だった。

「ご苦労さん」

「いいえ。佐竹さんこそ、わざわざ」

イントネーションに難があるものの、完璧な日本語を喋るのは、佐竹がこの店のママをやらせている台湾人の張麗華《ちょうれいか》だ。麗華は三十代も半ばを過ぎた年増女だが、真っ白な肌理《きめ》の細かい肌が自慢で、首から胸元までを大きく露出させたブラウスを着て、化粧は真っ赤な口紅をつけているだけ。白く長い首には、凝った彫りの翡翠《ひすい》のペンダントと、大きな金のコインを二重にしている。ちょうど煙草に火をつけたところらしく、佐竹に軽く頭を下げながらふうっと口から紫煙を吐いた。

「忙しいのに悪かったな」

「いいんですよ。佐竹さんのお呼びだもの」

麗華の口調に女の媚《こ》びを感じながら、佐竹は何食わぬ顔で腰を下ろした。満足げに自分の店を見まわす。インテリアはダークローズを基調色としていて、調度はロココ風。入口付近にはカラオケセットと白いピアノを置いてテーブル席は四つ。一段下がった奥のフロアは、テーブル席が十二、とまあまあの規模の上海《シャンハイ》クラブだ。麗華は佐竹と相対すると、白く細い指を組んだ。その指にも大きな翡翠が光っている。佐竹は麗華の期待を裏切るように、店のあちこちに置いてある大きな花瓶を指し示した。

「おい、麗さん。花の水、取っ替えないとみっともないよ」

いずれもカサブランカ、バラ、蘭と豪華な花ばかりなのだが、水が濁って花がしおたれている。

「ああ、はい」と、麗華は一緒に目を巡らす。

「花の水切りくらいしてやんなよ」

笑いながら口にしたものの、佐竹は麗華のそういうところの鈍感さには常々頭にきていた。しかし、これほどの商売上手も珍しいからな、と麗華のほうに向き直る。

「話って何ですか」話を変えたいという風に、麗華がにっこりした。「売り上げのことですか？」

「いや、客のことなんだ。最近、何か問題ないか」

「どういう」

麗華は素早く頭を回転させている目つきになった。

「安娜《あんな》から聞いたんだけどな」

佐竹は身を乗り出した。麗華に緊張が走ったのがわかった。上海出身の李《り》安娜は、目下「美香」のナンバーワンホステスで、店の稼ぎ頭だった。佐竹が安娜を大事にして引き抜きを怖れ、安娜の言うことなら何でも聞くのを承知している。

「安娜ちゃん、何て」

「山本って客がいるんだって？」

「山本さん。たくさんいるけど。……あ、はいはい」思い出したように麗華が頷いた。

「あ、わかります。安娜ちゃんに惚《ほ》れ込んでる客ですね。はいはい」

「そうなんだってな。金を落としてくれるんならありがたいんだけど、こいつが帰りに安娜を待ち伏せして後を追いまわしているらしいんだ」

「ほんとですか」

麗華は知らなかったらしく、のけぞる仕草をした。

「ああ。昨日、電話あってさ。その客がどうやって調べたんだか、このあいだ安娜のマンションまでついて来たっていうんだよ」

「けちな客なんですけどねえ」麗華は意外そうだ。

「らしいね。経費で落とせないような間抜けな奴だっていうじゃない。だから、今度店に入ろうとしたらうまく断ってくれよ。安娜に貧乏神はつけたくないんだ」

「わかってますけど、どうやって」

「それ考えるの、ママの役割だろう」

佐竹は突き放した。麗華は夢から醒《さ》めたように、唇に力を入れた。商売人らしい抜け目ない顔になっている。

「わかりました。マネージャーさんにきつく言っておくから」

マネージャーも台湾人の若い男なのだが、昨日から風邪で休んでいた。

「客つかない時はあいつに車呼んでやってくれ」

「必ずそうしますから」

麗華は何度も頷いた。話を終えた佐竹は、じゃ、と立ち上がる。麗華は客にするのと同様、ドアまで送ってきた。佐竹は念を押した。

「麗さん、花瓶の水忘れんなよ」

麗華が曖昧に笑うのを見て、佐竹は早いところ優秀な次のママを見つけなくてはいけないと思う。店のホステスは皆、美しさと若さと品の良さでしか選んでいないから、別物だった。佐竹にとってホステスは生きている商品、ママはそれをうまく売る売り子でしかない。

佐竹は「美香」を出ると、そのまま階段を登って一階上にある、もうひとつの店の前に立った。こちらは「アミューズメントパルコ」というバカラ賭博の店だ。表向きのマネージャーは雇ってあるので、オーナーである佐竹が店に出るのは、週に三日程度だ。

一年ほど前、佐竹は「美香」の上の階の雀荘が不景気なのを見てその場所を借り、クラブが終わった後の客を当て込んでバカラの店を始めてみた。風営法の許可など取っていないから、クラブから流れてくる客、口コミだけで集まってくる客が相手の小商いのつもりだったが、これが当たった。

最初はミニバカラのテーブル二台で小さくやっていたのだが、面白いように客が増えたのを見て、腕利きの若いディーラーを数人入れて大バカラのテーブルも設置し、賭け金も大きくして大繁盛している。以前は「美香」の終わった後にこっそり営業していたのだが、現在は堂々と午後九時から朝まで開帳していた。

佐竹は解《ほど》けかかった白い看板の電気コードをきちんと巻き直し、指紋がついた金色のドアノブをハンカチで拭った。中に入って従業員の後始末を点検したいという欲望と闘う。ここは自分の好きな賭博の店だし、金蔓《かねづる》でもある大事な店なのだ。

脇に抱えたポーチの中で携帯電話が鳴った。

「おにいちゃん、どこいるの。あたし美容院行くから」

たどたどしい日本語が愛らしい、安娜からの電話だった。男に甘えるのがうまい安娜は、誰に教えられた訳でもなく、佐竹のことをこう呼ぶ。安娜のそういうところを、佐竹は天性の才能だと面白く思っていた。

「わかった。すぐ帰るから待ってな」

三十人ほどの中国人ホステスを雇っているが、安娜の美しさと賢さは群を抜いている。今ちょうど、いいパトロンがつきそうなところだった。それまでの客もすべて佐竹が選んでやっている。安娜に、しつこい貧乏な客など入る余地はまったくない。

佐竹は歌舞伎町を抜け、ハイジアの地下駐車場に停めてあった白いベンツに戻った。そこから車で十分ほどの大久保の安娜のマンションに向かう。新築だがオートロックではない。つけ狙う男がいるのなら、どこかに引っ越させたほうがいいかもしれない。そんなことを考えながら、佐竹は六階の安娜の部屋の前でインターホンを鳴らした。

「佐竹だ」

「開《あ》いてるよう」掠《かす》れた甘い声が聞こえた。

扉を開けると、蹴り飛ばしたらたちまち死んでしまいそうなトーイ・プードルがキャンキャンと足元にまとわりついた。佐竹の足音を聞きつけて待っていたらしい。佐竹は好かないが、安娜の愛犬だ。可愛がらない訳にいかない。靴の先で犬を押し戻し、佐竹は奥に声をかけた。

「おい、ちょっと不用心じゃないか」

「ブヨージンて何」奥から安娜が怒鳴る。

佐竹は答えずに喜びもがく玩具《おもちゃ》のような犬を靴先でなぶりながら、安娜を待った。マンションの三和土には、靴箱に納まりきれない様々なデザインや色のパンプスやミュールが、所狭しと並べられている。あまりの乱雑さに、出かける時に選びやすいように種類別に整理してやったのは佐竹だ。

安娜はウエーブの大きな長い黒髪をポニーテールにまとめ、化粧気のない顔にシャネルのサングラスをかけ、ラメの刺繍のある大きなTシャツに豹柄《ひょうがら》のスパッツという派手な格好をしている。化粧の必要などない色白の美しい顔立ちをしていることは、大きなサングラスをしていてもわかる。厚めの唇が少しめくれているのが男好きがしていいと、佐竹は改めて安娜の顔を眺めた。

「いつもの店でいいのかい」

「うん」

安娜は赤いペディキュアをした素足にエナメルのミュールを突っかけた。置いていかれることを察した犬が、後ろ足で立って狂おしく吠えたてた。安娜が幼児に言い聞かせるように含めている。

「ジュエルちゃんは駄目でちゅよ。いいね、わかたね」

二人は廊下に出て、エレベーターが来るのを待った。安娜は昼過ぎに起きてショッピングやエステに行き、それから美容院で髪をまとめて、簡単な食事の後、「美香」に出勤する日課だ。佐竹が暇な時はなるべく、安娜を送ってやったり迎えに行ったりしていた。いつ何時、引き抜きが来るか知れないからだ。佐竹と安娜がエレベーターに乗り込んだ途端、また携帯電話が鳴った。

「あ、佐竹さんですか」

「おお、国松《くにまつ》か」

佐竹はちらと安娜を見下ろした。国松は、「アミューズメントパルコ」のマネージャーをやらせている男だった。安娜がちらっとこちらを見、関心なさそうに足の爪と同色のマニキュアをあらためだした。

「何だ」

「店のことで、ちょっとご相談したいことがあるんですけどね。今日、お時間とれませんか」

国松の甲高い声が狭い函《はこ》の中できんきんと響く。佐竹は携帯電話から耳を離して答えた。

「いいよ。これから安娜を美容院に送って行くから、その間ならちょうどいいな」

「どちらの」

「ああ、中野だからさ。近くのサテンでな」

時間と場所を指定して、佐竹は電話を切った。エレベーターはとっくに一階に着いている。安娜は先に出ると、甘えた表情で振り向いた。

「おにいちゃん。あのこと、ママに言ってくれた？」

「ああ。もう二度と店には入れないからさ。安娜は安心して仕事しなよ」

「うん」安娜はほっとしたようにサングラス越しに佐竹の顔を見上げた。「でも、店には来なくても、ここに来るんじゃないの。だいじょぶ？」

「大丈夫だよ。俺が見張っててやるから」

「でも、引っ越したいよ、あたし」

「わかった。あんまり続くようなら考えてやるから」

「うん」

「そいつ、店ではどんな風だ」

佐竹は「美香」にはほとんど顔を出さないようにしている。

でしょ」

「ほかの子がつくと怒るくらいしつこい」安娜は顔を顰めた。「皆迷惑してるよ。それに、こないだからツケにしてくれって言いだしたって。やだやだ。遊びのルールってものがあるでしょ」

安娜は生意気な口調で言って、ベンツの助手席に乗り込んだ。見かけは美しい人形のようでも、安娜はしっかり者の上海女である。日本に来て四年。日本語学校に通い、その後も語学学校に通うという名目で就学ビザを更新し続けている。

安娜を美容院に送り込み、佐竹は国松と約束した喫茶店に行った。

「ここです」先に到着していた国松が、奥のテーブルから控えめに手を挙げた。

「どうも。ご苦労さん」

佐竹が深いソファに腰を下ろすと、ポロシャツにゴルフウエア姿の国松が愛想笑いをした。まるでスポーツクラブのインストラクターに見える国松は、まだ四十前だがギャンブル商売は長い。銀座の雀荘で長く手伝っていたのを佐竹がスカウトしてきたのだ。

「どうしたんだよ」

佐竹は煙草に火をつけて、国松の顔を見る。

「はあ、たいしたことはないんですけど、ちょっと気になる客がいましてね」

「へえ、どういうことだよ。サツか」

出る杭は打たれるのがこの業界だ。パルコの景気がいいのを耳にした警察が賭博場開帳のスケープゴートに仕立てて、踏み込まないとも限らない。

「いえいえ、そういうんじゃないんですよ」国松は指の長い手をひらひらと振った。「このところ、毎晩のように来てる客でね。負けが込んでるんですよ」

「バカラ毎日やって勝つ奴はいないよ」

身に覚えのある佐竹は笑った。釣られて笑いだした国松はオレンジジュースに突っ込んだストローをかきまぜた。国松も佐竹も酒は飲めない。佐竹も注文したアイス・カフェオレを一口飲んだ。

「そいつはどのくらい負けてんだ」

「はあ。このふた月でざっと四、五百ってとこです。まだたいしたことないですけどね。行く奴は億行きますからね」

「小さく賭けてるんだろ、どうせ。で、どうしたんだよ」

「それが、ゆうべですね、こう言いだしたんですよ。回銭を貸してくれって」

基本的に佐竹のバカラ賭博場では軍資金は貸さないことにしているのだが、例外として馴染み客に限り、数十万程度貸し出すこともある。その客はたまたまそれを見ていたのだろう。

「ふざけてるな。追い出せよ」佐竹は苦笑した。

「そうしたんですよ。といっても、慇懃《いんぎん》に言っただけですけどね。でもまあ、勘のいい奴なら脅しだとわかるように言ったんですがね。さんざん悪態ついて帰りました」

「しょうがねえなあ。何してる奴だ」

「ただのリーマンです。どっかちっぽけな会社の。ま、それだけなら別に佐竹さんに相談することでもないんですけどね。実はさっきママにも電話入れたんですよ。もしかして『美香』の客かもしれないと思って。そしたら、どうもそいつは『美香』でも出入り禁止になった奴らしいんです」

「山本か。女と金ってか」

佐竹は溜息をついて煙草を潰した。若くて美しい中国人ホステスに夢中になる客は大勢いる。しかし、金の切れ目が縁の切れ目だ。女は諦めてもらうしかないが、山本という客はバカラで勝って、金を作ろうとしたのだろう。あるいは女に夢中になっているうちに、遣った金額の多さに愕然《がくぜん》として、バカラで取り戻そうとしたのか。どちらにしても、山本の中の節度が崩れたのだ。そうなると、博打も女も遊びではなくなる。佐竹はそういう例を嫌というほど見てきた。山本は考えていたよりも、面倒を引き起こす奴かもしれない。佐竹は安娜と店に及ぶ危険を憂慮した。

「だから、今度現れたらオーナーからちょっと話してやってくれませんか」

「わかった。来たら連絡してくれよ。しかし、話してわかるような奴ならいいがな」

「オーナー、一見ヤクザに見えるから大丈夫ですよ。山本は二度と来ませんよ」

佐竹は黙って笑ったが、細い目の奥でどす黒いものが鈍く光った。国松はそれに気付かず、「いやいや、なかなか凄《すご》みありますからね」とからかった。

「そうか」

「その服装で睨みつけりゃ一発ですって」国松は笑った。「佐竹さん、結構怖いですよ」

「何が怖い」

「優しく見えるけど訳わかんないっていうか」

国松の笑いを破るように、佐竹のポーチの中で携帯が鳴った。安娜からだった。

「おにいちゃん？　今、びょういいん」

「びょういいん」と言った安娜の声が、一瞬「びょういいん」という囁きに聞こえ、佐竹の背に、思わず声を上げさせるほどの寒気が走った。

佐竹の骨太の体の下で女が喘《あえ》いでいた。佐竹の体はやや粘度のある熱く濃い液体で面白いほど滑り、少し時間が経つと、女の冷たくなってきた体に絡め取られるようにへばりついて一体となった。女は恍惚と苦痛を行ったり来たりしている。佐竹は女の口から洩れる愉悦とも悲鳴ともつかないものを閉じ込めようと唇で塞ぎ、自らが女の脇腹に穿《うが》った穴に指を深く入れた。そこから血が止めどなく流れ、二人の性交を凄絶《せいぜつ》なものに染め上げているのだった。もっと女の中に入りたい。二人で溶け合いたい。今にも果てようとしている佐竹が唇を離した刹那《せつな》、女が耳元で囁いたのだった。

「びょういん、……びょういん」

「助からねえよ、諦めな」

その時の自分の声音《こわね》も覚えていた。

佐竹は女を一人殺していた。

高校生の時に父親を殴り倒して家を飛び出して以来、二度と実家には帰らず、麻雀ゴロをしているうちに、佐竹はある組の男に可愛がられるようになった。男は新宿で売春組織の運営と覚醒剤のシノギとで大儲けしていた。佐竹は売春婦の逃亡を防ぐ仕事を手伝わされていたが、ある日、凄惨《せいさん》な事件を起こした。娼婦を別の組織にこっそり紹介していた口入れ屋の女を、リンチでなぶり殺してしまったのだ。佐竹が二十六歳の時だ。その事件で佐竹が七年も刑務所に入っていたことは、国松も麗華も安娜も知らない。だからこそ、佐竹は表に出ずに、クラブは麗華と台湾人マネージャーに、カジノのほうは国松に任せているのだった。

二十年近くたった今でもはっきりと思い出す。あの女の断末魔の表情と声。凍った女の指が這うように、佐竹の背筋にまた寒気が走った。

殺すことはなかったのだが、殺すまで自分自身の境界がわからなかったとは何ということ激しい慚愧の念がある一方、佐竹は自身に加虐の歓びを楽しむ性向があることを、そして死を共有した歓びが強烈だということを初めて知ったのだった。

「おまえ、やりすぎじゃ」

女に対して冷酷なことをさんざんしてきた組の男たちでさえ、気味悪そうに佐竹の顔を見た。その侮蔑《ぶべつ》と嫌悪の表情は忘れられない。しかし、あの時のことは二人にしかわからないのだと佐竹は思った。

服役中は、女をいたぶり死に至らしめた時の生々しい記憶が佐竹を苛《さいな》んだ。罪悪感ではなく、もう一度同じことをしたいという欲望に駆られてだった。

だが、ようやく出所していざ女と対峙《たいじ》すると、皮肉なことに佐竹はもう二度と女と交われない体になっていた。女を殺した時の恍惚が大きく深く、その体験が自分を閉じ込めてしまったのだと気が付いたのは、かなり年をとってからだった。

自分の境界線を知ったということは、夢を封じ込めたことにほかならない。佐竹はそれ以来、注意深く封印を解かずにいる。その孤独と自制は誰も知り得ないだろう。なのに、佐竹の真の姿を知らない女たちは、無防備に佐竹に身を委ね、甘えてくるのだった。だから、佐竹にとって封印した夢を破らない女たちは可愛い動物でしかない。

自分を真に理解し、天国にも地獄にも誘う女は、自分が殺した女しかいないことがわかっている。佐竹は夢幻の中でしか女と交われないし、恍惚を得ることもない。それでいいのだ。今の自分ほど女に優しい女衒《ぜげん》はいないだろう。その心の底に、なぶり殺した女の顔があるとは。あの時初めて出会った、よく知りもしない女の顔があるとは。まったく人生は意地が悪い。二度と自分の地獄の蓋を開ける気はなかったのに、安娜のたった一言で、思いがけず蓋がずれかけた。佐竹は額に滲み出た汗を、国松に知られないようにそっと拭った。

美容院に迎えに行くと、安娜が店の外で待っていた。

助手席のドアを開けてやり、乗り込んで来るのを待つ。セットしたての安娜のヘアスタイルが七〇年代風に盛り上がっているのを見て佐竹は笑った。

「懐かしい頭になってるな。俺の若い頃って、女は皆そんな頭してたよ」

「大昔のことでしょ」

「そうだよな。二十年以上前だもんな。安娜ちゃん生まれてないよ」

佐竹は目を細めて安娜を見た。こんな美しい女が生きているなんて奇跡だ。頭もまわるし、度胸もいい。最近はナンバーワンの誇りも加わって、近寄りがたい威厳すら見せることもある。安娜に夢中になる男たちに、佐竹は密かに同情すら感じている。

佐竹は助手席に座った安娜のスパッツに食い込む太股の合わせ目を、運転しながら眺めた。柔らかいのに弾力があり、肉が詰まっている豊かさを感じさせた。

「いつまでも綺麗でいなよ。俺が守ってやるからさ」

美しさが儚《はかな》いことも知っているし、安娜が年をとれば次の安娜を探すことになるのもわかっての発言だった。

「じゃ、一度おにいちゃんが抱いて」

安娜はふざけているともいえない口調で誘惑するように言った。佐竹は自分の過去を知らない店の者が、オーナーは堅い人物だと噂しているのを知っていた。

「駄目だ。安娜ちゃんは大事な商品だからさ」

「あたし、モノなの？」

「うん。美しい夢のような玩具だな」玩具という言葉を口にした時に、またあの女の顔が目に浮かんだが、前の車のテールランプに気を取られているうちにすぐさま消えた。「金持ってる男にしか手に入らない、すごく高い玩具だよ」

「でも、恋をしたら手に入るよ」

「安娜ちゃんがする訳ないよ」佐竹はしたたか者の安娜の顔を見る。

「するよ」

安娜はステアリングに軽く置いた佐竹の右手をそっと握った。佐竹はその指を柔らかな太股に戻してやった。黒い幻をこっそり抱えて生きる佐竹には、あの殺した女しか要らない。佐竹にとっては、玩具をより美しくし、欲しがる男たちに配り、うまく操ることこそが今の楽しみなのだから。そのために、佐竹は両方の店の繁盛を願っているのだ。まずは山本という男を排除するのが目下の仕事だった。

その夜、佐竹が西新宿の自分の部屋で出かける準備をしていると、国松から電話がかかってきた。

「今、山本が来ました。二、三万程度、ゲームしたいようです。どうします、追い出しますか」

「構わない、やらせておけよ。すぐ行くから」

佐竹は仕立て下ろしの玉虫色に光るグレイのスーツを着て外に出た。スタンドカラーのシャツを合わせている。

ベンツを歌舞伎町のバッティングセンターの駐車場に入れ、まず「美香」に顔を出した。安娜が奥からちらっとこちらを見て手を上げた。限りなく清純なのに妖艶《ようえん》な、仕事の顔をしている。ほかのホステスたちも安娜に負けず劣らず美しかった。女たちをひと通り吟味《ぎんみ》した佐竹は満足し、麗華を呼んだ。麗華は目立たぬように客に挨拶しながら佐竹のところにやってきた。

「昼間はわざわざ悪かったな。おかげで国松とも話が通じたよ」

「そうですか、よかった。上にも行ってたなんて知らなかったですよ」

「どっちもうまくいかないよ」

くすっと麗華は笑った。翡翠色のチャイナドレスを着ている。いつもより若く、しかも頼もしく見えたが、佐竹はコーナーに飾ってある花瓶をちらっと見遣った。水は相変わらず濁り、花は昼間よりもしおたれていた。何も言わずに店を出た。一刻も早く、安娜をつけまわす山本という男をこの目で見たかったのだ。

佐竹は三階の「アミューズメントパルコ」の一枚板のドアの前に立った。一応手入れを恐れて看板の電気は消してあるが、ドアを開けた途端に漏れ出る賭場のざわめきと興奮は隠せなかった。

静かに店内に入った佐竹は、改めて自分の店を点検する目で眺めた。二十坪ほどの広さに、七人の客がテーブルにつけるミニバカラが二台、十四人の客が遊べて賭金も大きい大バカラが一台あって、どの台にも客が群がっている。従業員も国松を入れて黒服が三人。飲み物やオードブルを運ぶバニーの女が三人。皆、忙しそうにきびきびと動いている。

ミニバカラのディーラーが、佐竹の姿を認めて目礼してよこした。その間、手は休みなく動いてプラスチックのチップを重ねている。佐竹は頷いた。麻雀ゴロをしていたこんな若い男も、鍛えた甲斐あっていい働きをしてくれるではないか。店の状況はすべて満足のいくものだった。

バカラは単純なゲームだ。客がプレイヤー側とバンカー側のどちらかに賭け、ディーラーはバンカー側の勝った金から五パーセントのコミッション料を取るのみ。それがテラ銭である。客をうまく戦わせることができるのが、いいディーラーということになるのだが、ゲームが単純なだけに客はすぐ熱くなっていくらでもはまってくれる。

ルールは、下一桁《けた》の数の合計が9なら一番強いのはオイチョカブに似ているが、三枚目のカードを引けるかどうかに幾つかの決まりがある。プレイヤー側が二枚引いて最初から8か9ならナチュラルで勝ちかタイ。バンカー側は三枚目を引くことができない。6か7なら、バンカーの結果待ち。5以下なら三枚目を引く。その他、両者の合計点によって細かいルールがある。

誰にでもすぐできる簡単さが人気の秘密だった。客は仕事帰りのサラリーマンやOLらしい若い男女も大勢いた。鉄火場とは違う洒落《しゃれ》た雰囲気にはなっているものの、ここにいる半分以上の人間が禁治産者だということを佐竹は知っている。要するに、ろくでなしだ。しかし、自分の店で崩れられるのだけはご免だった。

「あいつです。なんだかんだいって今日も十万ほど負けてますよ」

国松が囁き、奥のミニレイアウトの端に腰かけて水割りを飲みながら、ほかの客が賭けるのを頬杖を突いて眺めている男を指差した。佐竹は隅のほうで密かに山本を観察した。

年の頃は三十代半ばか。白の半袖シャツに地味なタイ、グレイのパンツ。特徴のない顔をした、どうということのない男である。その辺りを歩いていれば、たちまちほかの勤め人と見分けがつかなくなるだろう。

こんな凡庸《ぼんよう》な男が安娜に惚れるとは。安娜はまだ二十三歳で、きれいどころを揃えた「美香」でも一番の美貌、しかもナンバーワンなのだから身のほど知らずにもほどがある。安娜が言ったように、そして、すべての博打にルールがあるように、遊びには約束事が欠かせないのだ。自制を厳しくしている佐竹は、山本のような客を見ると腹が立つ。

山本のテーブルでは勝負が終わりに近づいた。あと一、二回でシューターの中のカードがなくなる。意を決した山本が、残り少ないチップを全部プレイヤー側に賭けた。それを見て、ほかの客はほとんどバンカー側に賭けている。山本がついていないのを全員知っているから誰もそちらには乗ろうとしないのだ。素知らぬ顔のディーラーがシューターから手早くトランプを配った。

プレイヤー側に絵札二枚。0、つまりバカラだ。ついてないな、と佐竹は思った。対してバンカー側が3。両者とも、三枚目を引かなくてはならない。山本の前にカードが配られ、作法通り、山本が両端を折って中を見た後、諦めたように投げ出した。絵札だった。バンカー側にほっとした笑みが浮かぶ。4だったのだ。0対7で当然バンカー側の勝ち。運に見放されている。これが最後の勝負だった。

「とんだバカラ野郎だな」

佐竹がつぶやくと、横に立っている国松が忍び笑いを洩らした。山本のいるテーブルのディーラーが若い女ディーラーに交代した。客も数人交代している。だが、山本はチップもないのに、ふてくされて座り込んでいる。後ろで待っているホステス風の女が訴える顔で国松をちらっと見た。出番だな、と佐竹は国松に合図して山本に近づいた。

「失礼ですが、お客様」

「何だよ」

山本は驚いて、佐竹のごつい体と柔らかな顔、そして到底素人には見えない服装を見た。しかし、投げやりな表情は変わらない。山本の中の何もかもが鈍磨しているのかもしれない。

「お遊びにならないのでしたら、こちらのお客様と交代していただけませんか」

「何でだよ」

「順番を待っておられますから」

「いいじゃないか、見てたって」

山本は酔っていた。カジノで供される無料の水割りを散々飲んでいるらしい。テーブルの上には煙草の灰が飛び散っていた。佐竹は若い副マネージャーを呼びつけてゴミを片付けさせ、小さな声で山本に言った。

「すみません、ちょっとお話がありますので、こちらにお願いします」

「ここで言えよ」

同じテーブルについている客たちが呆れた様子で山本を見た。中には、佐竹の風体に恐れをなして、うつむき黙り込んだ者もいる。

「いえ、こちらにどうぞ」

ちぇっ、と聞こえよがしに舌打ちする山本を店の外に連れ出し、佐竹は雑居ビルの薄暗い廊下で向き合った。

「お客さん、先日、金を貸せとおっしゃったそうですが、うちでは現金は貸しませんから、遊ぶお金がないのでしたらどこかで都合してからいらしてください」

「おい、客商売のくせしてさ、よくそんなこと言うよなあ」

山本は拗《す》ねた子供の目で唇を尖らせた。

「はあ。客商売だからこそです。それから安娜の後、つけまわしたりしないでくださいよ。まだ若いんで怖がってますから」

「何の権利があってそんなこと言うんだよ」山本の顔が屈辱で歪んだ。「俺は客じゃねえか。幾らつぎ込んだと思ってんだよ」

「はあ。ありがとうございます。でも、つけまわさんでください。女の子は店で会うだけですから」

「何が店で会うだけだよ」山本は鼻で笑った。「笑わせるよ。どうせ売春してるくせによ」

「だから、お前なんかにゃ手が出せない女なんだよ。もう来んなって言ってんのがわからないのか。この野郎」

佐竹は腹が立ってきて思わず言い放った。

「何言いやがる。畜生!」

いきなり山本が殴りかかってきた。佐竹は太い右腕でかわして、反対にシャツの襟首をぐいと摑んだ。そして、山本の股間に膝を入れて壁際に押しつけた。山本は張りつけられたように動けず、はあはあと息を切らしている。

「てめえなあ、怪我しないうちに早く帰んな」

数人のサラリーマン連れが階段を登ってきた。二人を見てこわごわ「パルコ」に入って行く。佐竹は摑んだ手を緩めた。こんなことから暴力団の経営だと根も葉もない噂が飛び交うと営業に差し支える。

油断した隙に、山本のやけっぱちのパンチが顎に入り、佐竹は痛さに呻《うめ》いた。

「この野郎。何しやがんだ」

かっとした佐竹は容赦のない肘打ちで山本の鳩尾《みぞおち》を突き、屈み込んだ山本をそのまま横の階段から蹴り飛ばした。ごろんと一回転した山本が踊り場に落ちて尻餅をつくのを見て、佐竹は血が騒いでおさまらず、喧嘩をしまくっていた若い頃の爽快感を味わった。しかし、それはほんの一瞬だった。佐竹の注意深い抑制のもとにその感情はしまい込まれる。

「今度来たら殺すぞ、ボケ!」

佐竹のどすのきいた恫喝《どうかつ》が聞こえたのかどうなのか、山本は血が出た口元を拭ってぼんやりしている。ちょうど階段を登って来た若い女たちが、悲鳴を上げて駆け降りて行った。まずいなあ、女の子を怖がらせちまった。佐竹はスーツの皺を伸ばして、それだけを考えていた。この後、山本がどんな運命を辿《たど》ろうと、勿論知ったことではなかった。

5

憎しみだ。この感情を、憎しみというのだ。

山本弥生は姿見に映る自分の全身を眺めながら思った。三十四歳の白い裸体のほぼ中央、鳩尾に際立った青黒い、ほぼ円形の痣がある。昨夜、夫、健司《けんじ》の拳固《げんこ》をここで受けたのだ。それは、弥生の内部にはっきりと、ある感情を誕生させた。いや、以前からあったのだ。弥生は夢中で首を振った。鏡の中の裸の女も一緒に首を振る。以前からあった。ただ、名前をつけることができなかっただけなのだ。

憎しみという名前を持った途端にそれは黒い雨雲のように広がり、瞬《また》く間に心を占領した。だから今、弥生の心の中には憎しみ以外、何もない。

「絶対に許さないから」

口に出した弥生は、たちまち涙を溢れ出させた。涙はとめどなく流れて頬を濡らし、弥生の小ぶりだが形の良い乳房の谷間まで落ちてきた。涙が鳩尾まで達した時、また息が止まるような苦痛が襲ってきて、弥生は畳に蹲《うずくま》った。空気が触れても、涙が流れても痛い。誰にもこの痛みを癒すことはできないだろう。

気配を感じたらしく、小さな布団に寝ている子供がもぞもぞ動きはじめた。弥生は慌てて立ち上がって涙を手で拭い、急いでバスタオルを体に巻いた。決して子供たちにこの痣を見せてはならなかった。また泣いているところも。

そう思うと、自分はこの世にたった一人きりでこの仕打ちに耐えていくのだという激しい孤独感に襲われ、弥生の目にまた涙が溢れてきた。何よりも、一番近しい人間関係にひどく傷つけられているという事実に耐えられないのだ。この地獄からどう抜け出したらいいのかわからない。弥生は幼児のように泣きじゃくりたい衝動と闘った。

上の五歳の息子が寝苦しそうに眉を顰《ひそ》めて、寝返りを打った。三歳の弟も、その余波を食らって仰向《あおむ》けになった。今、子供たちを起こしてしまっては工場に行けない。弥生は這って姿見の前から移動すると、寝室を出た。音をたてずに注意深く襖を閉め、静かに眠っていてほしいと祈る気持ちで照明を消す。

弥生は足音を忍ばせて小さな台所と接したリビングルームに行き、食卓の上に畳んで積んだままになっている洗濯物の山から自分の下着を一組探し当てた。スーパーで買った何の飾りもない安売りのショーツとブラジャーだ。独身時代には美しいレースのついたランジェリーばかり買っていたことを思い出した。健司が好んでいたからだった。

その頃は、まさか自分たちにこんな未来が待っているとは想像もできなかった。手に入れられない女に心奪われた馬鹿な夫と、その男を憎む妻と、深い川を隔てた彼岸《ひがん》と此岸《しがん》とに別れてしまうとは思いも寄らなかった。二人はもう二度と同じ岸を歩くことはない。なぜなら、自分が健司を許さないからだ。

今日も夫が自分の出勤時間までに帰ってくることはないだろう。最早、あてにできない健司を頼って子供を残していくのが死ぬほど心配だった。特に上の息子は人一倍感じやすく、傷つきやすいのだから。

しかも、夫は三ヵ月前から給料を家に入れていない。自分が夜勤で得るわずかな収入が親子三人をかろうじて食べさせている。

何ということだろう。

夜勤に出ている間に帰宅して、こっそり布団に入る狡《ずる》い夫。その夫と、朝、くたびれて帰ってから繰り返す際限ない口喧嘩。互いに交わされる冷たい刺すような視線。本当に疲れた。弥生は大きな溜息をつきながら、ショーツをはくために屈んだ。すると、鳩尾がずきりと痛んだ。思わず声が出る。ソファで丸くなっていた飼い猫のミルクが顔を上げ、耳を立てて弥生を見た。昨夜はソファの下で怯え、細く長い鳴き声を上げていた。

その出来事を思い出すと、弥生の顔が蒼白になった。怒りと憎しみの、何ともいえない暗い感情が弥生を打ちのめす。ここまで他人を嫌いになったことなど一度もない。地方都市出身の弥生は、平凡だが優しい両親のもとでのんびり育った一人娘だった。

弥生は山梨の短大を出ると、東京に出て中堅のタイル会社に就職した。仕事は営業補助。美しく可愛いと弥生は男の社員にちやほやもてはやされた。思えば、その頃が弥生の人生における絶頂期だった。選ぼうと思えば幾らでも相手を選べたのに、弥生が心惹《こころひ》かれたのは、会社に出入りしていた地味な建材会社に勤める健司だった。

健司がほかの誰よりも強引に弥生を口説いたからだ。結婚までの健司との恋愛は、いつも誉め讃えられ、将来の甘い夢をこれでもかこれでもかと呈示される素晴らしい思い出ばかりだった。しかし、結婚とともに弥生のお姫様気分はすぐに潰《つい》えた。健司は弥生を放って、飲んだり、博打をしたりで家に寄りつかなくなった。健司はいつだって、手に入れられそうもない他人のものが欲しくなる男なのだと気付いたのは、最近になってからだ。健司は自分が会社のマスコット的存在だったから欲しがったのだ。自分のものになってしまえば、興味は失《う》せる。いつも幻を追いかけていたい不幸な男。それが健司だ。


昨日の晩はどういう風の吹きまわしか、健司が十時前に帰宅した。

ようやく寝ついた子供たちを起こさないように、音を潜めて台所で洗い物をしていた弥生は気配を感じて振り向いた。真後ろに健司が突っ立っていた。健司はさも嫌な物を見るような苦い顔をして、弥生の背中を眺めている。驚いた弥生は思わず泡だらけのスポンジを流しに落とした。

「ああ、びっくりした」

「何だ、ほかの男と思ったか」

健司は珍しく酔っていなかったが、えらく不機嫌だった。しかし、健司の不機嫌にはすでに慣れきっていた。

「思ったわ。もう寝ている顔しか見てないもの」スポンジを拾い上げながら、嫌みが口を衝いて出る。できればその苛ついたどす黒い顔も見たくない。「どうして今日は早いの」

「金がないんだよ」

「知ったことじゃないわ。だって、うちに一銭も入れてないじゃない」

背中を見せたまま言ったにもかかわらず、健司が薄く笑ったのがわかった。

「ほんとにないんだよ。貯金も遣っちまったしさ」

「遣ったの」と震える声で問う。二人で貯めた金が五百万以上はあったはずだ。マンションの頭金にもう一息だったのに。何のために自分があの辛い労働をしてきたと思っているのだ。

「本当に？　どうして。給料入れてないのにどうして」

「博打。バカラってやつ」

「嘘でしょう」呆れてそれしか言えなかった。

「ほんと」

「だって、あなただけのものじゃないでしょう」

「おまえのもんでもないだろう」

あまりのことに黙り込むと、健司はこう言ってのけた。

「俺、この家出て行こうか。え、そのほうがいいんだろう。え？」

なぜ荒れているのか、何が気に入らないのか。帰って来るたびに、どうして手前勝手な嵐に家族を巻き込むのかやりきれなかったが、この時ばかりはそれどころではなかった。弥生は冷静な口調で返した。

「出て行って済む問題じゃないでしょうに」

「じゃ、どうすれば済むんだ。言ってみろよ」

すでに結論を弥生に預けてしまった狡さが健司の顔に滲み出ている。わかってるくせに、と腹が立ち、切り返した。

「早く女に振られりゃいいのよ。それが諸悪の根源でしょ」

突然、鳩尾に何か堅く重い物が捩《ね》じ込まれた。気を失いそうなほどの激痛が襲い、弥生はその場に倒れた。息が吸えなくなって悶絶《もんぜつ》しながらも、いったい何が起きたのか訳がわからない。言葉にならない呻《うめ》きを発していると、今度はエビのように丸めた背中を蹴られ、悲鳴を上げた。

「馬鹿野郎」

健司が怒鳴り、右手をさすりながら風呂場に入るのを横目で見て、夫の右の拳固で殴られたと知った。弥生は痛みに呻いてしばらく横たわっていた。風呂場からは、烈しい水の音がしている。

ようやく息がつけるようになり、まだ握りしめていたスポンジのせいで泡だらけになった手で弥生はTシャツをめくってみた。鳩尾には青黒い痣がくっきりとついていた。それが健司と自分の終わりの刻印のように感じられ、長い息を吐くと襖が開いた。長男の貴志《たかし》がこわごわとこちらを見ている。

「おかあさん、どうしたの」

「何でもない。転んだの。大丈夫だから早く寝なさい」

そう言うのがやっとだった。貴志は何かを悟ったらしく、黙って襖を閉めた。眠っている弟を気遣ったのはすぐにわかった。幼児でさえも他人を思いやる心を持っているというのに、健司のこのざまは何だろう。人が変わってしまったのだ。それとも、もともとこういう男だったのか。

弥生は鳩尾を手で押さえ、どうにか食卓の前に座った。痛みをこらえ、ゆっくりと呼吸を整える。風呂場からは、プラスチックの桶を蹴飛ばす音が聞こえてきた。桶にまで当たってるんだわ、と弥生はくすりと笑い、それから両手に顔を埋めた。怒りよりも、どうしてこんな男と一緒に暮らしているのかという惨めさが弥生を打ちのめしていた。

気付くと、下着姿のままだった。弥生はポロシャツを被り、ジーンズをはいた。このところ急激に痩せたため、ジーンズが腰骨まで落ちてくる。弥生はベルトを探し出した。

もう少しで工場に出勤する時間だ。行きたくないが、今夜行かなければ雅子や師匠たちに心配をかけてしまう。雅子。あの人は誰の変化も見逃さない。それが怖くもあるが、あの人には何もかも話してしまいたい衝動に駆られるのはどうしてだろう。雅子は頼れる。何かあったら縋《すが》るのはあの人しかいない。ほのかな希望が見えた気がして、弥生の動作が少し早くなった。

玄関で物音がした。健司が帰ってきてしまったのかと弥生は一瞬身構えたが、居間に入って来る気配はない。誰か見知らぬ者が勝手に入ってきたのだろうか。弥生は急いで玄関に向かった。

上がり框《がまち》に腰を下ろし、健司が背を向けて座っていた。肩を落とし、ぼんやりと三和土を眺めている。シャツの背中が汚れていた。健司は弥生が立っていることにも気付かぬ様子でうなだれたままだ。昨夜のことが思い出されて、弥生の中で憎しみが突然に膨れ上がった。

こんな男は永久に帰って来なければいいのに。

二度と顔も見たくないのに。

「おまえか」健司が振り向いた。「まだ行かないのかよ」

喧嘩でもしたのか、健司の唇が腫《は》れて血が滲んでいる。が、黙りこくったまま、弥生は立ちすくんでいた。この湧き上がる憎しみの奔流《ほんりゅう》をどうやっておさめていいのかわからないのだった。なのに健司はつぶやいた。

「なんだよ。たまには優しくしてくれよ」

その途端、ぶつっと音がして弥生の忍耐の糸が切れた。弥生は自分でも思いがけない素早さで革のベルトを腰から外し、健司の首に巻きつけていた。

「おい」と健司が驚いてこちらを見ようとした。弥生は斜め後方にベルトを手繰《たぐ》り寄せていた。健司はベルトに手をかけようとしたが、すでに首に食い込んで指も入れられない。慌ててその部分をかきむしるのを、弥生は醒めた目で見つめていた。そして、ますます力を入れて背後に引っ張った。健司の首が面白いように後ろに伸び、ベルトに触るのを諦めた指が中空をむなしくもがく。もっともっと苦しめばいい。こんな男は絶対に存在してほしくない。弥生は靴下をはいていない左足を踏ん張り、右足で健司の肩を前に蹴り倒した。健司の喉の奥から、んぐっという蛙《かえる》が鳴いたような音が出た。いい気分だった。自分のどこにこんな狂暴な力が、そして残酷な気分が潜んでいるのか不思議でたまらなかったが、ひたすら爽快だったのは事実だ。

健司がぐったりしている。膝から下を玄関の三和土に下ろし靴を履いたまま、ぶざまに框に腰をつき、首をひねり上げられている。

「まだよ。まだ許さない」

弥生はさらに絞め続けた。このまま死んでしまえばいい、と思ったのは正確な気持ちではなかった。健司という男の顔を見たくない、喋るのを聞きたくない、そんな一心だった。

何分経ったのだろうか。健司はぴくりとも動かない。弥生は仰向けに倒れた健司の首の脈に触った。動かなかった。ズボンの前が少し濡れているのは失禁したせいらしい。弥生は笑った。

「あんたが優しくすればいいんじゃないの」

それからどのくらいの時間、その場に座っていたのかわからなかった。ミルクの低い鳴き声が聞こえて、弥生は我に返った。

「どうしよう、ミルちゃん。殺しちゃった」

白い猫は悲鳴のような鳴き声を上げた。釣られて弥生も小さな悲鳴を上げた。取り返しがつかないことをしてしまった。が、まったく後悔はしなかった。これでいいのだ、これしかなかったのだ、と自分が自分の耳元に囁き続けているのだった。

弥生は居間に戻って、冷静に壁の時計を眺めた。十一時ちょうど。そろそろ出勤の時間だった。

「はい、香取です」

弥生は雅子の家に電話をかけた。

うまい具合に本人が出た。弥生は息を吸い込んでから話した。

「あたし。山本ですけど」

「ああ、山ちゃんか。どうしたの。今日は休むの」

「どうしようかと思ってるの」

「何で」と問う雅子の口調に気遣うようなゆとりが加わった。「何かあったの」

「あったの」と弥生は答え、思い切ってこう言った。「あたし、あの人、殺しちゃったの」

しばらく沈黙があり、雅子の静かな声がした。

「それは本当のことなの」

「本当、嘘じゃない。今、絞め殺した」

雅子はまた沈黙した。今度は長く三十秒ほどの間隙があった。驚いているのではなく、考え込んでいることが弥生にはわかっていた。それが証拠に、さっきよりさらに静かな声が返ってきた。

「で、あんたはどうしたいの」

一瞬、雅子の質問の意味がわからず、弥生は絶句した。雅子は続けた。

「つまりね、あんたはこの後、どうしたいのか言ってくれない。協力するから」

「あたし？　あたしはこのままでいたいの。だって、子供も小さいし」

言った途端に涙が溢れてきた。混乱がようやくやってきたらしい。すると雅子が遮《さえぎ》った。

「わかったよ。すぐあんたのところに行くけど、そのこと誰かに見られたりしてない?」

「わからない」答えてから頭を巡らせ、またソファの下に潜り込んだ猫に目を遣った。「猫だけ」

「そう」微かな笑いを含んだ雅子の口調は優しかった。「とにかく待ってて」

「ありがとう」

弥生は受話器を置き、その場にしゃがみこんだ。鳩尾に膝頭が当たったが、もはや痛みは感じられなかった。

6

電話を切ると、目の前の壁にかかったカレンダーの文字が二重にぶれて見えた。衝撃から来る目眩《めまい》を経験したのは初めてだった。

昨夜の弥生の様子が気になっていたことは確かだが、他人の家のことになど首を突っ込みたくはない。なのに、今の自分は弥生に手を差し伸べようとしている。本当にこれでいいのだろうか。雅子は壁に手をついて目の焦点が合うのを待ち、振り向いて背後を窺った。

つい先ほどまで居間のソファに寝そべってテレビを見ていた息子の伸樹《のぶき》の姿はない。知らないうちに二階の自室に引き上げたらしい。夫の良樹《よしき》は晩酌をして早々と寝てしまったし、家族の誰かに電話の内容を聞かれた恐れはなさそうだった。ほっとしながら、これからどうしようかと考えをまとめる。しかし、そんな悠長な時間はなかった。早く行動しなければならない。雅子は車の中で考えようと心を決めた。

車のキーを握り締め、二階の伸樹に向かって怒鳴った。

「もう仕事に行くから、火の始末気を付けてよ」

返事はない。最近、伸樹が雅子の留守中にこっそり酒を飲み、煙草を吸っているのは知っていた。これから先どうしたいのか、何になりたいのか、何の展望も情熱も持たずに十七歳の夏を迎えようとしている息子を、雅子は静観せざるを得ない。

伸樹は都立高校に入ったばかりの春に、押しつけられたパーティ券を持っていただけで販売に加担したと退学処分を受けた。見せしめのような厳罰に衝撃を受けてか、それ以来、緘《かん》黙症《もくしょう》のように喋らなくなった息子の心をどう開けばいいのか誰にもわからなかった。おそらく本人ですらも閉ざした扉の堅さに戸惑っているに違いなく、雅子が合い鍵を探しておろおろする時期は過ぎた。毎日休まずにアルバイトの左官業に通っているのだから、それで良しとすべきだと考えていた。子供を持つということは、思うようにもならなければ、断ち切ることもできない人間関係を抱えることだ。

雅子は玄関脇の小さな部屋の前に立った。合板のドア越しに、夫の軽い鼾《いびき》が聞こえてくる。納戸《なんど》にする予定だったこの北向きの部屋で夫が寝るようになったのは、いつ頃からか。

雅子はほんの少しの間、廊下に佇《たたず》んで考えている。寝室を別にするようになったのは、この家に引っ越す前、雅子がまだ会社に勤めている頃からだった。それが不自然だとも寂しいとも思わなくなり、今や家族三人がそれぞれの部屋で寝る生活に慣れている。

良樹は大手不動産会社系列の建設会社に勤めている。名前だけは一流企業のように聞こえるが、内実は不景気で社員は親会社への劣等感を強く持っているのだと良樹が話してくれたことがあった。そこで良樹が営業マンとしてどう振る舞っているのか、雅子にはわからない。会社のことなど口の端《は》にのぼらせることさえ嫌だと、良樹は顔を歪めるからだった。

二歳上の良樹とは、高校時代に知り合った。良樹のいいところは、魂の潔癖性とでもいえる世離れした高潔さを持っていることだ。他人を騙《だま》したり、出し抜くことを嫌悪する良樹に、建設会社の厳しい営業は向いていない。それが証拠に、良樹はいまだにヒラで出世コースからまったく外れていた。良樹には良樹の、社会と折り合わない辛さがあるのだろう。休みの日は、仙人のように俗世間を嫌ってこの部屋に閉じ籠もりたがるその姿は、口を利かなくなった伸樹に似ていないくもない。雅子はそのことに気が付いてから、みだりに口を挟むのをやめた。

学校を退学になって口を利かなくなった息子と、会社という鬱屈を抱える良樹と、リストラされて夜勤を選んだ雅子と。たった三人の家族は、それぞれの寝室を抱えると同様、それぞれの重荷を負って孤独に現実と向き合わされている。

再就職先が見つからず、とうとう弁当工場の夜勤パートを選んだ雅子に、良樹は何も意見を言わなかった。良樹は無気力なのではなく、戦うという無駄なことを放棄して自分の繭《まゆ》を作りはじめたのだと雅子は感じた。その繭に雅子は入れない。自分の体に触れることもなくなった夫の指はせっせと要塞を築いている。雅子や伸樹ですらも俗世間に繋《つな》がっているからと拒絶するような姿勢は、自分と伸樹を見えないところで傷つけている。

自分の家庭のことさえうまく運べない。そんな自分がどうして弥生の事件に関わることができるだろうか。雅子は反問しながら薄っぺらな玄関のドアを開けて外に出た。昨夜よりもはるかに涼しく感じられ、空を見上げると赤い月がぼんやりと浮かんでいた。雅子はそれが凶兆に思えて目を逸《そ》らした。つい先ほど、弥生が夫を殺したのだという。これは紛れもなく凶兆ではないか。

小さな住宅のポーチに作られたぎりぎりの駐車スペースに、カローラは停めてあった。雅子は全開できない運転席のドアの隙間から器用に中に入ると、エンジンをかけ、すぐに発進させた。夜中、畑の多い片田舎の住宅街にエンジン音は大きく響く。音がうるさいと文句を言われるよりも、夜遅くに出かける理由のほうを詮索される鬱陶しさがここにはあった。

弥生の家は武蔵村山の弁当工場のすぐそばにある。いつもの駐車場に停める前に弥生の家に密かに寄らねばならない。雅子は邦子との約束事を思い出した。午後十一時半に駐車場で待ち合わせて一緒に工場に行こうという例の約束だ。たぶん、それには遅れるだろう。猜疑《さいぎ》心《しん》が強くて、勘のいい邦子が嗅ぎつけなければいいのだが。

しかし、こんなにあれこれ気を揉んでも、近所の人間は山本家で起きた事件をすでに知っているかもしれないし、弥生が警察に駆け込んでしまったかもしれない。あるいは、すべて弥生の妄想から出た作り話ということも考えられる。雅子は心が逸《はや》って思わずアクセルを踏みつけていた。

開いた車の窓から、通りすがりの生け垣に咲くクチナシの甘い匂いが入ってきて、あっという間に闇に消えていった。それと同様、弥生に対する同情心は雲散霧消《うんさんむしょう》し、いったい私にどうしてもらいたいのだ、迷惑な、とそんな言葉さえ頭に浮かんでは消えるのだった。弥生の顔を見て、それから助けるかどうか決めようと思った。

弥生の家がある路地のブロック塀の角に白い人影が見えた。女だ。雅子は慌ててブレーキを踏んだ。

「雅子さん」

途方に暮れた表情で弥生が声をかけてきた。白いポロシャツにゆるいジーンズをはいている。夜の闇に白いシャツが浮かび上がり、そのあまりの無防備さに雅子は息を飲んだ。

「何してるの」

「猫が逃げちゃったの」車の横に立った弥生が涙を浮かべた。「子供が可愛がっているのに、あたしのこと見て怯えて逃げちゃったの」

雅子は声を出さずに人差し指を自分の唇に当てた。弥生はようやく気付いた様子で周りを見たが、車の窓にかけた指が細かく震えていた。それを見た瞬間、雅子は弥生の窮地を助けようと決心していた。

雅子は静かに車を発進させ、車の窓から近所の家並みを見上げた。平日の十一時過ぎ、ほとんどの家は寝室らしい部屋にほんのりと照明をつけているだけで、しんと静まり返っている。今夜は涼しいだけにクーラーをつけずに窓を開けている家が多かった。物音が聞こえないように注意しなければならない。サンダルを履いた弥生が音を響かせて歩いてくるのが気になった。

路地の一番奥に弥生の借家がある。平屋建ての、十五年ほど前に売り出された建て売り住宅だ。狭くて使い勝手が悪い上に家賃が高いので、山本夫婦はここから脱するために貯金をしていたはずだった。それもすべて無駄になった。何かに唆《そそのか》されたように、人は馬鹿なことをするものだ。弥生は何に唆されたのだろうか。それとも、何かに唆されて裏切った夫に弥生が腹を立てたのか。雅子はそんなことを考えながら物音を立てずに車を降り、こちらに駆け寄ってくる女友達を眺めた。

「ね、驚かないでね」

急に及び腰になって弥生は玄関ドアを開けた。それは自分がしでかしたことに対して言ってるのではなく、ドアを開けたすぐ正面に、顔も体もだらりと弛緩《しかん》した健司が横たわっているせいだとわかった。健司は首に茶の革ベルトを巻きつけられたままの姿で、少し舌を覗かせ、半目を開いて死んでいた。鬱血はなく、顔色はむしろ青白いほどだった。

衝撃を覚悟していた雅子だったが、実際に横たわった死体を目にすると驚くほど気持ちが冷静になった。健司とは面識がないためか、ここに横たわった死体は、滑稽なくらい緩んだ顔をした動かない人間にしか感じられない。しかし、良妻賢母の典型に思えた弥生が人殺しをしたという事実には、まだ馴染むことができなかった。

「まだ温かいわ」弥生がめくれたズボンからはみ出た臑《すね》に手で触れた。弥生の手は死を確かめるように臑を行きつ戻りつした。

「本当なのね」

雅子は沈んだ声を出した。

「嘘だと思ったの？　あたしは嘘なんかつけないたちよ」

雅子の暗い気持ちとは裏腹に、弥生はくすりと笑った。いや、笑ったのではなく唇を歪ませただけなのかもしれない。

「で、どうするの。ほんとに自首する気はないの」

「ないのよ」弥生は決然と首を振った。「あたし変になっちゃったのかもしれないけど、悪いことをしたって気が全然しないの。こんな人、死んで当然と思ってるの。だから、この人は家に帰る前にどこかに行ってしまったと考えることにしたの」

　雅子は考え込みながら、腕時計をちらと見た。すでに十一時二十分になろうとしていた。どんなに遅くても四十五分までには工場に入らなくてはならなかった。

「どこかに行ってしまって帰らない人はたくさんいるよ。でも、あんたの亭主がここに帰ってきたところを誰かに見られてるんじゃない」

「駅からここまでは人通りもないし、大丈夫だと思う」

「帰り道、誰かに電話でもしてたら終わりだよ」

「それでも帰ってないって言えばいいのよ」弥生は強気に押した。

「そう。警察に何か聞かれても知らぬ存ぜぬで通せるの？」

「できる、やってみせる。だから」

　弥生は目を見開いて頷いた。三十四歳には見えない可愛い顔をしている。この可憐な容姿なら、誰も弥生を疑わないかもしれない。しかし、乗るにはあまりにも分の悪い賭だった。雅子は慎重に言った。

「だからどうしろというの」

「あなたの車のトランクに隠させて。そして」

「そして？」

「明日にでも捨てに行くわ」

　それしか方法はないだろう。雅子はあっけなく同意した。

「わかった。じゃ、時間がないから二人で運ぼう」

「ありがとう。お礼はするから」

「お金は要らない」

「どうして。じゃ、どうしてここまでしてくれるの」

弥生は健司の脇の下に腕を差し入れながら、雅子に訊《たず》ねた。

「さあ、後で考える」

雅子はかつて弥生の夫だった男の力の抜けた両足を摑んで持ち上げた。健司は百六十八センチほどで雅子と同じくらいの身長だったが、男の体は骨が太いのか重かった。二人はやっとのことで、健司を玄関の外に運び出した。女二人に抱えられた健司は、その弛緩した表情といい、伸ばした首といい、酔い潰れた男にしか見えなかった。首に巻きつけられたベルトが地面に引きずられていく。雅子は、弥生がそれをむしり取って自分の腰につけるのを黙って見ていた。

「服とか忘れ物ない?」

「大丈夫。今日は手ぶらだったし、着ていた服はこれだけだから」

手足を折り畳んで健司をトランクに押し込み、雅子は弥生に言った。

「あたしたちは休む訳にいかない。あんたのアリバイも作らなくちゃならないしさ。だから、一晩駐車場に置いとくからね。処分は工場で考えよう」

「わかった。あたしはいつも通り自転車で行ったほうがいいよね」

「勿論、何事もないって顔して」

「じゃ、雅子さん悪いけど、健司お願いします」

　死体が家からなくなってしまうと、弥生は急に事務的になった。表情には仕事を終えた解放感すら漂っている。健司が突然、勝手にこの世から消滅したと本気で信じているのではないだろうか。いつもと違う弥生の変化に怖さを感じながら、雅子は車の運転席に戻り、シートベルトをつけた。そして低い声で囁いた。

「浮き浮きしてるとばれるよ」

　興奮を抑えるように弥生は手で口を押さえた。雅子は運転席から弥生の大きな目を見つめた。

「ね、あたしそんな風に見える？」

「ちょっとね」

「ねえ、雅子さん。それより猫どうしよう。子供が騒ぐわ。困ったわ」

「戻ってくるよ」

　しかし、確信ありげに弥生は首を振り、繰り返した。

「困ったわ。どうしよう」

雅子はエンジンをかけ、すぐに弥生の家を後にした。しばらく走ると、トランクに入っている健司の死体が気になりだした。万が一、検問でもあれば万事休すだし、追突事故でも起こせば終わりだ。そう考えれば、自然に慎重な運転を心がけなければならないはずなのに、雅子はまるで何かに追われるようにスピードを上げて夜の街道を走っていた。追っているのはトランクに入っている動かぬ物体だということも、心の隅ではわかっている。落ち着け、と自分に言い聞かせる。

やっと駐車場に着く。邦子のゴルフは所定の位置に曲がって停まっていた。間に合わないので先に行ったのだろう。雅子は車の外に出て、煙草に火をつけて周りを見まわした。しかし、この夜ばかりは、揚げ物の匂いも、不快な排気ガスの匂いもしない。自分も興奮しているのかもしれなかった。

雅子はカローラの後ろにまわり、トランクを見つめた。ここに死体を入れて明日処分する。今の自分はこれまで想像したこともないことをしている。程度の知れた自分の人生の行く末が、これでまったくわからなくなったと雅子は思った。そう考えると、弥生の解放感がわからないでもない。

雅子は、トランクがちゃんと閉まっているかどうかもう一度確かめ、煙草を手にしたまま暗い夜道に足を踏み出した。時間があまり残されていない。今夜だけは、普段と違った行動をして目立ちたくなかった。

廃屋《はいおく》となった工場の横を急ぎ足で抜けようとした時、いきなり左側の暗闇から飛び出してきたキャップを被った男に腕を掴まれ、雅子は動転した。痴漢騒ぎのことをすっかり忘れていたのだ。

突然の出来事に声を上げる間もなく、雅子は男の強い力で道路脇の荒れ果てた廃工場跡の軒下に引きずり込まれようとしていた。

「やめてよ」

やっとのことで出た声は闇を裂くように鋭く高い。慌てた男は右手でかいこんで雅子の口を塞ぎ、夏草の茂みの中に押し倒そうとする。しかし、雅子の背が高いため、肩にはねのけられて手の位置が口元から少し外れた。雅子はその隙に乗じてバッグを振りまわして暴れながら、口を覆おうとしていた男の手から逃れた。しかし左腕はしっかりと取られて今にも引き倒されそうだった。邦子が話していたように大きな男ではなかったが、がっちりとした肉厚な体から香料が匂った。

「あたしなんか相手にしないでよ。いくらでも若い女いるじゃない」

そう怒鳴ると、左腕を掴んだ男の手に躊躇《ちゅうちょ》が感じられた。自分の顔を知っている工場の男だと確信した雅子は、左腕も振り切って道路の側に走りだそうとした。男は素早くまわり込み、雅子を荒れ地の端に追いつめようとしている。確か、この辺りには腐った川を覆う暗渠《あんきょ》があったはずだ。ところどころコンクリートの蓋に穴があったのを覚えている。ここで穴に落ちてはかなわない。雅子はじりじりと草の中に足場を確保しながら男の顔を必死に見た。顔つきはわからないが、赤い月にぼんやりと照らされてキャップの下に黒い目がちらっと見えた。

「あんた、宮森じゃない？」

当てずっぽうで言ったのだが、男が驚愕したように雅子には見えた。

「宮森カズオとかいう人でしょ」雅子は念を押す。「誰にも言わないから放してよ。今日は遅刻したくないの。ほかの時に会うから。嘘じゃない」

男ははっと息を呑み、雅子の思いがけない言葉を聞いて考え込んだ。雅子はさらに言った。

「頼むから今日は行かせて。後で二人だけで会おう」

すると、男は訛《なまり》のある日本語で答えた。声音から宮森に違いないと雅子は思った。

「ほんとに？　いつ」

「明日の夜ここで」

「何時に」

「九時」

しかし、男は返事をする代わりにいきなり雅子を抱き締め、唇を押しつけてきた。堅い岩のような体に押さえつけられて息ができなくなった。もがくと二人の足がもつれて工場の搬入口の錆びたシャッターに体が当たり、大きな音がした。男はその音に驚き、動きを止めて辺りを窺った。その隙に雅子は男を突き飛ばしてバッグを拾い上げ、素早く身を翻《ひるがえ》した。転がったアルミ缶に足を取られ躓《つまず》きそうになると腹が立って罵《のの》った。

「もっと若い女と遊びな」

男はだらりと両手を下げてぼんやりしている。雅子は男の唾液のついた唇を手の甲で拭い、丈の高い夏草をかき分けた。

「明日待ってる」

男が低い声で懇願するのを背中で聞き、雅子は暗渠にかかったコンクリートの蓋を足で探って渡り、道路に向かって必死で走りだした。まさか、こんな日に限って、注意していた自分が襲われるとは。不覚さと悔しさが入り交じり、久しぶりにどす黒い怒りが込み上げるのを覚えた。しかも、痴漢が宮森カズオとは。昨夜、簡単な挨拶を交わしたことさえ腹立たしかった。

手で乱れた髪を梳《す》きながら弁当工場の二階に駆け登って行く。衛生監視員の駒田は引き上げるところだった。

「おはよう」

息せき切った雅子の声に振り向いた駒田が驚いたように促す。

「急いで。あんたが最後よ」

背中に粘着テープのローラーをかけてもらうと、珍しく駒田が笑った。

「あんた何してきたの。草とか土とかついてるよ」

「今、慌てて転んだんだよ」

「仰向けに転んだの。やだね。手は怪我してない？」

小さなひっかき傷ひとつあっても、食品に触れることは許されない。慌てて手指を見ると、爪の間に泥は入っていたが、傷はなかった。ほっとして雅子は首を横に振った。

痴漢に遭ったことなど絶対に悟られてはならなかった。雅子は曖昧に笑って更衣室に飛び込んだ。もう誰も残っていない。雅子は自身の白衣と作業ズボンを素早く身につけ、ビニールエプロンとつくつく帽子を手にトイレに寄った。鏡を見ると、唇に薄く血が滲んでいる。畜生、と雅子は独り言を吐いて、水ですすいだ。左の上腕部にも青痣《あおあざ》があった。草むらに引きずり込まれそうになった時の跡らしい。あの男の痕跡など何ひとつ、この身に残したくない。今すぐ裸になって確かめたいほどだったが、ぐずぐずしているとタイムカードに遅刻という記録が残ってしまう。雅子は苛立ちを必死に抑えた。「明日待ってる」という宮森の言葉を思い出し、訴えて捕らえることもできない立場にいる自分に気付くと、なおさら腹立たしい。

トイレから出て手指を丁寧に洗い、階下の工場に駆け降りる。タイムカードの記録は十一時五十九分だった。からくも時間内に間に合ったが、いつもの雅子にすれば目立つ行為といえなくもない。舌打ちしたい気分だ。

　工場の扉前では、ちょうど作業員の列が中に入り、手洗い消毒が始まったところだった。前のほうに並んでいたヨシエと邦子がこちらを見て手を振った。雅子は手を挙げて頷く。いつの間にか横に帽子とマスクをつけて表情のわからない弥生がすっくと立った。小さな声で言う。

「遅かったね。心配したわ」

「ごめん」

「何かあったの」弥生は雅子の目を覗き込む。

「別に。それよりあんたこそ、どう。手とか怪我してない。してると記録に残るよ」

「平気」弥生は大きな冷蔵庫のような工場の中を見据えた。「あたし、何だか強くなった気分がするの」

　しかし、声が少し震えているのを雅子は聞き逃さなかった。

「しっかりしてよ。あんたが選んだことなんだからね」

「わかってる」

　二人は消毒の列の最後尾についた。ヨシエはすでにコンベアのラインの先頭にいて、早く追いつけとばかりにこちらを振り返っている。

「ねえ、あれのことだけど」

雅子は蛇口から勢いよく吹き出る水で、肘から指先まで丹念に洗いながら囁いた。

「どう始末するつもりなの」

「わかんないな」

初めて弥生は疲れを感じたように、目を虚ろにした。

「自分でしたことなんだから自分で考えなよ」

雅子はそう言い捨てると、コンベアの先頭で自分を待つヨシエのところに向かった。途中、注意深く、青いつくつく帽子を被ったブラジル人の従業員に目を走らせたが、宮森カズオの姿はない。痴漢は宮森に違いないと雅子は確信した。

「今日はありがとう」

いきなりヨシエに頭を下げられて、雅子は驚いた。

「何のことだっけ」

「いやだね。金を借りたじゃないの。あんた夕方にわざわざ持ってきてくれて。あれ、ほんとに助かったよ。給料振り込まれたらすぐ返すからね」

ヨシエは「カルビ弁当八百五十食」という仕様書をまわして、雅子の脇腹を肘で突いた。夕方の出来事など、はるか昔のような気がして、雅子は思わず苦笑した。長い一日だった。

「今夜、どうしたんです」

雅子がラインにつくのが遅れたため、ヨシエへの容器渡しの仕事をちゃっかり確保した邦子が訊いた。

「ああ、ごめん。出がけに手間取ってさ」

「あら、そうなんですか。あたし、出る前、念のためお電話したんですよ」

「誰も出なかったでしょ。あたし出た後だったんだ」

「ええ。でも、その割には遅いですよね」

「買い物に時間かかったの」

そう言い切ってしまうと邦子はおとなしく引き下がったが、雅子はうるさく感じた。やはり妙に勘が冴える邦子は要注意だ。

ヨシエが「ご飯出し」の準備を整えながら、時々コンベアの下流にいる弥生を眺めているのが目に止まった。釣られて目を向けると、弥生は放心したように突っ立っている。昨夜、転んだ時に白衣についた豚カツソースがそのままだった。すでに乾いているが、茶色い染みが腰と背中に大きく広がっていて人目を引く。

「あんたたち、何かあったの」ヨシエが訊ねた。

「どうして」

「あの子ぼやっとしてるし、あんたは遅いし」

「昨日からそうじゃない。それより師匠、中山が来るからさっさと流してよ」

雅子はなり手のいない「肉均《なら》し」の位置に就くと、ヨシエを促した。ヨシエは詮索するのを諦めて軽く頷き、コンベアのスイッチを入れた。まず仕様書が流れていく。次に、ごとっと音がして、ご飯のオートメーションが動き始めた。邦子が一枚ずつヨシエに手渡す容器に、ステンレスの口から四角い飯が落ちてくる。辛く長い作業が始まった。

雅子はよじれて重なった冷たいカルビ肉を平らに伸ばして準備しながら、視線を感じて目を上げた。いつの間にかラインの向こう側で、「肉均し」に就いた弥生がこちらを見ている。

「何、どうしたの」

「こうなっちゃえばわかんないね」

弥生は何度も肉に目を落として言った。その目に狂躁《きょうそう》とでもいえる光があった。

「黙って」

雅子は小さな声で叱りつけた。こっそり横の従業員を盗み見たが、誰も二人の会話には注意を払っていない。咎《とが》めるように弥生を見つめる。弥生は雅子の視線に気が付き、怯えた表情をした。浮かれるかと思えば注意されて沈み込み、すぐ涙を浮かべる。雅子は弥生がこれからの困難を乗り切れるのかどうかを真剣に危ぶんだ。それは手助けした自分自身の問題でもあった。

7

ステンレスの箱みたいな工場の中では、外の天気がわからない。

朝五時半、ようやく作業が終わり、くたびれた足を引きずって二階に登っていくと、先頭の従業員が「あら、雨だよ」と驚いた声を上げるのが聞こえた。雅子はとっさに、激しい雨に打たれるカローラのトランクを脳裏に浮かべた。どうするか早く決めなくてはならない。

「今日は急ぐのかい」

ヨシエが使い捨てのマスクを剝ぎ取り、そのマスクで油で汚れた靴を拭いながら雅子に訊ねた。

「どうして」

雅子も同様に、工場用に下ろしたスタン・スミスの側面についた汚れをマスクで拭き取り、問い返した。

「どうしてって、何だか怖い顔してるからさ」

背が低く四角い体つきのヨシエが、正反対の体軀《たいく》をした雅子の顔をちらっと見上げた。が、雅子は窓下の靴箱にテニスシューズを納め、窓外に広がる灰色の朝の空を眺めている。想像に反して、細かい柔らかそうな雨が道路の向こう側に見える自動車工場のテストコースのバンクを黒く濡らしていた。

「眉間に皺寄せて、何考え込んでんだろうと思ってさ」

ヨシエはおもねるように言った。

「大事な用ができたんだよ」

つぶやいてから、雅子は考えている。弥生は、今日これから健司の死体を始末するつもりらしいが、家に帰って心配する妻を演じたほうがいいだろう。だとしたら、自分が始末をしなくてはならない。その覚悟はできていたが、一人の力では死体をトランクから出すこともできない。雅子はしばし細眉があだっぽいヨシエの顔を見つめ、思いきって切り出した。

「師匠、頼みがあるんだ」

「いいよ、あんたのためなら。あたしはほんとに恩に着てるんだから」

頼まれて嫌と言えない性格のヨシエは、嬉しそうに答える。どう説明しようかと悩みながら、雅子はタイムカードを押す列に並んだ。弥生は、と見ると、のろのろと足を引きずり一番最後から階段を登って来る。反対に邦子はさっさと上がってしまった。邦子は邦子なりに、弥生と雅子との間に何かが起きているのを感じているはずだった。その仲間に入れないので、ふてくされているのかもしれない。ヨシエが雅子に追いついた。

「誰にも言わないでくれる？」と雅子は念を押す。

「言う訳ないよ」ヨシエは憤然とした。「何よ」

それでも言い出しかねて、雅子はタイムカードを押すと黙り込んだまましばらく腕組みをした。

「あとで話す。二人きりで」

「いいけどさ」

ヨシエはのんびり答え、振り向いて空模様を見た。自転車通勤なので濡れて帰りたくないのだろう。

「それから邦子さんには内緒にしてよ」

「わかってる」

ここまで言うと何事かを察したのか、ヨシエは口を引き結んだ。二人は廊下を曲がってサロンに入って行こうとした。すると、衛生監視員の駒田が弥生に注意している声が聞こえてきた。

「山本さん、あんた、その白衣洗ってきてよ。いくらなんでもさあ、ソースの匂い三日も振りまけないでしょうが」

「すみません」

詫びを入れた弥生はつくづく帽子を取り、髪をネットからはみ出させて雅子のところにやって来た。目の下に隈《くま》ができているが、いつもより美しく見えた。金髪に染めた学生アルバイトらしい若い男が、マスクと帽子を取って露わになった弥生の顔を驚いて見つめた。

「ちょっと」雅子は弥生を物陰に呼んだ。「あんた、早く帰って今日はずっとうちにいたほうがいいよ」

「でも」

「あれはあたしと師匠とで何とかするから」

「師匠が？」弥生は戸惑いを隠せずにサロンの奥の更衣室を覗く仕草をした。「師匠に話したの」

「まだ。でも、一人じゃとても運べないよ。もし、師匠が断ったら、あんたにも手伝ってもらわなくちゃならない。だけど、よく考えたら、一番先に疑われるのはあんただもんね。絶対に知らん顔してなくちゃ駄目だ」

初めて気付いたように弥生は溜息を洩らした。

「そうよね」

「家に帰って普段と変わりなくするんだ。そして昼頃に亭主の会社に電話を入れて、来てないかどうか聞くんだよ。来てないって言われたら、うちにも一晩帰ってないって。すごく心配だって。それで先方が捜索願を出せって言ってきたら素直にそうするんだよ。いい？　そうしないと、あんたが疑われる」

「わかった。そうする」

「うちには今日、電話をしないで。何かあったらこっちから連絡入れるから」

「ねえ、雅子さん。どうするつもりなの」

「あんたが言ったじゃない」雅子は苦笑いした。「その通りにする」

「えっ」と弥生は顔色をたちまち白くさせた。「ほんとに？」

雅子は、人間の顔が血の気を失う様を凝視した。

「するよ。してみる」

「ありがとう」弥生の目にまた涙が浮かんでいる。「ほんとにありがとう。そこまでしてくれるなんて信じられない」

「うまくいくかどうかわからないよ。でも、山を探して穴掘って埋めるよりはいいと思う。だって、それじゃブツは残る訳じゃないか。証拠は絶対に残さないよ」

作業中にトイレの順番がまわってきて、工場の隅にあるトイレに行った時、弥生の示唆《しさ》は正しいと思ったのだ。トイレの手前にゴミを捨てる青い大きなペールがいくつもあって、床に落ちた食品が無造作に捨てられていた。

「でも、それって犯罪だよね。あたしが引き込んじゃったんだよね」

弥生はぼそぼそと申し訳なさそうに言う。

「勿論わかってる。死体の始末なんて嫌な仕事だと思う。でも、ゴミとして捨ててしまえばいいんだよ。それが一番いいんだ。あんたがそれでも平気なら、だけど。あんたの亭主がバラバラになって、生ゴミになって捨てられちゃうんだよ。いい？」

「いいよ」と弥生は例の薄笑いに見えなくもない、唇を歪ませる表情をした。「いい気味」

「怖い」雅子は弥生を見据える。「あんた怖いね」

「雅子さんも怖い人よ」

「いや、あたしはちょっと違うよ」

「どう違うの」

「あたしは、これは仕事だと思ってるから」

弥生は不思議そうな顔をした。

「雅子さんは、いったい何をしてた人なの」

「あんたと同じ。亭主がいて子供がいて仕事があって、でも孤独で」

途端に弥生は涙を隠すためか、下を向いた。肩ががっくり落ちている。

「泣くんじゃないよ」雅子はどやしつけた。「もう済んだことなんだから。あんたが自分でエンドマークつけたんじゃないか」

何度も頷く弥生の背を押し、二人揃ってサロンに入って行く。すでに着替え終わったヨシエと邦子が向き合ってコーヒーを飲んでいた。邦子は細い煙草を横ぐわえにして、雅子と弥生を疑いの目で眺めている。

「邦子さん、今日は先に帰ってて。ちょっと師匠と話あるから」

邦子は探るようにヨシエを見た。

「あたしを仲間外れにして何の相談なのかしら」

「借金よ、借金。あたし、この人からお金借りるの」

ヨシエの答えに邦子は不承不承頷き、シャネルのフェイクらしい金鎖のついたバッグを肩にかけて立ち上がった。

「ごめんね」

雅子は手を振り、更衣室に入った。うまく邦子を追い払ったヨシエは、砂糖のたっぷり入った紙コップのコーヒーを旨そうに啜っている。

雅子は手早く白衣をジーンズとポロシャツに着替えると、さりげない素振りで、最近姿を見ない従業員のビニールエプロンを二枚、紙袋に入れた。使い捨てのビニール手袋も何組か工場からくすねてきて、ポケットに入っている。素知らぬ顔でサロンに行き、邦子の尻のぬくもりがまだ残っている畳に腰を下ろして煙草の箱を取り出した。着替え終わった弥生が一緒に座ろうとするのを、雅子は目顔で早く帰るように促した。

「じゃあ、あたし急ぐから」

大きな不安を背中に背負った弥生が、振り返り振り返り雅子のほうを眺め、サロンを出て行く。その後ろ姿が見えなくなったと同時に、ヨシエが声を潜めて聞いてきた。

「どうしたのよ。何も言わないのでいらいらする」

「驚かないで聞いてよ」雅子はヨシエの顔を正面から見据えた。「あの子が亭主を殺したんだよ」

縦に細かいひび割れのある唇を開けたヨシエは、しばらくしてからやっとつぶやいた。

「驚くよ」

「うん。だけど、やっちゃったことは仕方がないじゃない。だから、あたしはあの子を助けてやることに決めたんだよ。協力してくれないかな」

「あんた、気は確かなの」とヨシエは叫び、周囲を気にして声を潜めた。「今のうちに自首したほうがいいって」

「だって、小さな子がいるんだよ。それに殴られたりして思いあまってやったんだよ。あの子の顔、すっきりしてるもの」

「でも、殺すなんて」ヨシエは息を呑んだ。

「師匠だって、お姑さんを殺したいと思ったこと何度もあるでしょ？」

雅子はすべてを知っていると言わんばかりに、ヨシエの強張《こわば》った顔を見つめた。

「それはあるよ。でも、思うのと実際にやるのとは違うよ」

ヨシエは、音を立ててコーヒーを飲み干した。

「そう、違う。でも、あの子はその線を何かの弾みで飛び越えてしまったんだ。そういうこともあると思わない、師匠。それに、あたしは何とかごまかせるんじゃないかと思ってる」

「どうやって」

ヨシエは悲鳴のような声を張り上げた。サロンのあちこちに固まっている仲良しグループの面々が、いったい何事かと一斉にヨシエに目を向ける。壁際にいつも陣取っているブラジル人の男たちのグループも、お喋りをやめて面白そうにヨシエを窺っている。ヨシエは小さくなった。

「無理だよ。絶対」

「無理でも、やるんだよ」

「何でそこまでしてやるのよ。あたしは嫌だよ、そんな殺人の片棒担ぐなんて」

「片棒じゃないよ。だって、あたしたちが殺した訳じゃない」

「でも、死体遺棄とか何とかいうんじゃないの」

「死体遺棄及び死体損壊かな」

雅子が言うと、ヨシエは訳がわからないというように唇を何度も舐《な》めた。

「どういうこと。どうするつもりなの」

「バラバラにして捨てるつもり。で、山ちゃんは知らぬ存ぜぬで暮らす。そうすれば、亭主は行方不明、で何とかなるんだよ」

ヨシエは頑固に首を横に振った。

「あたしは駄目。できないよ、そんなこと。絶対」

「じゃ、金返してよ」雅子はテーブル越しに手を出した。「昨日貸した八万三千円、耳を揃えて今日返してよ」

ヨシエは苦しそうに考え込んでいる。雅子は、ヨシエの飲み干したコーヒーの紙コップで煙草をつぶした。甘い砂糖とインスタントコーヒーの匂いとが濡れた吸い殻と一緒になって、何ともいえない嫌な匂いがたちこめた。が、雅子は平気で次の一本に火をつける。とうとうヨシエが決心した。

「金を返すことはできないよ。だから、協力するしかないね」

「ありがとう。師匠ならやってくれると思ってた」雅子は礼を言った。

「でも」ヨシエは抗議するように顔を上げた。「あたしはあんたに義理があるからやるんだよ。仕方なくね。でも、どうして、あんたそこまで山ちゃんのためにやるのよ」

「さあ、どうしてなのかあたしにもわからない。でも、あたしはあんたが同じことしたってやるよ」

ヨシエは言葉もなく黙り込んだ。

従業員のほとんどが工場を出て行った後だった。

雅子はヨシエと連れだって表に出た。しっとりと細かい早朝の雨が降っている。ヨシエは玄関先の傘立てに入れてあった自分の傘を取り出した。雅子は置き傘がないので濡れて駐車場まで行かなくてはならない。

「じゃ、九時にうちに来て」

「わかったよ。必ず行くから」

ヨシエは気が重そうに雨の中、自転車を漕ぎだした。雅子はその後ろ姿を見送り、駐車場までの道を急ぐ。その時、プラタナスの植え込みの陰に一人の男が立っているのに気付いた。宮森カズオだった。白いTシャツにジーンズという姿で、黒いキャップを被って下を向いている。透明のビニール傘を手に持っているが、自分は差しもしないで濡れて立っていた。

「糞ったれって、ポルトガル語で何ていうのかね」

通り過ぎながら雅子が悪態をつくと、カズオは困ったように目を泳がせた。かまわず雅子は歩いて行く。カズオが後を追ってきた。

「傘」とビニール傘を差し出す。

「要らないよ、こんなもの」

雅子は手ではねのけた。傘は縁の欠けたコンクリートの歩道の上に落ちた。辺りは自動車工場の長い灰色の塀が続く道で通る車も人もいない。ビニール傘が落ちた音が響き渡り、雅子はカズオがはっとしたのを感じた。一昨晩、弥生に挨拶して無視された時も同じように傷ついた表情をしたことを思い出す。

まだ若いのだ。雅子は、行き先を失って困り切った様子でついてくるカズオを振り返り、その若さを煩《わずら》わしいものに思った。キャップの下の黒い艶のある目は、昨夜の赤い月に照らし出されたものと同じだった。

「ついてこないで」

「ごめんなさい」

カズオは急いで雅子の前にまわり込み、いきなり自分の厚い胸板に両手を置いて言った。心から謝るという意味はすぐにわかったが、雅子は無視して角を右に曲がった。その道が、廃工場が並ぶ痴漢の出る道だった。後ろから、まだカズオがついてくるのが気配でわかる。昨夜のことは考えたくもなく、ひたすら鬱陶しいだけだった。

「今晩来てくれませんか」

「行く訳ないじゃない」

「でも」

雅子はカズオを振り切るために走りだしながら、すぐ右手に見えてきた廃工場のトラックの搬入口の辺りを眺めた。カズオが雅子を押しつけた錆びた茶色いシャッターはへこみもなく、雨の中、ますますその色を濃くしていた。さんざん踏みつけたと感じた夏草は、何事もないかのように立ち上がって生い茂っている。以前と何も変わっていないことが急に雅子を逆上させた。昨夜の、屈辱感と自嘲的な気分が勢いよくぶり返してくる。

雅子は立ち止まり、カズオが追いつくのを待った。怒りが込み上げてきてどうしようもなかった。カズオは手に傘を持ったまま、雅子の顔を見て立ちすくんでいる。

「いい。今度やったらポリスに言うからね。主任にも言って働けないようにしてやるからね」

「はい」

ほっとしたように頷いた後、カズオは不思議そうに浅黒い顔を上げた。訴えられるのを心底恐れていたらしい。

「許したわけじゃないよ。調子に乗らないでよ」

そう言い捨てて雅子は踵《きびす》を返した。カズオはもう追ってはこない。駐車場の入口に着いてようやく振り返ると、カズオがまだ同じ場所にぽつんと突っ立っているのが見えた。

馬鹿！　雅子はそう叫びだしたいような心の震えを抑え、それがいったい何に対しての罵倒なのかを考えながらゆっくりと自分のカローラを見た。勿論、昨夜と同じ場所にある。

トランクの中にある物を想像すると、それが生命のない動かない物なのに、夜が明けたことが、そして今、雨が降っていることが不思議でたまらなかった。すると、さっきまで必死に謝っていた身勝手な若い男ですらも、このトランクの中の死体を雅子に意識させるための存在ではなかったのかと思い至るのだった。罵倒の対象はほかならぬ、この動かぬ死体と、それに関わった自分自身に対してだった。

雅子はトランクの鍵を開けた。そしてトランクの蓋を十センチほど持ち上げ、そっと覗いた。灰色のズボンと左足の毛臑《けずね》が見えた。昨夜、弥生がまだ温かいと言って触れた箇所だった。皮膚の色は青白く、臑毛が乾いた糸くずのように薄汚く見えた。物だ。ただの物だ。雅子はつぶやいてトランクを閉めた。

第二章　風呂場

1

雅子は風呂場の入口に立ち、窓から聞こえてくる雨の音を聞いていた。最後に使った伸樹が片付けたらしく、湯は落ち、プラスチックの蓋は重ねてバスタブの上に置いてあった。壁もタイルもすっかり乾いているものの、風呂場にはまだ清潔な湯の匂いが籠もっている。穏やかで平和な家庭の匂いだ。雅子は思い切り窓を開け放して、湿った空気を入れたい衝動に駆られた。

この小さな家は自分にいろんなことを強いてきた。隅々まで掃き清めること、猫の額ほどの庭の草をむしること、煙草の臭いを消すこと、そして多額のローンを返済すること。なのに、雅子はここが自分の居場所だとはどうしても思えないのだった。いつも間借り人のような落ち着かない気分なのはどうしてだろう。

トランクに健司の死体を入れたまま駐車場を出た時、雅子の心はすでに決まっていた。自宅に戻って風呂場に直行し、この場所にどう健司を横たえ、どう作業しようかとあれこれ段取りを考えているのがよい証拠だ。正気とは思えない所業だが、この状況をどうしたら乗り越えられるかと自分を試す気持ちが生まれてきている。

雅子は裸足で風呂場のタイル敷きの洗い場に降り、仰向けに横たわってみた。健司と自分の身長はほぼ同じだ。ならば、このように斜めにすれば楽々入るだろう。家を建てる時に、良樹の要望で風呂場を大きく造ってあったのがよかった、と皮肉な思いが込み上げる。

雅子は乾いたタイルの上で、その冷たさを背中に感じながら窓を見上げた。空はどこまでも灰色で、奥行きすらもわからない。雅子は、雨に濡れていた宮森カズオを思い出し、ポロシャツの袖をまくり上げて左腕の青痣《あおあざ》を見た。カズオの太い親指の跡に違いない。痣がつくほど男の力の強さを感じたことなど絶えてなかった。

「おい、何してるんだ」

薄暗がりから声がして、雅子は上半身を起こした。パジャマ姿の良樹が脱衣場からこちらを窺《うかが》っていた。

「こんなところで何してるんだ」

良樹は重ねて問うた。雅子は慌てて風呂場のタイルに突っ立ち、ポロシャツの袖を下ろして良樹の顔を見た。たった今起きたばかりらしい良樹は脂気のない髪を乱し、眼鏡もかけずに気味悪そうに雅子を眺めている。焦点を合わせようと細められた目元が仲樹によく似ている。


「別に。シャワーでも浴びようかと思って」

下手な嘘をつくと、良樹は疑わしげに窓の外を見た。

「今日は暑くないだろう。雨降ってるよ」

「でも、工場で汗をかいたから」

「ふうん。ま、いいけど。一瞬、頭でもおかしくなったかと思った」

「どうして」

「暗いところでぼうっと立ってさ、何見てるんだろうと思ったらいきなり寝ころんだりするから驚いたよ」

雅子は無防備な自分の背中を、良樹が黙って観察していたのかと不快に思った。最近の良樹は一定の距離を置いて、雅子や仲樹を眺めていることが多い。その距離の取りようが、空気の要塞なのだ。

「声をかけてくれればいいのに」

良樹は何も答えず肩をすくめる。雅子は風呂場から出ると、良樹と洗濯機の間の狭い空間を、どちらにも触らず擦り抜けた。

「ご飯食べるんでしょ」

返事は聞こえなかったが、雅子は台所に行き、けたたましい音をたてるコーヒーメーカーにコーヒー豆を流し入れた。いつも通りトーストとスクランブルエッグの朝食を準備するつもりだった。タイマーをかけた炊飯器の飯の炊ける匂いがしなくなって久しい。伸樹の弁当作りが突然終わりを告げてからというもの、朝、大量の飯を炊くことはもうない。

「雨だと陰気臭いな」

洗面を済ませて居間に入ってきた良樹がベランダから外を眺め、テーブルに着くとつぶやいた。天候のことばかりではなく、この家の雰囲気のことも指しているのだと雅子は思う。テレビもラジオもつけずに、雨の朝、夫婦で向き合っているのは息苦しい。雅子は寝不足できりきりと痛むこめかみを両手で揉んだ。良樹はコーヒーを一口飲んで、朝刊を開いた。間からばさっと広告が落ちる。雅子はその重みのあるアート紙の束を広げてスーパーの広告を拾い読みした。

「腕、どうしたんだ」

何のことかわからず、雅子は目を上げた。

「きみの腕だよ、腕。痣があった」と、良樹は左の上腕を差し示した。雅子は眉間に小さな縦皺を寄せた。

「工場でぶつけたのよ」

良樹は納得したのかしないのか、それ以上何も言わなかった。あの時、雅子は痣を眺めながら宮森カズオの親指のことを考えていた。敏感な良樹が不審を感じたのは間違いない。しかし、それ以上何も訊ねようとはしなかった。何もわかりたくはないのだ。雅子は諦めて煙草に火をつけた。煙草を吸わない良樹は、不愉快そうに煙を避けて横を向く。

勢いよく階段を駆け降りてくる音がした。良樹の全身が微かに緊張して堅くなった。雅子は入口に目を向けた。大きめのTシャツに、膝丈までしかないだぶついたパンツを腰でだらしなくはいた伸樹がダイニングに入ってきた。階段を駆け降りてきた破裂するような若い勢いはなりをひそめ、たちまち死んだ仮面を身につけるのがわかる。だが、何もかもが気に入らないといった様子の目は鋭く、大きめの口は何も言うまいと堅く引き結ばれている。その過剰な意思が表れている若い顔は、それさえ失せれば、良樹の若い頃にそっくりだった。伸樹は冷蔵庫に直行すると、扉を開けてミネラルウォーターのペットボトルを取り出し、直接口をつけた。

「グラス使って」

たしなめたが、伸樹は雅子を無視して水を飲み続けている。目立ちはじめた喉仏《のどぼとけ》が、そこだけ獣のように上下しているのを見ると雅子は耐えられなくなった。

「口は利かなくても聞こえてるんでしょう」

思わず席を立ち、伸樹の手からペットボトルを取り上げようとする。だが、伸樹は一切声を発せずに肘《ひじ》で強引に雅子を押しのけた。身長も急に伸びて、アルバイトに行くようになってからは体つきもがっしりと変わった息子の肘鉄は痛かった。雅子は横の流し台で腰骨をしたたか打った。その間、仲樹は素知らぬ顔でゆっくりとペットボトルに蓋をして冷蔵庫にしまっている。

「喋りたくなきゃそれでもいいよ。でも、勝手なことしないで」

仲樹は憮然として口を歪め、かったるそうに雅子を見下ろした。息子なのに見知らぬ他人、それも好きではない他人のような気がして、思わず雅子は仲樹の頰を右手で張ってぃた。一瞬触れた仲樹の頰の感触は、肉が薄くて締まり、すでに柔らかい少年のものではなかった。打った手のほうが痛い。はっとして立ちすくんでいると、仲樹は雅子の横を通り、素早く洗面所に消えた。やはり一言も発しなかった。

何を期待していたのか、これらの言動は炎天の砂漠に水を撒くように無駄なことだった。雅子は赤くなった右の掌《てのひら》を見つめ、それから良樹を振り返った。だが、良樹は仲樹など存在していないかのように新聞に眼を張りつかせたまま動かない。

「ほっとけよ。無駄だ」

良樹は仲樹を、気が付くまで放つことに決めたらしい。良樹は精神性を求めるあまり、未熟な者には峻烈《しゅんれつ》なまでに苛立ちを強める。だが、仲樹は自分の事件の時に、父親が何の助けもしてくれなかったと恨んでいるのだ。何のために一緒に生活しているのかわからないほど、三人が三人とも行き違っていた。

うちの車のトランクに死体が入っていると告げたら、二人はどんな反応をするだろうか。伸樹は久方ぶりに驚きの声を上げるだろうか。良樹は感情をたぎらせて自分を殴るだろうか。いや、二人とも信じることさえしないだろう。雅子には、自分こそがこの家族の中で一番外れて遠い地平に行ってしまうのだ、という実感が湧き上がるのだった。寂しくはなかった。

やがて、夫と息子がそれぞれ慌ただしく出勤してしまうと、家の中はさらに静まり返った。雅子はコーヒーを飲み干し、少しでも仮眠を取ろうと居間のソファに横になった。しかし、眠ることはできなかった。

インターホンが鳴った。

「あたし」遠慮がちなヨシエの声がした。

来ないかもしれないと半ば覚悟していたのだが、ヨシエは律儀だった。雅子は玄関のドアを開けた。膝の抜けたジャージ素材のパンツをはき、色落ちしたピンクのTシャツという、朝と同じみすぼらしい服装をしたヨシエが、恐ろしげに雅子の家の中を覗いた。

「ここじゃないよ。トランクに入ってる」

雅子が玄関のすぐ横にある車を指さすと、ヨシエはあまりの近さにのけぞった。

「あたし、やっぱりできない。断ってもいいかい」

ヨシエは玄関のなかに入り込んで、三和土《たたき》にいきなり土下座した。

雅子は蛙のように這い蹲《つくば》ったヨシエの、いつかけたのかわからない伸びきったパーマ頭を眺めた。おおかた、そんなことだろうと思っていたので驚きはしなかった。

「駄目だと言ったら警察に駆け込む？」

雅子の言葉に顔を上げたヨシエの顔は蒼白だった。

「いや」と首を振る。「しないよ」

「だけど、金は返せないんだよね。てことは、娘は修学旅行に行かせても、こっちの一生の頼みは聞き入れられないんだ」

「だって、あんた。それ、普通の頼みじゃないよ。人殺しの手伝いじゃないか」

「だから一生の頼みだって言ってるじゃない」

「だって、人殺しだよ」

「ほかのことならいいわけ？　泥棒とか強盗ならいいの。それってそんなに違うの」

雅子が考え込むと、ヨシエは呆れたのか目を剝いてみせて薄く笑った。

「違うに決まってるよ」

「誰が決めたの」

「誰が決めたっていうんじゃないけど、人間の世界ではそう決まってるんだよ！」

雅子は黙ってヨシエを見つめた。ヨシエはほつれた髪を両手で何度もかき上げ、目を伏せたままだ。それが、ヨシエの困惑した時の癖だということは知っていた。

「わかった。そのかわり、あれを運ぶのだけ手伝ってくれない。一人じゃ風呂場まで運べないから」

「あたし、婆さんが起きるから帰らなきゃ」

「すぐ終わるよ」

雅子は良樹のサンダルを突っかけて表に出た。雨はまだ降っている。おかげで人通りは少なかった。しかも雅子の家の向かい側は造成工事がほったらかしにされた状態で、掘り返された赤い粘土質の土が剝き出しになっていた。隣家とは頰と頰を寄せたように軒を連ねているが、雅子の家の玄関は死角でどこからも見えないはずだ。

雅子はポケットの中の車のキーを握り締め、辺りを素早く窺った。人通りがちょうど絶えてチャンスだった。が、ヨシエは玄関から出て来ない。雅子は苛立って怒鳴った。

「どうするの、手伝うの。手伝わないの」

「運ぶだけならね」と、仕方なくヨシエが出て来た。

雅子はすでに玄関先に用意しておいたブルーの丈夫なレジャーシートを手にした。ヨシエはまだうろたえてポーチに突っ立っている。雅子は車の背後にまわり、トランクの鍵を開けた。

「あっ」

背後から覗き込んだヨシエの息を呑む声がした。すぐに健司の死に顔が目に入った。半目を開いて表情は相変わらず弛緩している。口の中に溜まっていたらしい涎《よだれ》が頬に糸を引いて乾いていた。手足は堅く硬直し、軽く膝を折った姿で両手を宙に泳がせ、何かを摑みたがっているかのように指先を曲げている。長く不自然に伸びた首に赤い索条痕《さくじょうこん》が残っているのが生々しい。雅子は昨夜、弥生がこの首から外したベルトをまた腰に巻いた時のことを思い出した。ヨシエが声を発した。

「今、何て言ったの」

振り向いて雅子が問うと、ヨシエは両手を合わせて少し声を大きくした。南無阿弥陀仏《なむあみだぶつ》と何度も念仏を唱えているのだった。雅子はヨシエの合掌した手を軽く叩いた。

「そんなことすると目立つじゃない。それより早く家の中に入れてよ」

仏頂面のヨシエに構わず、雅子はレジャーシートで健司をすっぽり覆うと、突き出された腕と頭部を抱え上げた。早く、と目顔で合図する。ヨシエが不承不承、足を摑んで引き寄せる。二人は小さなかけ声をかけて健司をトランクから引き出した。死体は硬直しているため運びやすくなっていたが、重みと持ちにくさで二人はよろめいた。が、玄関まではほんの数メートルの距離だから、何とかすぐに家の中に入れることはできた。雅子は息を切らしながら言った。

「師匠、風呂場までだよ」

「わかったよ」ヨシエは児童の上履きみたいなズックを脱ぎ捨てて、雅子の家に上がった。

「風呂場、どこなのよ」

「一番奥なんだよ」

二人は廊下で何度か下ろして休憩しつつ、ようやく脱衣場まで健司を運び入れた。雅子は死体を覆っていたシートをはぎ取り、今度はそれを洗い場のタイルの上に敷き詰めた。タイルの目地に肉片でもこびりつくと困ると思ったのだ。

「この上に置いてよ」

ヨシエはすでに諦めたのか素直に頷いた。もう一度二人で持ち上げ、あらかじめ雅子が考えていたように、健司は長方形の洗い場の対角線上に、トランクの中の姿勢と同様、横向きに置かれた。

「可哀相に。こんなになっちゃってさ。まさか女房に殺されるなんて思ってもみなかっただろうね。迷わず成仏《じょうぶつ》してほしいけど」

「それはどうかしら」

「あんた、冷たいわねえ」

なじるヨシエの声に少し落ち着きが戻ってきていた。雅子はすかさず頼んだ。

「鋏《はさみ》持ってくるから、洋服切って裸にするの手伝ってよ」

「それ、どうするの」

「細かく裂いて捨てる」

ヨシエは大きな溜息をついたが、声音はしっかりしていた。

「ポケットの中に何か入ってるんじゃないの」

「うん。財布とか定期とか入ってるかもしれないから見て」

雅子が寝室から大きな裁《た》ち鋏を持ってくると、ヨシエはポケットから出したものを風呂場の入口に並べていた。角の擦り切れた黒革の財布。キーホルダー。定期券。小銭。

雅子は財布の中を調べた。クレジットカードが数枚と現金が三万近く入っていた。鍵は家のものらしい。

「全部始末しなきゃね」

「金どうするんだい」

「師匠にあげるよ」

「でも、山ちゃんのもんだろ」と言った後、ヨシエは独り言を言う。「それも変だよね。殺した女房に返すことないよね」

「そう。手間賃で貰っておけば」

ヨシエの顔にほっとした表情が浮かんだ。雅子はキーホルダーと空っぽの財布、クレジットカード、社員証の入った定期券などを小さなビニール袋に入れた。この辺りは畑や空き地が多い。どこかにこっそり埋めてしまえばわからないだろう。

ヨシエは現金を自分のパンツのポケットに入れてから、さすがに申し訳なさそうな顔をした。そして、

「ねえ、首絞められたのにネクタイなんかしてるの哀れだね」

としみじみ言って、健司のネクタイの結び目を手で解《ほど》いてやっている。結び目が固くなっているのか時間がかかっていた。雅子はいらいらした。

「そんなことしてる暇ないんだよ。いつ何時《なんどき》、誰が帰ってくるかしれないからさ。そんなの切っちゃいなよ」

「あんたさ、死者に対する礼儀ってないのかい」ヨシエが怒った。「鬼のようだね。あんたがそういう人だって知らなかった」

「死者？」雅子は健司の靴を脱がして袋に納めながら答えた。「これはただの物だと思ってる」

「物？　人間じゃない？　何言ってるんだよ」

「もとは人間だったけど、今は物なんだよ。あたしはそう考えることに決めたの」

「それは違う」ヨシエは珍しく憤った。声を震わせている。「じゃ、あたしが面倒みてるあの婆さんは何」

「生きてる人間でしょうが」

「違うよ。このダンナさんが物なら、うちの婆さんも物だよ。てことは、あたしら生きてい

る人間も物、これも物。だから、差はないんだよ」

そうだろうか。雅子はヨシエの言葉に撃たれたような気がして、今朝方、駐車場でトランクを開けた時のことを思い出した。夜が明け、雨が降り、自分たちは生きて変化している。だが、死体は変わらない。だから物だと考えようとしたのは恐怖が生んだ都合のいい考えだったのだろうか。ヨシエが言った。

「だからさ、生きてる人間が人間で、死体が物だなんてあんたの考えは間違ってるんだ。傲慢なんだよ」

「そうだね。だったら気が楽だ」

「どうしてだよ」

「あたしは怖かったから物だと無理矢理思っていたけど、そうじゃなくて、あたしと同じなんだと思えばできるかもしれない」

「何が」

「バラバラにすること」

「どうしてだよ。どうしてそうなるのかわかんないよ」ヨシエが叫んだ。「罰が当たるよ。あたしたち二人とも罰が当たる」

「構わないよ」

「どうして。どうして構わないんだよ」

罰が当たるなら、その罰がどんなものなのか体験したい。そこまで願う自分の気持ちはどうせヨシエにはわからないだろう。雅子は口を噤《つぐ》み、健司のはいている黒い靴下を脱がせにかかった。

初めて死体の皮膚に素手で触れると、ぞっとするほど冷たかった。自分は本当にこの死体をバラバラに解体することができるのだろうか。血がたくさん出るだろう、気味の悪い内臓がはみ出すだろう。自分を試そうとする朝の気分が萎《な》えた。動悸がして、現実感が失せていく。死体を見たり、触ったりするのはつくづく人間の本能に背《そむ》くことなのだと雅子は思う。

「ねえ、あたし直接触るのやだよ。手袋ないのかい」

同じ思いと見えて、ヨシエがおずおずと言いだした。雅子は工場からくすねてきたビニール手袋を二枚のエプロンと一緒に持ってきた。ヨシエは外したネクタイを丁寧に折り畳み、シャツのボタンを一個ずつ下から外している。雅子はヨシエに手袋を渡し、自分もそれをはめるとズボンを裾から切り裂きはじめた。健司はたちまち丸裸になった。トランクの中で下にした体側部分に血が溜まって紫斑《しはん》が出ている。ヨシエが萎《しな》びた性器を眺めながらつぶやいた。

「うちの亭主が死んだ時もこうして裸にしてさ、洗ったんだよ。山ちゃんは最期の姿見なくていいのかね。あたしたちがこんなことしちゃって本当にいいのかねえ」

ヨシエがビニールエプロンを手にしたまま言う。雅子はヨシエのいくらでも滲み出てくる情緒にうんざりしている。

「いいんだよ。自分でいいって言ったんだから、あとで後悔しようが何しようが、あの子の問題なんだから」

ヨシエが怖れた目で雅子を見て、大きな溜息をついた。雅子はそれが癇《かん》に障り、わざと言った。

「最初に頭を落とそう。顔があると不愉快だよ。生理的に許せないんだ」

「許せないだなんて……よく言うよ」

「罰が当たるっていうの?」

「そうじゃないけどさ」

「じゃ、師匠がやってみてよ」

「いやだよ」ヨシエが怯えた。「あたしはできないって言ったじゃないか」

一人で解体するのは骨が折れそうだった。何とかヨシエに手助けしてもらいたい。雅子は一計を案じた。

「山ちゃんがお礼するって言ってたから金を貰えばいい。それならやる?」

どきっとしたようにヨシエは顔を上げた。虚ろな目に迷いがあった。

「あたしは断ったけど、考えてみれば貰ったほうがいいのかもしれない。そのほうがビジネスライクだもの」

訊く。

「幾らぐらい」ヨシエが健司の瞳孔《どうこう》の開いた光のない目を気味悪そうに見ながら小さな声で
「幾ら欲しい。あたしが交渉する」

「じゃ、十万」

「少ない。五十万でどう」

「それだけあったら引っ越しができるかもしれないね」ヨシエはつぶやいた。「その、つまり、あんたはあたしのほっぺたを金でひっぱたくつもりなんだ」

その通りだった。が、雅子は答えずに念を押した。

「手伝ってよ。頼むよ、師匠」

「わかった。もう逃げられないね」

喉から手が出るほど金が欲しいヨシエは、とうとう観念したらしい。ビニールエプロンをつけると、白い靴下を脱いで手際よくジャージのパンツをまくり上げた。

「血がつくよ。ズボン脱いだほうがいい」

雅子は素直に洗い場でジーンズを脱ぎ、脱衣場の洗濯籠を探って中に入っていたショートパンツをはいた。ふと目の前の鏡を見ると、今まで見たこともない険しい表情をした自分が映っている。反対にヨシエは、困り果てたぼんやりした顔をしていた。

洗い場に戻ってきた雅子は、どの部分に鋸《のこぎり》を入れようかと健司の首を調べた。いやでも大きな喉仏が目に入り、伸樹のたくましく上下に動く喉仏を思い出させた。雅子はその連想を振り切り、ヨシエに訊ねた。

「首って鋸で落とせるかしら」

「鋸は肉が巻くから、最初は包丁かナイフで切れ目を入れるといいよ。それで駄目ならまた考えよう」

仕事だと割り切ったらしいヨシエは、工場のラインの先頭にいるように急に采配を振るいだした。雅子は急いで台所に行き、一番切れる刺身包丁と鋸の入った工具箱を持ってきた。あとは生ゴミとして出す時のビニール袋が必要だ。肉片を切り分けたらどんどん入れたほうがいいだろう。雅子が買い置きの袋の数を数えると、百枚はあった。近所のスーパーで買ったものだが、東京都推薦のありふれた炭酸カルシウム入りのゴミ袋だから足はつかないだろう。

「師匠。袋を二重にして五十個の生ゴミとして出すとしたら、どうすればいいかな」

「まず関節ごとに切ってさ、それからなるべく細かくしたほうがいいんじゃない」

ヨシエが刺身包丁の研《と》ぎ具合を調べながら答える。その手が細かく震えていた。雅子は健司の喉仏の下の頸椎《けいつい》の間隔を指先で探り、思い切って包丁を入れた。すぐ骨に突き当たるので、その周りを切ると、どす黒い血がどろっと大量に流れ出てきた。その量の多さに驚いて手が止まる。

「これが頸動脈《けいどうみゃく》？」

「だろうね」

あっという間にビニールシートが血の海となった。雅子は慌てて洗い場の排水溝の網を外した。粘度の強い血が渦を巻いて流れ込んでいく。何の関係もない前夜の風呂の湯と、健司の血が下水で一緒になっているのかと思ったら、妙な気分だった。たちまち雅子のはめた手袋の先がべたついて指が動かなくなった。ヨシエがホースを探し当てて、水道の栓に繋ぎ血を洗い流してくれる。だが、狭い風呂場は血の臭いでむせかえるようになった。

鋸を使うと首を落とすのは容易だった。ごとっと鈍い音がして健司の首が落ちてしまうと、健司の死体は、奇妙な形をした物体になりかわった。雅子は黒のビニール袋を二重にして首をしまい、蓋をした風呂桶の上に置いた。

「血抜きしたほうがいいかも」

ヨシエは、よいしょっと首の落ちた死体の両足を持ち上げた。気管の穴がぽっかり空いて赤い肉が見え、動脈からはまだひっきりなしに血が流れ出ていた。それを見た時、鬼だ、鬼の仕事だ、と雅子の全身が総毛だった。だが、気持ちは意外に冷静で、早くこの仕事を終えてしまいたいと願っているのだった。手順だけを考えると、確実に神経の中の一番ぴりぴりした部分が麻痺していくのがわかる。それは、たぶん恐怖だった。

雅子は次に両足の付け根の周囲を包丁で切り裂いた。黄色い脂肪層が包丁を滑らせる。まるでブロイラーだね、とヨシエがつぶやいた。何とか大腿骨まで辿り着き、雅子は左足を健司の太股の上に乗せ、まるで丸太を切るように太い骨を鋸で引いた。時間はかかったが、思ったよりも足は容易に切れた。

だが、肩の関節はどこに切れ目を入れていいのかわからず難渋《なんじゅう》した。しかも、死後硬直しているのでやりにくい。雅子の額に玉の汗が浮いた。ヨシエが焦《じ》れた。

「早くしないと婆さんが起きちまう」

「わかってるよ。だったらもっと切るの手伝ってよ」

「だって、鋸は一本だけじゃない」

「家から持って来てって頼めばよかった」

「だったらここに来る訳ないよ」ヨシエは憮然とする。

「そりゃそうだ」

雅子はにわかに笑いだしたくなった。確かに馬鹿げたことではあった。自分たちとは何の関係もない健司を、こんな思いをして解体しているのだから。二人は血塗《ちまみ》れの両手をだらりと下げ、死体を間にして立ったまま見つめ合っていた。

「師匠のところは燃えるゴミはいつ」

「うち、木曜だから明日」

「うちもそうだから明日の朝に捨てなくちゃ。やっぱり、手分けしてもらわなくちゃ駄目だ」

「でも、こんな袋を幾つも提げてくっていうの。持つだけでも大変だよ」

「車で行くよ」

「赤い車が捨てて行ったって言われるよ。ゴミ捨て場は皆見張ってるもの」

「そうだね」

ゴミの始末を簡単に考えていたことに気付き、雅子は唇を噛んだ。ヨシエが促す。

「ねえ、早くやっちまわなくちゃ。ゴミは後で考えよう」

「わかってる」

鋸を手にして肩の関節を切る。腕を落とした後は、内臓の処理だった。雅子は肚《はら》を決めて刺身包丁を手に取り、喉元から股間までを切り裂いた。灰色の腸がはみ出ると、腐りかけた臓物と昨夜、健司が飲んだらしいアルコールの臭いがたちこめ、二人は慌てて呼吸を止めた。

「これ、流してしまおうか」

雅子はヨシエに排水溝の蓋を開けさせたが、途中で詰まったら困ると考え直し、袋に入れて捨てることにした。

その時、玄関のインターホンが鳴って二人は手を止めた。すでに十時半を過ぎている。

「お家《うち》の人？」

ヨシエが心配そうに問う。雅子は首を振った。

「誰も帰って来ないと思うけど」

「じゃ、知らん顔してなよ」

勿論、そうするつもりだ。インターホンは何度か鳴って、静かになった。

「誰だろう」ヨシエが不安を隠さずに言った。

「さあ。セールスじゃない？　あとで聞かれたら寝てたっていえばいい」

雅子は、脂でぬるぬる滑る鋸を取り上げた。まだしばらく、この地獄の鬼のような仕事を続けねば、行くことも戻ることも、最早許されないのだった。

2

雅子とヨシエが死体を相手に悪戦苦闘を始めた頃、城之内邦子は平べったい東大和市内をぐるぐると車で彷徨《さまよ》っていた。

行くあても頼るあてもなく、邦子にしては珍しく落ち込んでいる。邦子は駅前ロータリーの、できたばかりの噴水の横に車を停めた。雨の降る朝の噴水は無駄な行いを表しているようで、気を滅入らせる。まるで今の自分だ、と一年に一度ほどしか感じない自省的な気分になるのが不愉快だった。

邦子は、駅前の建設予定地のフェンスの向こう側に見える電話ボックスを、何度も振り返って眺めては悩んでいた。やはり思い切って雅子に電話し、借金を申し込もうかと心を決めかける。何を考えているのか、自分には想像もできない雅子を内心で恐れてはいるのだが、この際、背に腹はかえられなかった。今日とりあえず金を工面しなければならないのだから。

邦子は車から出て、傘を開いた。すると、停車していたバスがまるで舌打ちするようにシュシュッとエアブレーキで威嚇《いかく》した。運転手が窓を開けて怒鳴る。

「そこ、駐車禁止」

馬鹿、うるさいんだよ。心の中で吐く悪態もいつもと違って元気がなかった。邦子はすごすごと濡れたキャンバストップも惨めなゴルフに戻り、エンジンをかけた。あてどなく車を発進させて、そのままうっかり渋滞の道路に出てしまうと、もう公衆電話は見当たらなかった。しかも、雨でいつもより交通量の多い道は、邦子の車をたちまち立ち往生させた。

これからいったいどうしたらいいのだろう。邦子は効きの悪いデフロスターのせいで、曇ったフロントガラスから街のあちこちを透かして眺めては溜息をつき、あまりの方策のなさに気が狂いそうになった。

今朝、夜勤から帰ると、寝ているはずの哲也の姿はなかった。前日の夫婦喧嘩に腹を立ててどこかに外泊したのは明白だった。ふん、あんな奴、帰って来なくてさばさばする、とばかりに早めにベッドに潜り込み、うとうとしかけた途端に電話がかかってきたのだった。まだ朝の七時だった。

不機嫌に出た邦子に、相手の男は慇懃無礼《いんぎんぶれい》に言った。

「城之内邦子さんですか。朝早くから誠に申し訳ございません」

「はあ。何ですか」

「こちらはミリオン消費者センターです」

邦子は、あっと叫びそうになった。眠気は吹っ飛び、どうしてこんな重要なことを忘れていたのかと自身を呪う。男は手慣れた口調で淡々と淀みなく告げた。

「うっかりお忘れではないかと思い、お電話差し上げました。昨日、二十日はお支払い日の期限でしたが、指定口座のほうには振り込まれておりませんでした。お支払いの金額はご承知と存じますが、改めて申し上げます。四回目、五万五千二百円です。もし、今日、お振り込みのない場合は、利息がかかってしまいますので、こちらから集金に伺います。どうぞよろしくお願いいたします」

街の金融業者、通称街金からだった。自動車ローンのほかに、クレジットカードのローンが大きく膨らんで、邦子は数年、その支払いに追われている。元金は減らず、利子だけを払っている状態だということに気付いたのは去年のことだ。それも滞《とどこお》ると、サラ金から借りまくって何とか利子分だけは返したが、今度はサラ金からも返済を迫られるのは自明の理だった。結局、債務が二重になっただけのことで、そのうちクレジットからもサラ金からも、このままではブラックリストに載ると脅されるようになった。

どうにもならず、「月々の支払いの大変な方　お急ぎの方」という触れこみの、街の金融業者に飛び込み、そこから金を借りたのが自転車操業の始まりだった。親切めかした年輩の女が「それは困るでしょう」と邦子の免許証と夫の会社の名前だけで三十万貸してくれたのだ。その金でクレジットとサラ金の利子は払ったが、今度はこっちの借金が減らない。

それもそのはず、三十万借りただけなのに、四十パーセントもの利子を取られる仕掛けになっているとは思ってもいなかった。先のことを考えず、その場しのぎで生きているからなのだが、邦子はなりふりなどに構ってはいられなかった。それでも、哲也から金を貰って返済すると、女はまたすぐに「五十万用立てられますよ」と言う。邦子はつい手を出した。

邦子は家計の金が入っているクッキーの缶を開けた。どういう訳か小銭しか見あたらない。いつの間に遣ったのだろう。不審に思いながら、バッグの中のグッチに模した財布を開けた。給料日前なので、一万数千円しか入っていない。こうなれば、哲也を捕まえて金を出させるしかないだろう。

「あいつ、どこに行ったんだ」

邦子は手帳をめくって哲也の会社に電話をしたが、早朝のことで誰も出社していない。どうせ電話をしたところで哲也は逃げまわって捕まらないに決まっている。邦子は焦ってきた。今日、支払いができなければ、ヤクザのような男たちが家まで取り立てに来るだろう。したたかなくせに根が小心な邦子は、それを一番恐れている。

邦子は慌てて寝室に入り、整理ダンスの一番下の引き出しを開けた。万が一のことを考えて、下着や靴下の入っている引き出しにへそくりを隠していた。しかし、乱雑に突っ込んであるブラジャーやストッキングをどんなにひっくり返してみても、そこには何も残っていなかった。

嫌な予感がして、ほかの引き出しやクローゼットを開けてみると、哲也の下着や服がなくなっている。哲也が、夫婦喧嘩の腹いせで家中の金を持って家出した、と気付いたのはしばらく経ってからだった。

一睡もできずに邦子は車を駆って駅前のキャッシュディスペンサーに走った。二人共通の銀行預金の残高を調べてみたら、見事にゼロだ。これも哲也の仕業に違いなかった。このままでは家賃さえも滞るだろう。邦子は腹立ちのあまり、髪をかきむしったのだった。

邦子はようやく渋滞を抜け出し、信号を左折して古びた平屋の都営住宅群が立ち並ぶ一角に差しかかった。背景に比して、そこだけ真新しい電話ボックスが目についた。邦子は車を左に寄せ、傘も差さずにボックスに走った。

「もしもし、マックス薬品ですか。営業の城之内いますか」

返ってきた答えは思いがけなかった。

「城之内は先月辞めましたが」

馬鹿だ能なしだ、と蔑《さげす》み、舐《な》めきっていた哲也に自分はしてやられたのだ。邦子は燃えるような憤怒の衝動に駆られ、電話ボックス内の角のめくれた電話帳を手で払い落とし、雨に濡れた靴で何度も踏みつけた。薄い紙は裂け、紙片がボックス内に飛び散った。まだ飽き足らず、邦子は電話のフックに思い切り体重をかけ、壊してやれとばかりにぶら下がった。

無論、それでも怒りは収まらない。畜生、畜生。あたしはどうしたらいいんだ。今日、取り立てに来られたら、いったいどこに逃げればいいんだ。

やはり雅子に頼むしかない、と邦子は決心した。今朝、あのヨシエも雅子に借金すると話していたではないか。なら、自分が頼んでどこが悪いのだろう。貸してくれないのだとしたら、雅子の意地悪だとしか思えない。何事も自分中心に考える邦子の結論は、自分も借りて当然という身勝手なものだった。

もう一度テレホンカードを入れて雅子の電話番号をプッシュする。ところが、壊れてしまったのか電話はかからない。何度入れてもテレホンカードが戻って来てしまう。邦子は舌打ちして電話をかけるのを諦め、雅子の家に直接行こうと思った。

雅子の家は、ここからさほど遠くない。一度しか行ったことがないからうろ覚えだが、何とかなるだろう。邦子は車に戻ると、大きな団地を右手に見て新青梅街道に出た。

雅子の家は、小さいものの建って間がない注文住宅だった。それだけでも妬《ねた》ましかったが、雅子の構わない服装を考えれば決して裕福な暮らしではないだろう、と借金を申し込む身だというのに邦子は自分を宥《なだ》めた。

家の向かい側が畑を潰した造成中の宅地になっている。邦子はその粘土質の盛り土の前に車を停め、雅子の家に近づいていった。玄関先に見慣れた自転車がある。

師匠だ。師匠が来てるんだ。邦子はヨシエが一足先に借金をしに来ているのだと早合点し、気が焦った。ヨシエが今日の支払いではないなら、こちらに先にまわしてはもらえないだろうか。そうだ、そういうふうに頼んでみよう。

邦子はインターホンを押した。だが返事はない。何度か押したが、家の中は静まりかえっている。どこかに出かけてしまったのだろうか。それにしては雅子のカローラもあるし、ヨシエの自転車もある。おかしい。二人で眠っているのかもしれない。自身も寝不足の邦子はそんなことを考えた。しかし、ヨシエは寝たきりの病人を抱えているから、他人の家で眠りを貪《むさぼ》ることなど絶対にできないはずだった。

不審に思った邦子は、傘を差したまま家の周りをぐるっと巡ってみた。庭先からベランダ越しに居間らしき場所を覗いたが、しんとして薄暗い。しかし、廊下の奥に照明がついているのが、レースのカーテン越しに窺えた。奥にいてインターホンが聞こえなかったのかもしれない。

玄関のポーチに戻って、今度は逆側からまわると、裏の風呂場らしきところが明るかった。窓から、雅子とヨシエのぼそぼそと喋る声が聞こえてくる。こんなところで何をしているのだろう。邦子はアルミの桟《さん》の間からガラス窓をこつこつ叩いた。

「あのう、邦子ですけど」

窓の向こうは急に静かになった。

「あの、すみません。ちょっとお願いがあって寄りました。師匠もそこにいるんでしょう？」

またしばらく沈黙があり、すっと窓ガラスが開いて、険しい表情の雅子が顔を覗かせた。

「どうしたの。何の用」

「お願いがあるんですけど」

邦子は精一杯、可愛く見えるように作り声を出した。雅子の同情を集めて金を借りなくてはならない。五万五千二百円は最低必要だが、当座の生活費も借りなくては生きていけない。

「どんな」

「ここではちょっと言いにくくって」邦子はすぐ後ろの隣家を振り返った。隣はちょうど便所の位置に当たるらしく、小さな窓が少し開いていた。

「取り込んでるから、そこで言ってよ」

雅子は苛ついて促した。

「はあ」

初めて邦子は、雅子とヨシエが風呂場で何をしているのだろうと訝《いぶか》しく思った。中からは仄《ほの》かに生臭い嫌な臭いがしていた。鼻腔《びこう》を広げると、雅子は慌ててガラス窓を閉めかけた。

「ちょっと待って。雅子さん」

必死に窓を外から押さえ、何とか話を聞いてもらおうと邦子は食い下がった。

「あたし、すごく困ってるんです」

「わかった。玄関にまわって。今、開けるから」

邦子の声が近所に聞こえるのが嫌なのだろう。雅子が根負けしたのに、ほっとして邦子は、胸を撫で下ろした。が、雅子がぴしゃっと閉めた窓の隙間から一瞬だけ妙な物が見えて、邦子の胸は騒いだ。肉塊のようなものが見えたのだ。食肉の解体でもしているのだろうか。それにしては巨大だったし、風呂場でそんなことをするのはおかしい。いるはずのヨシエも姿を見せないし、雅子の態度も妙だった。

首を傾げながら、玄関先で待っていたが、雅子はなかなかドアを開けてくれなかった。邦子は待つことに飽いて、また風呂場の窓の下に戻った。すると、水の流れる音がしている。

何かを洗っているらしい。二人が喋る声がまだ聞こえていた。邦子は、雅子たちが何をしているのか探ってみようと思った。そこには金の匂いが漂っている気がする。

　雅子が風呂場を出る音が聞こえたので、邦子は慌てて玄関に戻った。何食わぬ顔で待っていると、ようやくドアが細く開いた。ポロシャツにショートパンツ姿の雅子が立っている。後ろでまとめた髪をほつれさせ、朝別れた時よりも猛々《たけだけ》しく見えた。邦子は少し臆した。

「どうしたの」

「あの、ちょっと入ってもいいですか」

「何の用」相変わらずとりつく島がない。邦子は甘え声を出す。

「ここじゃ言いにくくて」

「わかった」

　仕方がないといった様子で雅子はドアを大きく開けた。邦子は中に入り、玄関を見まわした。広くはないが、きちんと片付けられていた。しかし、一枚の絵も花も飾られていない。いかにも雅子らしい住まいだった。

「それで」と長身瘦軀《そうく》の雅子はこれ以上は立ち入らせないというように、邦子の奥を覗く視線を遮り、前に立ちはだかった。邦子は雅子にいつも感じる威圧感をいやが上にも意識させられ、小さな憎しみが湧き上がるのを覚えた。

「あの、すみませんけど、お金を貸してもらえませんか。昨日、支払日でうっかりしちゃったんですけど、今、うち一銭もないんです」

「あんたのとこ、ご主人いるでしょ」

「それが、家中の金持って家出しちゃったんです」

「家出?」聞き返した雅子の頰がわずかに緩むのを見て、邦子はまたしても憎しみを感じた。しかし、そんなことはおくびにも出さずにしおらしくうなだれてみせる。

「そうなんです。どこに行ったかわからなくって。あたし困っちゃって」

「そう。で、幾らいるの」

「五万、いや四万でもいいです」

「そんな金ないよ、銀行行かなきゃ」

「行ってくれませんか。お願いします」

「急には無理ね」

「でも、師匠には貸したんでしょう」

邦子が必死に頼むと、雅子は不快そうに眉を寄せた。

「はっきり言うけど、返すあてはあるの」

「あります。だから」

嘘をついて拝み倒す。雅子は考え込み、指を顎の下に持っていった。その爪の間に赤黒い血のような物が詰まっているのを見て、邦子はどきっとした。

「でも、今日は駄目だね。明日でよかったら何とかなるかもしれないけど」

「明日じゃ駄目なんです。だって、今日振り込まないと、怖い人たちが来るんです」

「それはあんたの責任じゃないか」

邦子は黙り込んだ。まったくその通りなのだが、雅子の言い方はいつも身も蓋もない。後ろから突然、ヨシエの声がした。

「あたしが言うのも何だけど、融通してあげなよ。仲間じゃないか」

雅子が、怒りを露わにしてヨシエを振り返った。ヨシエが口を出したことにではなく、この場に姿を現したことに腹を立てているらしい。ヨシエは工場での服装のままだったが、目の下に隈がはっきりと目立ち、疲れ果てている。

きっと自分に知られたくないことを二人でしているのだ。邦子は反撃のチャンスだと思った。

「あの、お二人で何をしてたんですか」

雅子は答えない。ヨシエは慌てて目を逸《そ》らす。邦子はもう一度訊ねた。

「お風呂場で何をしてたんですか」

「どう思う」

雅子が薄く笑って邦子を見た時、なぜか邦子の体に鳥肌が立った。

「わかんないけど」

「何か見た」

「ええ、あのう、肉みたいなもの」

「見せてあげるよ。おいで」

ヨシエが驚いて抗議の声を上げた。雅子は邦子の手首を強い力で摑んだ。邦子の内部で、早くここから立ち去れ、と恐怖心が囁いていた。しかし、見たいという好奇心と、もしかすると金儲けに関係しているかもしれないという期待とがないまぜになった、今まで経験したことのない欲望がそれを上まわった。ヨシエが雅子の腕を引いて問い詰めている。

「ねえ、どうすんだよ。それでいいの?」

「いいんだよ。この人にも手伝ってもらおう」

「あたしは知らないよ!」

ヨシエがふてくされて叫んだが、悲鳴みたいに聞こえた。邦子は慌ててヨシエにも問うた。

「師匠、何を手伝うんですか」

ヨシエは答えずに腕組みしたままうつむいている。邦子は雅子に引きずられ、廊下の奥の風呂場に連れて行かれた。仕方なしについていった邦子は、やがて煌々と照らされた風呂場に転がる人間の脚を見て失神しそうになった。

「これ、何」

「山ちゃんの亭主だよ」

　雅子が煙草に火をつけて煙を吐き出しながら言った。邦子は雅子の爪の間の乾いた血や生臭い匂いを思い出し嘔吐しかけた。手を口にあて、必死に吐き気を抑える。

「どうして、どうして」

　自分が見ているものが現実とは思えず、お化け屋敷の作り物が、邦子をびっくりさせるために置かれているような気さえした。

「山ちゃんが殺しちゃったんだって」ヨシエが溜息混じりに言った。

「それをどうしてこんなことにするんですか」

　雅子は面倒臭そうに振り向いた。

「仕事と割り切ることにしたの」

「こんなの仕事じゃないよ」

「仕事なの」雅子はぴしゃっと遮る。「あんたも金が欲しいのなら手伝いなさい」

　金と聞いて、邦子の中の別の回路が動き出した。

「手伝うって、何をするんですか」

「小さくして袋に詰めるから、あんたは捨てに行くだけでいいよ」

「捨てるだけでいいんですか」

「いいよ」

「それで、幾らくれるんですか」

「幾ら欲しいの。山ちゃんに交渉してあげる。その代わり、あんたも共犯。誰にも喋っちゃ駄目だよ」

「わかってます」

そうとしか言えず、自分の口を封じるための雅子の罠にはまったのを感じ、邦子は呆然とした。

3

一足先に工場を出た山本弥生は、古びた赤い傘を差して自転車を漕いでいた。傘の赤い色が透けて、剝き出しの両腕を心浮き立つ明るいバラ色に見せている。たぶん、自分の頰も若い娘のようなバラ色に輝いていることだろうと弥生は思った。が、ゆっくりと漕ぐ速度に従って移動する赤い視界の中で、雨に濡れた黒いアスファルトの道も、その両側の深緑の木々も、まだ眠っている雨戸を閉め切った住宅も、すべてが反対に陰影濃く黒々と目に映った。

傘の中にいればバラ色でも、外の世界は凄みを増した景色となって弥生を取り囲んでいる。そのことが、夫、健司を殺した後の世界の象徴に思えてならないのだった。弥生は外を見まいと傘の中で身を縮めた。

　弥生は健司を殺した時のことをはっきりと覚えていた。確かにこの手で絞め殺してしまった。しかし、一方では健司はどこかに出かけてそのまま消えてしまったのだ、という想像も強くなっている。自分に都合のいい幻を作り出しているのだとも思わなかった。なぜなら、健司の心はもう自分と息子たちのいる家から遠く離れていたのだ。だから今に、その想像が夫殺しという現実を凌駕《りょうが》してしまうに違いない。

　ナイロン製の傘が雨を十分に吸って重くなってきた。弥生は傘を持った左手を下ろしてみた。バラ色の世界から抜け出し、似たような小さな家が建ち並ぶ住宅街がいつもの見慣れた色に変わるのをゆっくり眺める。柔らかな雨が全身に降りかかった。たちまち髪が、顔がしっとり濡れていく。弥生は自分が生まれ変わる気持ちがして勇気が湧いてくるのだった。

　自宅前の路地に曲がるブロック塀にさしかかると、昨夜、ここで雅子の車を待っていた時のことを思い出した。雅子が自分を見捨てないで助けてくれた。その感激は一生忘れないだろう。雅子のためなら何でもしようと思う。健司の死体のことも、雅子に任せてしまえばもう大丈夫だろうと肩の荷を下ろした気分になっている。

　自宅玄関の鍵を開け、弥生はまだ薄暗い家の中に入った。子供がいるせいか、日向《ひなた》にいる子犬のような懐かしい匂いが染みついている我が家だ。それも、自分と愛する子供たちだけの家になった。ほっとする。健司はもう帰って来ないのだ。これからは健司が死んだことを知っていると気取《けど》られない努力が必要だ。夫の失踪を案ずる妻をうまく演じられるかどうか、弥生はそのほうが心配だ。

しかし、上がり框《がまち》で首を背後から吊られた夫の死に顔を思い出すと、まだ小気味よかった。

《ざまあみろ》

こんな下品な言葉遣いなど一度もしたことがないのに、しかも狩りの経験もないのに、荒野で小動物でも追いまわしているような荒々しい気分になるのはどうしてだろう。自分は、本当はこういう人間だったのかもしれない。

冷静になった弥生は夫の遺留品がないかどうか、あちこち確かめながら玄関で靴を脱いだ。健司がどんな靴を履いて死んでいったか記憶にないので下駄箱を開けてみた。新しい靴がない。安心したのは、健司が新しい靴を履いて死んでいったからではなく、雅子に汚い靴の処理を頼まなくて済んだからだった。

弥生は真っ先に子供たちが眠っている寝室を覗いた。二人とも眠っているのを見て心が安まる。弥生は下の息子のはねのけたタオルケットをきちんとかけてやり、子供たちから永久に父親を奪ったことを少しだけ申し訳なく思った。

「でもね、パパはもう前のパパじゃなくなっていたものね」

小さな声でつぶやく。突然に、上の五歳の息子、貴志《たかし》が目を覚ましたので弥生は驚いて心臓が止まりそうになった。貴志は不安げに瞬きして母親を探している。弥生はぽんぽんと背中を叩いてやった。

「ママ帰ってきたよ。大丈夫だから寝なさい」

「パパはいるんでしょ」

「パパはまだよ」

心配そうに起き上がろうとする貴志の背をなおも静かに叩いているうちに、長男はまた眠りに落ちた。弥生はこれから起きることを考え、少しは横になったほうがいいと判断して横に延べた布団にもぐり込んだ。とても眠れやしないだろうと考えていたのだが、青痣《あおあざ》のある鳩尾《みぞおち》の辺りを手で撫でさすっていると、すとんと眠りがやって来てくれた。

「ママ、ミルちゃん、どこに行ったの」

下の息子の幸広《ゆきひろ》が乱暴に布団の上に乗ってきたので目が覚めた。夢の中を彷徨《さまよ》っていた弥生は、現実の世界に引き戻された。慌てて目覚まし時計を見ると、午前八時を過ぎている。九時前には子供たちを保育園に送っていかなくてはならなかった。服のまま寝ていた弥生は飛び起きた。気温が少し上がったせいか、汗をかいている。手で額を拭う。

「ママ、ミルちゃん、いないんだよ」

幸広がまた訴えた。

「あらそう。その辺にいるんじゃないの」

布団を片付けながら、昨夜の出来事を反芻《はんすう》する。健司を殺した後、玄関ドアの隙間から逃げてしまった飼い猫のことをようやく思い出した。まるで、遠い昔の出来事のように定かではないことが多いのが不思議だった。

「どこにもいないってば」

乱暴者のくせに猫を可愛がっていた次男は半べそをかいていた。弥生は優しい兄の貴志に弟を任せようと長男を探した。

「貴志、どこにいるの。ミルちゃんを一緒に探してやってよ」

パジャマ姿の貴志が憂い顔で現れた。

「パパ、会社に行っちゃったの？」

帰りの遅い健司だけが玄関横の小さな部屋で寝むようになって久しかった。貴志は起きてから早速そこを覗いてみたらしい。

「ううん、どっかに泊まっているのよ。ゆうべ帰って来なかったもの。どうして」

「嘘だよ。だって、パパ帰って来たじゃない」

仰天して弥生は息子の顔を眺めた。男の子にしては色白で優雅な顔立ちを案じたように歪めている。そうすると、目尻が下がって自分にそっくりな顔になることを改めて発見しながら弥生は聞き返した。

「それって何時のこと?」

語尾が震えているのに気付き、これはこれから起きることの前哨戦《ぜんしょうせん》なのだから何とかごまかさなくてはならないと決意する。

「時間はわからないよ」貴志は大人びた答えをした。「でも、帰ってきたような音がしたの」

安堵《あんど》して、弥生はとぼけた。

「音なの? じゃ、ママがお仕事に出かける音と聞き違ったんじゃないの。早くしないと遅れるよ」

「でもさ」なおも食い下がる貴志を放って、弥生はソファの下や台所の食器棚の裏を覗いて猫を探している弟の幸広にも言った。

「ミルちゃんはママが探しておくから早く用意しなさい」

あり合わせで朝食を作り、息子二人に雨ガッパを着せ、自転車の前後に乗せて保育園に送り届けてから、弥生は放心状態になった。一刻も早く雅子に電話して、あれからどうしたか聞きたい気持ちが湧き上がる。いや、それどころかこのまま自転車で見に行きたいほどだった。だが、雅子は自分が電話するまで待っているようにと言っていた。弥生は連絡を取るのを諦めて家路を急いだ。

家の前の路地で、近所の中年の主婦が傘を差してゴミの集積所を掃除しているところに出くわした。近くのアパートの住民が出したゴミが散らかっているのを、ぶつくさ言いながら掃除している。弥生は仕方なく丁寧に挨拶した。

「おはようございます。いつもご苦労様です」

相手は弥生と認めると思いがけないことを言った。

「あれ、お宅の猫ちゃんじゃない？」

主婦の指し示した方向には、電柱の陰に白い猫がひっそり佇《たたず》んでいる。確かにミルクだった。

「あら、ほんとだ。ミルちゃん、おいで」

弥生は手を差し伸べたが、白猫は怯えて腰を落とし、鋭く鳴いた。

「雨に濡れちゃうよ。早くお入り」

猫は素早く逃げていった。

「あらまあ、どうしたんでしょう。珍しいわね」

驚いた主婦が声を上げた。弥生は主婦の手前、内心焦りながら必死に猫の名を呼んだ。ミルちゃん、ミルちゃん、おいで。が、雨の中、猫はどこかに走り去ってしまった。健司と同様、二度と帰って来ないだろう。弥生は見切りをつけた。

弥生は夜勤を終えて早朝に帰宅すると、そのまま徹夜で健司や子供たちに朝食を作って食べさせ、保育園に送って行った後にやっと眠るという変則的な生活をしていた。

夜勤なんかしたくはないのだが、子供の病気などでしじゅう休まざるを得ない主婦をフルタイムで雇ってくれるところはそうはなかった。弁当工場に行く前は、スーパーのレジのパートタイマーをしていた。日曜出勤を断ったり、子供たちの急病で何度か休んだら、あっけなく首になった。深夜勤務は肉体的に辛いが、時給も昼間よりいいし、子供が寝ついた後でゆっくり出られるのがメリットだ。それに雅子やヨシエという仲間にも恵まれたし。

だが、これからは健司の収入もなくなるのだ。どうすればいいのだろう。しかし、この数ヵ月の苦しい家計の遣り繰りを考えれば、同じことなのだと思い直した。何とかなる、何とかしてみせる。昨夜以降、弥生は自身が強くなったと思っている。

健司の会社にすぐさま安否を気遣う電話を入れたかった。しかし、あまりにも早いと怪しまれるかもしれない。弥生はいつも通り過ごして時間を潰そうと睡眠薬を半錠飲んで横になった。今度はなかなか眠れず、やっとうとうとしたかと思うと、隣に健司が寝ている生々しい夢を見て弥生は大量の寝汗をかいた。

いつしか寝入っていた。遠くで鳴る電話の音で目が覚めた。雅子かもしれないと急いで起き上がったら、まだ薬が効いているのか目眩《めまい》がした。

「広沢《ひろさわ》と申しますがご主人おいでですか」

健司の勤める小さな建材会社の社員からだった。とうとう来た、と弥生は呼吸を整えた。

「いいえ、そちらには出てないのでしょうか」

「まだなんですが」

弥生の言葉に、おや、と戸惑ったような言い方だった。弥生は振り返って居間の壁にかかった時計を眺めた。午後一時過ぎだ。

「実は昨夜、うちには帰って来なかったんです。どこに泊まったのかわかりませんが、会社には出ていると思っていたんですけど。電話して確かめるのも怒られそうだし、どうしようかと」

「そうですか」男の連帯感が働いたのか、広沢は慌てた声を出した。「それはご心配でしょうね」

「こんなこと初めてですから、あたしもどうしたらいいのかわからなかったんです。でも、そろそろ会社に電話したほうがいいかなと思って迷っていたところです」

広沢は確か直属の上司の営業部長だったと、弥生はその痩せて貧相な風貌を頭に浮かべ、恥ずかしさと心配とが交錯した妻を演じ続けることを自身に命じた。

「大丈夫ですよ。どこかで酔い潰れてるんじゃないですか。あ、それも奥さんにはご心配ですよね。でも、山本君は一度も無断欠勤なんかしたことないから、あれじゃないですか。あの、ストレスっていうか、どこかに行っちゃいたいっていうか、そういう衝動って皆あるし」

「家族にも連絡せずですか」弥生は切り込んだ。

「うーん」と唸ったきり、広沢は困り果てたように黙ってしまった。

「あたしはどうしたらよろしいでしょう」

「あのね、奥さん。こうしませんか。夕刻まで待ってみて何の連絡もなければ捜索願出したほうがいいかもしれません」

「それはどこで出すのでしょう。交番で？」

「いや、違うと思いますよ。じゃ私が確かめてみますから、奥さんはどうぞそのままお待ちください。ご心配でしょうが、男は馬鹿やりますから大丈夫ですよ。行方不明って訳じゃないんですから」

　広沢からの電話は切れた。弥生は急にしんとした室内を眺めまわし、ようやく雨のやんだ空に気が付いた。途端に空腹を感じる。昨夜から何も食べていなかった。子供たちに食べさせたおかずの残りと、炊飯ジャーに入っている白飯とで済まそうと用意したが、いざ食べ物を見ると胃が受けつけない。箸でつついていると、また電話が鳴った。

「ああ、どうも。広沢です」

「はあ。いかがでした」

「あのですね。こちらとしては明日の朝まで待ってみたらどうだろうということなんですが。いかがでしょう」

「そうですか」と溜息をつく。「何事もなければ騒ぎ立てて恥ずかしいですものね」

「いや、そんなことはありませんよ。でも、ここはひとつ、そうしてみてください。それで、明日の朝になっても帰って来なければ事故に遭ってるということも最悪考えられますから、警察に電話してみてください」

「警察ですか」

「そうです。一一〇番だそうです」

ということは明日の午前中には警察に届けを出さなくてはならないということだった。健司は絶対に、もう二度と帰ってこないのだから。

「でも、あたし心配ですから夕方には電話してみます」

「警察にですか」

「はい。もし、事故でどこかに運び込まれていたら可哀相だし。こんなこと初めてなんですよ。何だか胸騒ぎがして」

「そうですか。ま、そのほうがお気が済むんでしたらそうなさったらいいと思いますよ。でも、たぶんもうじき帰って来ますよ。恥ずかしそうな顔してね」

そんなことは二度とない。心の中で広沢に返答し、弥生は今日中に警察に電話をしてしまおうと決心していた。そのほうが夫の失踪に慌てふためいている感じがすると思ったからだ。いつの間にか、弥生の中にふてぶてしい計算が働くようになっていた。

四時過ぎ、子供たちを保育園に迎えに行く支度をしていると、また電話が鳴った。

「あたしだけど」低いぶっきらぼうな声がする。雅子からだった。

ほっとする思いと、もしや何かまずいことでも出来《しゅったい》したかという心配とが入り交じり、弥生は恐る恐る訊ねた。

「あ、すみませんでした。どうでした？」

「全部終わったから何も心配することはないよ。ただね、ちょっと状況が変わった」

「どういうこと」

「師匠と邦子が手伝ってくれた」

事件をヨシエに話すことは覚悟していたが、邦子も手伝ったとは意外だった。工場では一緒に作業して仲良くしているが、見栄っ張りの邦子を弥生もあまり信用はしていない。弥生は急に心配になった。

「邦子さん大丈夫かしら。喋らないかしら」

「それなんだけどさ。突然やって来てあれを見られちゃったんだよ。それに考えてみれば、あの子はあんたが亭主に殴られたことも、亭主がバカラやって金を遣ったこともみんな知ってるでしょう。てことは、それを警察に喋られたらあんたが疑われるってことじゃない」

その通りだ、と弥生は青くなった。物事はすべて、時間をさかのぼれば、絡まった糸を解《ほど》くようにおのずとその姿が見えてくるものなのだろう。その話をした一昨日の晩には健司を殺すなど想像もできなかったのだから仕方はないが、雅子の言う通りだった。やはり雅子は頼りになる。

「作業を見られたことだし、共犯に引き込んでやった。でもね、師匠も邦子も実のところ金が欲しいんだよ。急で悪いけど、あんた五十万くらい都合できない？」

金を出すとは意外だったが、雅子の言うことには従うつもりだ。

「二人合わせて五十万でいいの」

「うん。師匠四十、邦子十でいいよ。邦子はゴミを捨てるだけだからさ。そうしたらあの人たち、満足すると思う。あんたが殺してあんたが金を払って始末を頼む。こういうことだよ」

「わかりました。実家に頼んでお金借ります」

弥生の山梨の実家はそれほど裕福ではない。父親はサラリーマンで、じき停年だった。頼るのは嫌だったが、貯金も消えた今、生活費も足りなかった。どのみち、いつかは無心することになるだろう。それが早いか遅いかだ。

「そうしてちょうだい。それからあんたのほうはどうした」

雅子はてきぱきと問うてきた。

「さっき会社から電話があって、無断欠勤してるから明日の朝になっても帰って来なかったら捜索願出してほしいって。でも、あたしは心配でたまらないから夕方には警察に電話したいって言ったの」

「いいんじゃない、そのほうが慣れてない感じがして。じゃ、あんたは今日欠勤すんのね？」

「ええ」

「それがいいよ。じゃ、また明日電話するから」

用件の終わった雅子はすぐさま電話を切りそうになった。弥生は慌てて止めた。

「雅子さん、待って」

「何」

「あれ、どうしたの」

「ああ。大変だったけど見事に小さくなった。三人で手分けして明日の朝早くにでも捨てに行く。だって、木曜は燃えるゴミの日でしょう。ちゃんと炭カルの袋に入れてるからばれないと思うよ」

「でも、どこに捨てるの」

「あまり遠くには行けないから、やばいとは思うけど近所の集積所。なるべく人目につかないところをこっそりまわろうっていうことになった」

「わかりました。よろしく」

つい先ほど、ゴミの集積所の掃除をしていた主婦がぼやいていたことを思い出し、弥生はそれがうまくいくようにと願うのみだった。

弥生は再び受話器を握り締め、意を決して今までかけたことのない番号を押した。すぐに男性の声がした。

「一一〇番です。どうしましたか」

「あの、主人が帰って来ないのですが」

呆れられるかと思ったが対応は事務的だった。住所と氏名を聞かれ、そのまま待つように言われ、別の男の声に変わった。

「こちらは生活安全課です。ご主人が帰らないというのはいつからですか」

「ゆうべからです。会社のほうにも行ってないようなのです」

「何かトラブルでもありましたか」

「いえ、心当たりはありません」

「それはですね、奥さん。もう一晩待ってみて、それでも帰って来ないならこちらに来て、届け出してください。武蔵大和署です。場所はご存じですね」

「でも、待てないです。気が気じゃなくて」

「こちらに来てもね、届け出するだけだから探してあげる訳じゃないんですよ」

男の声は柔らかくなった。弥生は溜息をついて見せた。

「心配なんですよ。こんなこと初めてだから」

「ま、子供や老人じゃないんだから、もう一晩待ってあげてから来てください」

「わかりました」

これで今日やるべきことはすべて終わった。電話を切った後、弥生は大きな息を吐いた。


三人で質素な夕食を食べていると、貴志が言った。

「ママ、今日、お仕事は？」

「今日はお休み」

「どうして」

「パパが帰って来ないから、心配してるの」

「よかった。ママもやっぱり心配してるんだね」

ほっとしたように貴志が言ったのには肝を潰した。子供は見ていないようで、人間関係の本質を見ているのだと弥生は空恐ろしくなった。もしかすると、昨夜、健司が帰って来た時に起きたことを、この子は何もかも聞いたのかもしれない。弥生は怯えた。そうだとしたら口封じしなくてはならない。考え込んでいると、幸広が口を尖らせて訴えた。

「ママ、あのね。ミルちゃん庭にいるんだけど、呼んでも入ってこないんだよ」

いきなり弥生は怒鳴っていた。

「いいじゃない。そんな猫のことなんか。ママそれどこじゃないんだよ」

いつもは優しい弥生が憤怒の形相をしたので、幸広は驚いて箸を取り落とした。貴志は何も見たくないといった様子で目を伏せた。

子供たちの反応を見て反省しながら、貴志や猫の件をどうしたらいいか雅子に相談してみようと弥生は考えた。いつの間にか雅子にすっかり頼っている。

以前、仲睦《なかむつ》まじかった頃は、健司にこのように頼りきっていたことなど忘れてしまっていた。

4

雅子はバスタブの蓋の上に別のレジャーシートを敷き、そこに全部で四十三個のビニール袋を並べた。男が一人載るくらいの重量だから、プラスチックの蓋はその重みで撓《たわ》んだ。

「血はなくなったのに、結構重いもんだね」

独り言を言うと、「いやだ、信じられない」と邦子が溜息混じりに首を振ったのを雅子は聞きとがめた。

「今、何て言った」

「信じられないって言いましたよ。だって、こんなことして、よく平気な顔していられると思って」

　邦子は口を尖らせて、雅子に食ってかかった。

「別に平気だなんて言ってないよ」と雅子は言い返した。「あたしにはあんたみたいにあちこち借金作って、それでも外車に乗って、あたしに借金に来る神経のほうがすごいと思うけどね」

　途端に邦子はノーメイクの小さな目に涙を溜めた。いつもは念入りに化粧しているのに、今朝はその余裕もなかったらしい。が、逆に若く素朴に見えた。

「そうですかね。あたしのほうがましですよ、絶対。比べるほうがおかしいんだよ。あたし、騙《だま》されたよ」

「おや。じゃ、金は要らないのね」

「いや、それは要ります。だって、そうしないとあたし破滅するもの」

「そんなことしなくたって破滅してるんだよ、あんたは。あたしはあんたみたいな人間はたくさん知ってる」

「どうして」

「前の職場でたくさん見た」

　雅子は邦子の目を静かに見返した。こんな碌《ろく》でもない女は叩きのめすに限る。変えようと思えば変えられる人間関係は周りに幾らでも転がっている。

「前の職場ってどういうことですか」

邦子は好奇心をそそられたらしい。雅子は首を横に振った。

「関係ないからそれはどうでもいいよ」

「どうでもよくないですよ。何、適当なこと言っちゃって」

「適当じゃないよ。金が欲しいならそれなりのことしなよ」

「そりゃするけど。することの範囲っていうか、そういうのって人間に絶対あると思うけど」

「あんた、そんなこと言ってる場合なの」

雅子が笑うと、取り立てに来る金融業者のことを思い出したらしく邦子は急に言葉を呑み込んだ。涙は消えて、かわりに毛穴の目立つ鼻の頭に汗が吹き出た。

「あんたは金が欲しくて手伝った。立派な共犯じゃない？　一人だけ上品ぶらないでよ」

「だけど」と言いかけたが、邦子は再び悔し涙を浮かべて黙ってしまった。

「ねえ、話の途中で悪いけどさ、帰らなくちゃ」そんな諍《いさか》いどころではないのか、ヨシエは寝不足で目の下が膨らんだ顔で時間をしきりに気にしている。「婆さんが起きてるよ。あたしゃ、これからまだまだ仕事があるんだからさ」

「わかってる。師匠、悪いけど、これ少し持って帰ってよ」

雅子が肉片と骨片の入り交じった袋を指で指すと、ヨシエは露骨に嫌な顔をした。

「あたし自転車なんだよ。籠にこれを載せてけっていうの。傘差してさ」

雅子は窓の外を眺めた。雨は上がり、雲の切れ間から青空がところどころ見えている。これから気温が上がりそうだった。早くしないと腐敗が進むだろう。すでに内臓は腐りかけている。

「もう雨降ってないよ」

「でもさ、嫌だよ」

「じゃ、どうやって捨てるのよ」

雅子はタイルの壁に寄りかかって腕組みし、脱衣場に立ったまま凍りついている邦子のほうを見た。

「あんたも持っていって」

「あたしの車のトランクに入れるんですかあ」

「当たり前じゃない。あんたのかっこいい車に入れるのは嫌だっていうの」どうしてこんな簡単なことが想像できないのか、雅子は苛立った。「この仕事はね、工場みたいにラインが止まればそれでおしまいって訳じゃないよ。これを適当な所に捨てて、発見されずに済んで、あんたたちが金を受け取って、それでおしまい。万が一発見されても、身元がわからなければいいし、わかったってあたしたちの仕業ってばれなきゃいいんだ」

「弥生さんが喋るかもしれないじゃないですか」

「彼女に脅迫されたって言えばいいじゃない」

「じゃ、あたしが雅子さんに脅迫されたって言ったっていい訳ですよね」負けん気の強い邦子が言う。

「いいよ。その代わり、最初からそのつもりなら金は出さない」

「ひどいよ。ほんとにひどい人」邦子は嗚咽《おえつ》をこらえ、話を変えた。「だったら、この死んだ人は可哀相じゃないですか。誰も悲しまないし、誰も大変なことだなんて思ってない」

「やめてよ！」雅子は怒鳴った。「そんなことは知ったこっちゃないよ。それは山ちゃんと、この男との問題」

「でもね、あたし思ったけどね」ヨシエがしみじみと口を挟み、雅子と邦子はそちらを見た。「こうしてもらって、変な話、ホトケさんも喜んでるんじゃないかって気がしてきたね。あたし、今までバラバラ殺人とか聞くと、何て残酷なことするんだろうと思ってたけどね。違うよ。うまく解体するってことはホトケさんを丁重に扱うってことなんだよ」

自分に都合よく物事を考えるヨシエの自己合理化がまた始まったと雅子は思った。しかし、四十三個の袋に肉塊《にっかい》を詰め込む仕事は、確かに丁寧と言えなくもない。雅子は改めて蓋の上のビニール袋を眺めた。

首を最初に落とし、脚、腕を落としてそれを関節部分で解体した。足首から先はさらに二つ、臑《すね》も太股も二つに分け、片脚だけで六つの袋に入れた。腕の部分は五つ。指紋はまさかの時を考えて、ヨシエに命じて刺身を切るように削り落とさせた。だから、手足だけで二十二個。

問題は胴体部分だった。これに時間がかかったのだ。まず縦に切り裂いて内臓をかき出して、内臓で八つ。外の肉を削ぎ落としてあばらを折って輪切りにする。全部でこれも二十個。最初に落とした首を入れれば四十三袋という計算になる。もっと細かくしたかったが、慣れない作業にかかった時間は三時間。すでに午後一時を過ぎている。時間も体力も限界だった。

炭酸カルシウム入りの東京都推奨《すいしょう》のゴミ袋に入れて、上部で縛った袋の端をさらに底に持ってきて二重にした。そしてそれをもう一枚の袋に入れてあるから、透けて見えない。中身さえ発覚しなければ、このまま「燃えるゴミ」としてうまく処分されるだろう。ただ、一個の重量が一キロ強はあるから、一見して人間の肉の塊と思われないようにあちこちの肉片を混ぜて入れてある。内臓と足の甲。肩と指先。こんな具合にだ。それは泣いていやがったが、邦子にやらせた。新聞紙か何かで包もうとヨシエが言ったが、配達地域が特定されるのを恐れてやめた。問題は捨てる場所だった。

「師匠はチャリンコだから五個でいいよ。邦子さんは十五。あたしは残りと頭を何とかするから。袋に指紋がつくから手袋して触るんだよ」

「ねえ、オカシラはどうするつもり」

ヨシエはそれだけ黒いビニール袋に包まれた物体を気味悪そうに眺めた。一番最初に切り落とした物は、やはり首の貫禄を見せて風呂の蓋の上でやけに座りがいい。

「オカシラ？」と雅子はヨシエの言い方につい笑いを誘われた。「後でどっかに埋める。それしか方法がないでしょう。頭が出ればばれちまう」

「腐ればいいじゃないか」とヨシエ。

「歯の治療痕かなんかで見るんじゃないですか」訳知り顔に邦子が口を挟んだ。「飛行機事故の時、そうじゃないですか」

「とにかく、なるべくこの辺りから離れた場所で、何ヵ所かに分けてゴミに出してよ。それからわかっているだろうけど、人に見られないように」

「だったら、今夜工場に行く時がいいかね」とヨシエ。

「でも、猫とか烏《からす》とかにやられるかも」邦子が言い添えた。「やっぱり早朝がいいんじゃないですか」

「誰かが見張っているような場所じゃなければどっちでもいいよ。でも、できるだけ遠く」と雅子。

「あの、雅子さん。さっきの話ですけど」邦子がおずおずと切り出した。「お金、何とかなりませんか。今日は五万、いや四万五千円でもいいです。そうしたら、取り立ての分は何とかなりますから。ただ、明日以降の生活費がないから、明日にでもまた少し貸していただけませんか」

「仕方ない。あんたの取り分から引くから」

「あたしの取り分って、幾らなんですか」

泣いたばかりの邦子の目に、抜け目のない光が現れた。ヨシエは居心地悪そうにパンツのポケットをしっかりと上から押さえている。健司のポケットマネーを貰ったことは雅子しか知らない。

「どうだろう。あんたは袋に詰めただけで汚れ作業してないんだから十万くらいでいいんじゃない。その代わり、師匠は四十万。といっても山ちゃんがそれだけ出せるかどうかわかんないけど」

一瞬、邦子とヨシエは顔を見合わせた。同時に二人の顔にはっきりと失望が浮かんだが、ヨシエは余禄を貰ったからそれでいいと思ったのか、邦子はあんなひどい作業をするくらいならこれでよしとしたのか、あるいは二人とも雅子が怖かったのか、それ以上何も言わなかった。

「じゃ、あたしはこれで」

そう言うとヨシエは後ろも見ないでさっさと出て行った。邦子も歩きかけてから、振り向いた。

「雅子さん。今夜、駐車場で待ち合わせしますか」

「ああ、あれはもういいよ。別々に行こう」

雅子が邦子の持ち帰り分の袋を黒のビニール袋に入れながら答えると、邦子は不審そうに雅子の目を見た。

「ゆうべ何かあったんですか。そういえば、遅かったですよね」

「何もないよ」

「あ、そうですか」と口では言いつつも、邦子は勘繰るように雅子の全身をさり気なく見た。

二人が帰った後、雅子は自分の分のビニール袋と、切り裂いた健司の服や所持品を車のトランクに入れに行った。これは今夜、出勤する前に車であちこち下見して、今夜か明日の朝捨てるつもりだ。

その後、デッキブラシを使って念入りに風呂場を清掃した。

だが、タイルの目地には、固いブラシで何度擦り上げても粘った血がこびりついているように思えてならないし、窓を大きく開けて換気扇をまわしても、血と腐敗しかかった臓物の生臭さは消えない気がした。

気の弱さから来る幻だと雅子は思った。ヨシエは手についた臭いが消えないと、表面がつるつるになるほどクレゾールに手を漬けていた。肉片を袋に詰めただけの邦子は、解体された健司を見て、もう二度と肉を食べないと便所で吐き、泣きながら袋に詰めた。自分は何とか平気でやりおおせたではないか。

今、自分がクレンザーを使って何度もデッキブラシで擦るのは、万が一、警察の捜査が入った時のルミノール反応が怖いからなのだ。「気のせい」に苦しめられるのは、理に合わないことを排してきた自分の恥だ。

壁に、一本の頭髪がついていた。固くて短い男の髪だった。雅子は指で摘み、それが夫のものか、息子のものか、あるいは健司の死体から落ちたものかを考えた。途中で馬鹿らしくなった。ＤＮＡ鑑定でもすれば別だが、自分たちが日常の暮らしをする分には、ただの落ちた一本の髪の毛でしかない。生きた男から落ちようが、死体から落ちようが同じゴミだ。雅子はそれを排水溝に流した。その瞬間、雅子の「気のせい」も一緒に流れていった。

雅子は弥生に電話を入れて金の相談をした後、ようやく自分のベッドで横になった。すでに午後四時をまわっていた。いつもなら、午前九時から寝てちょうど四時頃起きる。だから体は疲れ果てているのだが、逆に神経は冴えわたり眠りはなかなか訪れてはくれなかった。

雅子は冷蔵庫を開けて缶ビールを取り出し、一気に飲んだ。こんな昂《たか》ぶりは、会社を辞めた時以来だった。雅子はベッドに戻ったが、夏の夕暮れ時の蒸し暑い寝室で何度も寝返りを打った。

ほんの数時間横になるつもりだったのに、目が覚めた時は、開け放した窓から湿った夜気が忍び寄ってきていた。雅子は腕にしたままの時計を見て起き上がった。午後八時。涼しくなったのにTシャツが汗で濡れている。幾つか苦しい夢を見たが、内容は忘れてしまっていた。

玄関のドアが開く音がした。良樹か伸樹だろう。夕飯を用意しないまま寝てしまった。雅子はのろのろと居間に向かう。

伸樹がダイニングテーブルで、コンビニで買ってきた弁当を食べているところだった。一度帰って来てから、何もないので買いに出たらしい。雅子がテーブルの横に立つと、伸樹は表情を堅くしただけで何も言わなかった。だが、いつもと違う雰囲気を察したのか、怖じけた風に雅子の背後の空気を眺める仕草をした。雅子はその姿を見て、伸樹が感じやすい子供だったことを思い出した。

「あたしの分はないの」

伸樹は弁当に視線を落として何かを防衛するような頑《かたく》なな表情になった。いったい何を守ろうというのだろう。母親である自分は、とっくに守るものなど投げ捨ててしまったのに。

「おいしい?」

問いかけに答えず、伸樹は割り箸を置いて食べかけの弁当を見つめている。雅子は、飯粒のへばりついたプラスチックの蓋を取り上げて製造場所と製造時間とを見た。「ミヨシフー

ズ　東大和工場　午後三時出荷」とある。偶然なのか、あるいは仲樹の故意なのか、間違いなく、自分たちの工場で昼間造られた幕の内弁当だった。そのことが切なく感じられて、雅子は整然とした居間を見まわした。昼間、ここで自分たちがしでかしたことが嘘のように思える。仲樹はまた割り箸を取って静かに食べはじめた。

雅子は仲樹の向かい側に腰かけて、口を利かない息子が弁当を食べる様をぼんやりと眺めた。今日、邦子に対して感じたあの感情。変えられる人間関係なら変えてしまいたいという、あの野蛮ともいえる気分を思い出し、ここにどうしても変えられない人間関係があることを知って無力感に襲われた。

雅子は立ち上がり、真っ暗な風呂場に向かった。照明をつけると、クレンザーで磨きたてた風呂場は、もう乾き切っていて、一見とてつもなく清潔に見えた。雅子は湯船に湯を張る。

湯が溜まっていくのを見て服を脱ぎ、洗い場に降り立ってシャワーを浴びる。宮森カズオの痕跡をただちに消してしまいたいと昨夜、工場のトイレで考えたことを甦《よみがえ》らせた。あれから自分はくるぶしまで健司の血で汚し、爪の間に細胞のかけらを食い込ませ、解体した。なのに、このシャワーで洗い流したいと思うのは、いまだに宮森カズオの痕跡のほうだった。生きている人間も死体も同じ物だというヨシエの言葉を反芻し、雅子はシャワーの湯を浴びながら頷いていた。死体はおぞましく感じられても動かない。生きているカズオは自分に影響を与える。生きていくことのほうが鬱陶しい。

車のトランクに健司の肉体の様々な部分と頭の入った袋を入れ、いつもより二時間早く雅子は家を出た。良樹はまだ帰宅していなかった。そのことが雅子をほっとさせている。良樹のほうは、変えられる人間関係に属しているから、邦子に対する感情と同じ気分になるのを避けているのかもしれない。

雅子は夜の新青梅街道を都心方向に車を走らせた。上り車線は空いていたが、雅子はゆっくりと左右の景色を見ながら運転した。出勤時間のことや、トランクに入れた物体のことを頭から振り払い、これまで見慣れた景色が今の自分にどう映るのか興味があった。

左手に浄水場が横たわった大きな陸橋を渡る。陸橋のてっぺんから遠くの夜空に、西武遊園地の巨大な観覧車のイルミネーションがコインの輪郭のように輝いているのが見えた。この景色をすっかり忘れていた。あれに乗ったのは伸樹が幼い時で、はるか昔のことだった。今はもう、伸樹が自分の知らない大人の男に変貌したように、この自分も境界を越え、変わっていくのだと思った。

右手に小平《こだいら》霊園のコンクリートの塀がしばらく続く。巨大な鳥籠のような打ちっ放しのゴルフ場が見えてくると雅子は右折して田無《たなし》市に入った。畑の中の住宅街を走ると、目当ての大きなマンションが見えてきた。

田無市は以前勤めていた会社があった場所なので土地勘がある。そのマンションは所帯数が多くて管理が悪く、裏のゴミ捨て場に誰でもいつでも自由に出入りできることを覚えていた。雅子はゴミ捨て場の横に車を停め、さりげなく五個の袋を持って降りた。大きな青いペールが何個も置いてあって「燃えないゴミ」「燃えるゴミ」と大書してある。すでに双方とも大量のゴミ袋が無造作に投げ込まれていた。雅子はゴミ袋をかきわけ、下のほうに持ってきた袋を押し込んだ。健司の体は、家庭から出された生ゴミや紙屑《かみくず》と見分けがつかなくなった。

雅子は大きなマンションを見つける度に、まずゴミ捨て場を探し、入り込めそうだとそっと袋を置いてきた。見知らぬ深夜の住宅街をとろとろ走り、人気のないゴミの集積所があれば、下のほうにさりげなくばらまくことを繰り返した。こうして、健司の肉体と服は、バラバラにされただけでなく、離れた場所に無造作に捨てられた。残ったのは首と、ポケットの中にあったものだけになった。

そろそろ工場に向かわないと間に合わない時間になった。トランクが空になるに従って雅子の気持ちは軽くなっている。車のないヨシエがどこに捨てるのか心配になったが、少ないから何とかなるだろう。それにヨシエはしっかり者だ。問題は邦子だった。あの信用できない女に十五個も預けるのは無謀だったと後悔し、まだ捨てていなければ自分で処分したほうがいいかもしれないと考えた。

雅子は来た道をまた逆方向に三十分ほど走り、ようやく工場の駐車場に着いた。邦子はまだ到着していない。車の中でしばらく待ってみたが、邦子の派手な車は現れない。もしかすると、今日のショックで休むつもりなのかもしれない。腹立たしいが、邦子が欠勤したところで、状況に変化はないと思い直した。

車の外に出ると、七月にしては乾いた、そして今朝方に比べるとはるかに冷たい空気に、くっきりと揚げ物の油臭い匂いが漂っているのを感じた。

雅子は廃工場跡前の暗渠《あんきよ》の、コンクリート製の蓋のあちこちに空いた穴を思い出した。あそこに健司のキーホルダーや財布を投げ込んでしまえば誰にもわからないだろう。健司の首は明日の昼間にでも、狭山湖《さやまこ》の辺りの山中に埋めてしまえばいい。

雅子は健司の所持品を早く捨てて身軽になりたいと思った。廃工場のシャッターと夏草の茂みを見ると、昨夜の宮森カズオが「待ってます」と言った言葉が脳裏に浮かんだ。しかし、朝の出来事からしてもカズオが待っているはずはなかった。それでも念のため、周囲を窺ったが人の気配はない。

雅子は暗渠の淵に近づき、目を凝らして穴を探した。コンクリート製の蓋の隙間にそれは幾つも見つかった。雅子は袋から空の財布とキーホルダーを取り出し、穴の中に投げ込んだ。ポチャンと音がしたのを聞いて安心し、雅子は暗闇の中に足を踏み出した。行手の闇夜に弁当工場の照明が輝いている。

前の晩に、雅子を押さえつけた錆びたシャッターの下に、宮森カズオが蹲《うずくま》っていたのにはまったく気付かなかった。

5

邦子は雅子の家から解放された途端、たまらず深呼吸をした。

天気は回復の兆しを見せ、雲の隙間からところどころ青空さえ見えている。雨上がりのじめりと湿った、しかし清浄な空気が鼻腔《びこう》に入ってくると、少し息がつけた。だが、この右手に持った黒い袋にはおぞましい物がいっぱい詰まっているのだ。「げーっ」と邦子は声に出して顔をしかめた。途端に、今吸い込んだ空気ですらも生温く、胸糞《むなくそ》の悪いものに感じられる。

袋を地面に置き、不器用にゴルフのトランクを開ける。埃とガソリンの混じった車特有の臭いに邦子はまた吐き気を催した。その中にさらにむかつくような代物《しろもの》を入れなくてはならない。トランクの床一面に散らばった工具や傘や靴などを片方に寄せて場所を空けながらも、邦子は自分のしでかしたことがいまだ信じられなかった。

ゴム手袋越しにピンクの肉片を摘んだ時の薄気味悪い感触。割れた白い骨。体毛がそのまとまついている青白い皮膚もあった。それらの詳細がはっきりと脳裏に蘇り、まともな料理など碌にできないのに、肉料理は金輪際、作るのはご免だとさえ思う。

雅子の手前、もっともらしいことを提言したが、こんな物は一刻も早く捨ててしまいたい。いや、それどころか、自分の大事な車に薄気味悪い物をほんの少しの間でも入れて置きたくなんかなかった。すぐに腐敗して、ひどい臭いをまき散らすのではないだろうか。その臭いはこの滑らかな革のシートにも染み込んで、カーサワデーでもごまかせず、永久に自分を悩ませるだろう。そんなことを想像するといてもたってもいられず、いっそのこと、この辺で捨ててしまおうかと邦子は雅子の家の周囲を見まわした。

畑を均《なら》してできた造成地らしく、丘のように盛り上がった農地のてっぺんにここだけ真新しい小さな家がひとかたまりになって建っている。ちょうどうまい具合に、住宅と農地との境に、コンクリートに囲われたゴミ集積場があるのが見えた。邦子は雅子の家を振り返って、雅子の姿が見えないのを確かめてから、そこまで重いビニール袋を運んで行った。

ここで発見されて足がつこうが、邦子にはどうでもよかった。勝手に預けられたのだから。邦子は掃き清められたゴミ置き場にどさっと黒ビニール袋ごと投げ出した。袋の端が少し破けて中の半透明の袋が見えたが、なるべく見ないように邦子は顔を背けて走りだした。その時、男の声がして邦子はぎくっと立ち止まった。

「ちょっと待て」

作業着姿の日焼けした老人が怒りを浮かべてゴミ置き場の前に立っていた。

「あんた、この辺の人じゃないだろう」

「はあ」

「こんなことされると困るんだよ」

老人は邦子の捨てたばかりの袋を軽々と持ち上げると邦子にぐいと戻してよこした。そして、してやったりといった表情で畑を指さした。

「時々あんたみたいな不心得者がいるからね。そこから見張ってるんだ」

「すんません」

他人の糾弾《きゅうだん》に弱い邦子は、老人に差し出された袋を持って逃げるようにその場を去った。車に戻り、今度は躊躇《ちゅうちょ》なくトランクに袋を投げ入れて、慌ててエンジンをかける。バックミラー越しにそっと覗くと、老人は遠くからもずっとこちらを見ている。邦子は急いで車を出した。

「くそジジイ、早く死んじまえ！」

バックミラーに向かって悪態を吐き、そのまま行くあてもなく車を発進させた。しばらく走ると、例の袋を目立たないように捨てることがいかに難しいかを思い知り、何ということに加担したのだろうとまた暗澹《あんたん》たる気分になるのだった。何しろ十五個も預けられたのだ。重さも相当なものだ。持ち歩くのにも目立つ。しかし、何としても早く処分したい。邦子はどこに捨ててやろうかと考えて、ハンドルを握りながら視線をあちこちに泳がせた。が、気ばかり焦って何度も信号で戸惑っては、後ろからクラクションを鳴らされる始末だ。

朝も通った小さな都営住宅のある区域を通りかかる。貧相な児童公園で子供を遊ばせている若い母親たちが目に留まった。スナック菓子の袋をベンチ横に置かれたゴミ籠に捨てている。突然、いい考えが邦子の頭に浮かんだ。公園に捨ててしまえばいいのだ。公園ならばゴミ箱があちこちにあるし、人目もそれほどない。そうだ、公園がいい。それも出入りの自由な大きな公園ならなおいい。

自分の思いつきにすっかり満足した邦子は急に気が楽になり、鼻歌を歌いながら前方を見据えた。


K公園には工場の連中と花見に来たことがある。確か東京で一番大きな公園ではなかったか。ここなら例のおぞましいゴミを捨てたところで、ばれやしないだろう。

邦子は車を公園裏の石神井川《しゃくじいがわ》の土手沿いに停めた。幸い、ウィークデイの昼間のこととて人目はなかった。邦子は雅子にもらったビニール手袋を思い出して手にはめ、死体の詰まった黒ビニール袋をトランクから出した。そして、それを持って裏門から公園の中に入って行った。自然の雑木林がそのまま残された公園の中は鬱蒼《うっそう》と丈の高い樹木が茂り、深緑の匂いでむせ返るようだった。道から外れ、雨に濡れた下草をかきわけて進んで行くと、邦子の白いフラットシューズがびしょびしょになった。暑さで手袋の中の掌《てのひら》に汗をかく。その気持ちの悪さと袋の重みとで、邦子は荒い息を吐いた。不審がられずに袋を捨てられる場所がないか。それしか頭にない。だが、雑木林にゴミ籠は一個もなかった。

雑木林が開けて、広大な原っぱが眼前に広がった。雨が上がったばかりなので、花見時の人出が嘘のようにそこは閑散としていた。キャッチボールをしている若い男が二人。のんびり散歩している男が一人。濡れた芝生の上に銀色のレジャーシートを敷いて、いちゃついている水着姿のカップル。幼児を遊ばせている主婦のグループ。大型犬を連れて遊歩道を歩く初老の男。邦子の目についたのは、この程度だった。これを捨てるにはこれ以上の場所はない。邦子はほくそ笑んだ。

邦子は目立たないように木陰から木陰を縫って歩きながら、ゴミ籠を渉猟《しょうりょう》した。最初に見つけたテニスコート脇の大きな籠型のゴミ箱に一個投げ入れた。次は児童遊具のある広場側の籠に二個。途中、散歩の老人集団と擦れ違ったので何食わぬ顔をして林に逃げ込んだ。あちこちのゴミ籠を探しては人目を盗んで投げ入れるという方法で、十五個全部捨てるまで公園内をほっつき歩いて小一時間はかかった。

ほっとしたのか、唐突に空腹を覚えた。朝から何も食べていない。邦子は売店を見つけ、手袋と空になった黒ビニール袋をバッグにしまいながら駆け寄った。ホットドッグとコーラを買い、木製のベンチに腰かけて食べた。紙皿と紙コップをゴミ箱に捨てようと中を覗くと、散乱した焼きそばに金蠅《きんばえ》がたかっている。あのゴミ袋の中にあるものも、破れれば中身にこうして金蠅がいっぱいたかるのだろう。腐って蠅がたかって蛆《うじ》が湧いて。またしても吐き気が襲ってきて、邦子の口中を酸っぱい唾《つば》が満たした。

早く帰って寝るに限る。邦子はメンソール煙草をくわえながら雨に濡れた草を踏んで歩きだした。


寝不足と雅子の家で見たことのショックと公園での一仕事のせいで、ふらつきながら自宅のドアの前に立つと、開放廊下の隅から一人の若い男がゆっくりとこちらに歩いてきた。邦子は何気なく男の姿を見た。地味なスーツを着て黒のアタッシェケースを提げたセールスマン風だった。売りつけられてはかなわない。邦子は急いで鍵を開け、部屋に飛び込もうとした。男が呼びかけた。

「城之内さんですか」聞き覚えのある声だった。

どうして自分の名前を知っているんだろう。邦子は不審の目を男に向けた。男はにこやかに笑って近づいてくる。地味なチェック柄の麻のスーツに、黄色っぽいタイ。服装の趣味も良く、細身で髪を茶に染めて見かけは悪くない。テレビでよく見る若いタレントに似ているような気がして、邦子は好奇心を覚えた。

「すみません、呼び止めたりして。わたしは十文字《じゅうもんじ》と申します」

男はスーツの胸ポケットから取り出した名刺を、慣れた仕草で邦子に渡した。邦子はそれを見て、思わずあっと叫んだ。名刺には、「ミリオン消費者センター　代表取締役　十文字彬《あきら》」とあったからだ。

　雅子に五万借りることに成功したのに、例の袋を捨てることに夢中のあまり、銀行に行くのをすっかり失念していたのだった。これでは何のためにあんな思いまでして雅子に借金してきたのかわからない。ほんとにあたしは馬鹿だ。いつも取り澄ましている邦子なのに、焦りを隠せない。

「あの、あの、すみません。お金はあるんですけど、うっかり振り込むの忘れちゃって。あの、ほんとにあるんです」

　財布をバッグから引きずり出すと、ビニールの使い捨て手袋が引っかかって、汚れたコンクリートの床に落ちた。十文字が腰を屈めて拾い上げ、少し不思議そうに眺めてから返してよこした。

　ますます邦子は慌てたが、一方では取り立ての男がヤクザなんかではなく、意外な優男《やさおとこ》であることにほっとしている。これなら何とかなりそうだという、いつもの楽観が密かに生まれていた。

「五万五千二百円でしたよね。お釣りください」

　邦子は財布から、雅子から借りた五万と手持ちの一万を合わせて差し出した。十文字は首を横に振った。

「ここじゃ何ですから」

「あ、じゃ、これから振り込みに行きましょうか」

邦子は腕時計を見た。午後四時近いが、機械なら振り込める。

「いや、それには及びません。ここでいただきますよ。ただ、ご近所の目もあると思いましてね」

「そうですか。すみません」

邦子はおどおどと頭を下げた。

「いや、大変ですよね。よくわかりますよ。わたし、城之内さんの誠意は十分感じましたから」

十文字は釣り銭と領収書を手渡し、それから心配そうに囁いた。

「ご主人様は会社をお辞めになったそうですね」

「あ、そうなんです」そこまで手をまわして調べたのか。内心、戦《おのの》いて邦子は答えた。「よくご存じですね」

「はあ。失礼とは存じましたが、一応、こういうことがありますとチェックさせていただいてますので。で、今度はどちらにお勤めですか」

十文字は変わらず笑みを浮かべて話す。柔らかな物言いと優しげな表情が蜘蛛《くも》の糸のように邦子を絡めていくのを感じつつ、邦子は言ってはいけないことまで口走っていた。

「それが、あの、わからないんです」

「と申しますと？」

　十文字は飲み込めないという風に首を傾げた。クイズ番組に出ている若いタレントが簡単な問題に首をひねるようで可愛らしく見えた。邦子は教えてやりたい衝動に駆られ、余計なことを喋った。

「あの、ゆうべから帰ってこないんですよ。もしかすると家出したんじゃないかと思って、心配してるんだけど」

「失礼ですが、籍は入ってらっしゃいますよね」

「いえ、その内縁です」

　邦子が小さな声で答えると、十文字は息を吐いた。

「ほう。そうでしたっけ」

　隣のドアが開いて買い物にでも行くのか、赤ん坊を背負った主婦が畳んだバギーカーを手に顔を出した。邦子の方に会釈はするものの、邦子と話している男が何者なのかという好奇心を隠そうともしない。十文字は、気を遣って主婦の姿が見えなくなるまでただ曖昧に頷いていた。邦子を真剣に案じている様子だ。

「もし、ご主人が家出されたのが本当ならこれからどうなさいますか。こんなことを言っては何ですが、生活費のほうは大丈夫なのですか。立ち入って申し訳ありませんが」

邦子は暗然とした。その通りだった。自分が弁当工場の夜勤で得る十二万ほどの賃金はほとんどローンの利子の返済に消え、生活費はすべて哲也のわずかな収入に頼っていたのだった。哲也が逃げたとしたら、無論パート収入だけではやっていけない。

「そうですね。お勤めしなくちゃならないかも」

「ふむ」と十文字は考え込むように、また首を絶妙な角度に曲げた。「お勤めするだけではたぶん、生活するのがやっとでしょう。失礼ですが。ローンのほうが問題ですよね」

「そうですね」

たちまち、邦子はしゅんとなった。

「よろしかったら、今後の返済計画のお話をちょっとしませんか」

十文字はドアの中に入りたそうにした。邦子は慌てた。今朝、怒り狂って飛び出したままになっているから、部屋の中の散らかりようはひどい。とても、こんな格好いい男を入れるに忍びない。

「どこかにファミレスかなんかありませんかね。車で来てますから」

邦子の気が緩む。

「じゃ、すみませんが少し待っていただけますか。家に一度寄りたいので」

「下でお待ちしますよ。駐車場に停めてある紺のシーマです」

十文字は人の好さそうな笑みを浮かべると、軽く一礼して去って行った。

紺のシーマだって。ファミレスで今後の返済計画だって。

邦子は雅子の家での出来事も忘れて、浮き浮きしながら部屋に入った。なぜ、今日に限って、素顔で飛び出したのだろう。どうして今日に限って、こんなジーンズに古いTシャツなんか着てたんだろう。これじゃまるで、師匠みたいだ。

それにしても、なんで自分は取り立ての男がヤクザに違いないなんて思い込んだんだろう。あんな若くていい男だなんて思いもしなかった。邦子は急いでファンデーションを顔に塗りたくり、名刺を取り出して眺めた。「ミリオン消費者センター　代表取締役　十文字彬」とある。

代表取締役ということは社長だ。邦子は、社長がじきじきに様子見に現れる不思議さよりも、芸能人の名前のようだといういかがわしさよりも、本人にすっかり興味を奪われていた。

6

十文字はファミリーレストランの薄くてまずいコーヒーを飲みながら、真っ正面に座っている邦子の顔を眺めていた。

自分を車で待たせている間に化粧を施したらしく、公団住宅の薄暗い開放廊下で会った時よりは少しましに見えた。しかし、目の周りに塗った太いアイラインといい、のりの悪いファンデーションといい、濃い化粧が邦子をかえって正体不明、年齢不詳の胡散《うさん》臭い女に見せている。

もともと二十歳以上の女が好きではない十文字は、そんな邦子に意味もなく嫌悪感を抱いた。女は年を取ると汚れる、という十文字の価値観をそのまま体現しているような女だからだ。

《こいつも不良債権だ》

十文字はそう思って、弁当工場での勤めがいかに苛酷かということを喋りちらしている邦子の出気味の歯ばかり見ていた。そこに、ローズピンクの口紅がべったりついているからだった。

「じゃ、城之内さんは昼のお勤めをする気はないんですか」

「ありますよ。でも、なかなかあたしに合ったのがないんですよ」邦子は憮然として答える。

「どんなお仕事をしたいんですか」

「事務をやりたいんですけど、やりたい仕事がなくって」

「探せばあるんじゃないですか」

適当な返事をしつつ、たとえあったにしても絶対に勤まらないだろうと十文字は思っていた。邦子は、自堕落で無責任なところがクラゲの軟骨のように透けている。まだ三十一年しか生きていないが、こんな人間は山ほど見てきた。ちょっと目を離せば文房具を持って帰り、私用電話をかけまくり、無断欠勤しても平気な奴らだ。使い込みなどばれなきゃ構わないと思っている。自分が経営者なら絶対に雇わないタイプだ。

「じゃ、城之内さん。夜のお仕事だけでやっていくつもりなんですか」

「やだわ。夜のお仕事っていうと、まるで水商売みたいじゃないですか」

邦子は科《しな》を作って笑った。笑ってる場合じゃないだろうが。おまえに水商売なんかできんのかよ。あちこちで借金垂れ流しているくせによ。十文字は苦々しく思い、厚ぼったいコーヒーカップをがつんと皿に置いた。この女が大嫌いになった。

「はっきり申し上げますけど、よろしいですかね」

「ええ」邦子は一応真面目な顔になった。

「失礼な言い方になってしまいますが、来月のお振り込みは大丈夫でしょうか」

十文字は心配でたまらないという表情をしてみせる。整えたように形のよい眉毛がハの字型に開き、真摯《しんし》で初《うぶ》に見えないこともない自慢の顔つきになった。こうすると、女たちの感情が緩むことを知っている。案の定、邦子はうろたえている。が、初な街金業者などどこにいるだろうか。いるはずはない。と、人の悪い十文字は内心思っている。

「あの、何とかします。だって、払わなくちゃならないんだから」

「そりゃそうです。しかし、どうしますかね。このままご主人の行方がわからないんじゃ、新たに保証人さんが必要になりますしね」

邦子の失踪した夫は、勤続二年でしかなかったが二部上場の会社に勤めていた。だから飛び込みで総額八十万も貸したのだ。邦子は打ち出の小槌《こづち》のように、行けば借りられると思っているかもしれないが、内縁でもなんでも夫という保証がなければ貸しやしない。その夫が会社も辞めて姿をくらましたというのなら、回収のあてがなくなったも同然なのだ。十文字は邦子の鈍さに歯嚙みしたい思いだ。誰が、おまえのような価値のない女に金を貸す。

「だけど、そんな人、心当たりがないんですよね」

邦子は保証人のことなど考えてもいなかったらしい。愕然とした顔になった。

「ご両親は北海道でしたね」

十文字は持参した申し込み用紙を見た。邦子は両親の住所と勤め先は書いていたが、親戚の欄は空いていた。

「はあ。父は北海道にいますけど、病気だし」

「でも、お嬢さんが困っているんだから助けてくれるんじゃないすか」

「無理ですよ。病院出たり入ったりしてるし。あの人お金ないし」

「じゃ、どなたでもいいですよ。親戚か友達か。サインと三文判でいいですから」

「そんな人いないです」

「困ったなあ」と十文字は大げさに溜息をついた。「お車はまだローンありますよね」

「はい。あと二年、いや三年かな」

「クレジットは？」

「あまり考えないようにしてるの」

十文字が呆れるほどいい加減な答えをした後、突然、邦子は煙草を吸うのも忘れてぼんやりとした。ピンクのお仕着せを着せられたウェイトレスが運んでいくハンバーグステーキを見ているようだ。その額に脂汗が浮いているのを十文字は不思議な思いで眺めた。

「どうかしましたか」

「いいえ、ちょっとお肉気持ち悪くて」

「嫌いなんですか」

「苦手なんです」

「体格いいのにね」

そんなことはどうでもよかった。思わず嫌みが口を衝《つ》いて出る。十文字は苦笑いを浮かべたが、邦子に気を遣うのをやめてしまいそうだった。十文字の頭には、この薄らぼんやりして自分の立場がわかっていない女から、どうやって金を回収するかということしかない。

万が一、支払いが滞ったら風俗の店で働かせてやろうとしても、この顔と体じゃたいした金は望めないだろう。どこかのとろい街金で借りさせてこちらにまわすにしても、亭主がいなければ借り入れは難しいかもしれない。やはり亭主の行方が問題か。これからの手間を考えて十文字はうんざりする。突然、邦子が顔を上げた。

「でも、あたしお金が入るあてがちょっとあるから、何とかなると思います。それに、これからすぐ昼間の職探ししますから」

「へえ。お金が入るあてって、それはバイトかなんかですか」

「ええ、まあ。そんなものだけど」

「どのくらい入りますかね」

「二十万くらいは絶対に」

いい加減なことを言ってごまかす気ではないかと、十文字は邦子の視点の定まらない目を見た。しかし、目は獣のように底のほうで光っていた。十文字はそれを薄気味悪く思った。

かつて不良債権の取り立て業務をしていた頃に、危なっかしい男は何人も見たことがある。借金が返せなくなって、押し込み強盗をしたり、詐欺を働いたり、とんでもないことをしでかす奴らだ。男は追い詰めると外に向かって破裂する。だが、邦子にはそんな危うさではなく、もっと陰湿な翳《かげ》りのようなものが感じられた。そういえば、一人だけ見たことがあった。十文字は記憶の引き出しから一人の女の顔を探し当てた。その女は十文字たちが訪ねて行った後、綿々と恨みがましい遺書を書き、子供を生きたまま橋から川に投げ込み、夫を残して自殺してしまったのだ。

　そういう女は自分のしでかしたことを棚に上げて、みんな他人のせいにする。被害妄想が膨らむ一方で、ならばいっそのこと道連れに、と関係のない人間までを手前勝手な泥沼に引き込む。

　邦子から嫌な妖気が漂ってくる気分がして、十文字は慌てて目を逸らし、店内で煙草を吹かす女子高生のルーズソックスをはいた脚を眺めた。

「十文字さん、もしかすると五十万かも」

　邦子が薄く笑いながら言うのを、十文字は遮った。

「それは定期収入になりますかね」

「定期じゃないけど」邦子は横を向いた。「そうね、定期的じゃないけど、それに近くなると思うのね」

　内緒のいい金蔓《かねづる》があるのかもしれない。どこのジジイをだまそうが、体を売ろうがそんなことはどうでもよかった。ともかく、この女の事情に深入りするのはやめにしようと十文字は決意した。こちらは金さえ返ってくれれば構わないのだから。とりあえず、保証人だけは確保して少し様子を見よう。

「わかりました。まだ滞った訳じゃないですしね。じゃ、こうしましょうよ。明日か明後日、うちの会社に来てくださいよ。わたしがもう一度うかがってもいいですしね。その時までですね、保証人の判を貰っておいてください」と書類を渡して念を押す。

「払えるあてがあっても、保証人は必要なんですか」邦子は不服そうに唇を尖らせた。

「ええ、申し訳ないんですがご主人のことがあって、ちょっと不安なんです。今晩中にでも探しておいてください。頼みます」

「そうですか」邦子は不承不承頷いた。

「じゃ、そういうことでよろしくお願いします」

「はあ」

邦子はうつむいたまま、舌先で味わうようにローズピンクの口紅を舐めている。

「じゃ、これで失礼しますよ」

十文字は伝票を掴んで立ち上がった。邦子の顔に、家まで送ってはくれないのかというあからさまな失望が表われたのがわかったが、コーヒー代を持つのすらもったいないと思っている十文字は邦子を一人残して、さっさとファミリーレストランを出た。出口で、不良債権と思える人間に会うといつも感じる鬱陶しさを振り払うように、十文字はスーツについた糸くずを指で弾き落とす。

十文字は取り立て業務が嫌いではなかった。大概の人間は、借金が消えないのを承知しながらも何とか回避しようとする。それを先読みして前にまわり込み、金を吐き出させる。追い込むのが面白くてたまらないのだった。

ファミリーレストランのだだっ広い駐車場に停めた中古のシーマのところに戻ると、隣のスペースに、ウインドウにフィルムを張った黒のグロリアが停まっているのが目についた。ポケットから鍵を取り出し運転席のドアを開けようとする。グロリアの窓から痩せた男が顔を出した。

「おい、アキラ。アキラじゃねえか」

曽我《そが》という名の先輩だった。足立区竹の塚の中学で二年上、卒業後暴走族に入り、それからある暴力団の構成員になったはずだった。

「ああ、曽我さん。どうもご無沙汰してます」

十文字は驚いて、曽我に向き直った。五年ほど前に、足立のスナックでばったり会って飲んで以来だった。相変わらず痩せていて、肝臓でも病んでいるかのように青く黄色い尖った顔をしている。あの頃はぺえぺえのちんぴらだったのに、今は出世してるらしい。十文字は曽我の羽振りのよさそうな服装を眺めた。髪をオールバックにして撫でつけ、空色のスーツに小豆色《あずきいろ》のシャツの襟を小粋に出していた。

「ご無沙汰してますじゃねえよ。おめえ、こんな田舎で何やってんだ」曽我はにやにや笑いながら車から降りてきた。「え、集会でもあんのか」

「集会って、もうゾクじゃないんだから」十文字は吹き出した。「商売してるんですよ」

「商売だって。え、何の商売だ。え？」

曽我はパンツのポケットに両手を入れたまま、十文字の車の中を覗き込んだ。きちんと片付いて地図帳以外何もない。曽我はからかった。

「吊り輪つけてねえじゃねえか」

「いい加減にしてくださいよ。昔のことなんだから」

「おめえ、こんな頭しちゃってよ。どうやってメンチ切んだよ。え? 若作りしちゃって」

曽我は呆れ気味に十文字の真ん中から分けた髪型を眺めた。

「そんなことしてませんて」

「更生したんか」

「街金ってやつですよ」

曽我は十文字のジャケットの襟を摑み、薄く笑った。

「それはいいや。おまえ、昔からドケチだものな。ちゃんと人間似合うところに納まるってか」

「曽我さんは?」十文字は身をのけぞらして訊ねた。

「俺はこれよ」曽我は指で代紋の形を作ってみせた。足立区内で羽振りを利かせるテキヤ系の暴力団の代紋だった。

「そんなことは知ってますよ」十文字は苦笑する。「こちらにはどうして?」

「まあな」

曽我は横を見る。その視線の先に、駐車場の端に停めた二台の車があった。十文字は目を遣った。追突事故の後始末らしく、中年男がおどおどしてうなだれている。派手な格好をした若い男がその前でまくしたてていた。一台の国産車のバンパーが大きくへこんでいた。

「事故ですか」

「そう、オカマ掘られちゃってさ」

「なるほど」

最近、都内から当たり屋集団が大量に流れ込んでいるという情報があったことを十文字は思い出した。その当たり屋集団の車のナンバーがメールで同業者から流れてきていた。狙いをつけた車の前で突然、サイドブレーキを引き背後から追突させる。追突した者が慌てて飛び出して来ると、相手の対応を見てあれこれ金を引き出す画策をする。それが当たり屋の手口だが、曽我の組が出張ってきているとは知らなかった。

「そういえば、そんな噂聞きましたよ。お宅だったんですか」

「何だよ、人聞き悪いな。あの馬鹿にオカマ掘られたんだよ。被害者だよ」

曽我はにやついて言う。レストランの出口から邦子がこちらをこわごわ見ている。邦子は十文字の視線に気付き、逃げるように踵《きびす》を返した。十文字はこれで必死に保証人を探す気になっただろうと、曽我と一緒にいる効果に満足した。

「曽我さん、これから病院行きますから」

中年男と話していた若い男の一人が報告に戻ってきた。車のところに残っている一人は大げさに首を押さえたまま蹲《うずくま》っている。中年男がおろおろと声をかけている。あいつ、カモられるなと十文字は思った。同情などしない。どじな奴だと馬鹿にする。

「おう、そうか」曽我は鷹揚《おうよう》に頷き、十文字に筋張った手を差し出した。「アキラ、俺に名刺くれや」

「あ、これは失礼しました」十文字は内ポケットから出した名刺を、職業的な手つきで渡した。「よろしくお願いします」

「何だよ、こりゃあ。おまえ、十文字って名前だったかよ」

名刺を見るなり曽我は吹き出した。十文字の本名は山田明。あまりに平凡なので、好きな競輪選手から取って自分で変えたのだ。

「変ですかね」

「変だよ、おまえ。芸名ってか。そういや、おまえ、昔っから見栄っ張りだもんな。こりゃいいわ」曽我は名刺を胸ポケットに突っ込んだ。「ま、ここで会ったのも縁だよな。これからも昔みたくぶいぶい言わせようぜ」

「いいすね」十文字は調子よく言う。今はその面影もなく装っているが、十文字もかつて曽我と一緒の暴走族の仲間だった。

「そうさな。取り立てに若いの貸してやろうか」

「手が足りない時はお願いするかもしれません。でも、うちは小口ですから皆たいしたことないですよ」

　ということは、やりすぎれば逃げてしまうということだった。それでは元も子もない。気の弱い奴は弱い奴なりに、取り立てなくてはならない。そこがこの商売の難しいところだった。

「手が足りない時なんて遠慮すんなよ。でもまあ、おめえはこんなジャニーズみたいな顔して結構えぐいからな」曽我は十文字の頬を手でぴたぴたと叩いた。「悪い奴だよな。おめえみたいな小知恵まわる奴が子分にいると助かるんだけどなあ。みんな馬鹿ばっかでよう、苦労するわ。こいつらみんなゾクで鍛え直したいわ」

　鋭い目つきで子分たちを眺める。

「曽我さん、それより金儲けの話ありませんかね」

「みんな探してんだよ。ばーか」

　曽我は、十文字から視線を外して真顔に戻り、グロリアに向かった。運転手兼用心棒のような金髪の若い男がドアを開けて頭を垂れるという姿勢でずっと待っている。十文字は礼をして見送り、曽我たちの車が出ていったのを確かめてから駐車場を出た。あんなできの悪いちんぴらをよこすよりも、金をまわしてほしいと心から願っていた。金なら幾らあっても足りない。

東大和駅の裏通りに、いかにも出前専門の寂《さび》れた寿司屋がある。暖簾《のれん》は薄汚れ、出前用のカブにははねた泥がそのままになっている。店の裏では、若い者が便所掃除用の棒たわしで寿司桶を洗っている。すぐさま保健所に営業を停止されそうな店だった。

その脇の、新建材の匂う階段を登っていった突き当たりに、十文字の会社があった。十文字はぎしぎしいう階段を勢いよく駆け上がった。「ミリオン消費者センター」と白いプレートが張ってある合板のドアを開ける。

「おかえんなさい」と二人の社員がこちらを向いた。パソコンが一台。あとは電話が数台。その前に、つまらなさそうな顔をした若い男が一人と、年にそぐわないソバージュヘアの中年女がいた。

「おい、どうだ」

「はあ、午後は何もありませんね」

十文字は無駄を承知で、若い男の社員に邦子の夫、哲也の居場所を探るように命じた。

「無理だと思いますよ」

「まあな。金がかかるようならやめろ」

最初からその気のない若い社員は安心したように頷いた。ソバージュヘアの女は素知らぬ顔で赤く塗った爪を見ながら立ち上がった。

「社長、お先に帰っていいですか。あたし五時までですから」

「ご苦労さん」

この中年女を若い女子社員に替えようと思ったことがあるが、役には立ちそうもないので諦めた。この女に接客させるから客がつくこともわかっている。とすれば、若い男を首にするか。最近頭を巡ることといえば、資金繰りのことばかりだった。

十文字は、邦子の金の入るあてというのは何だろうと好奇心をそそられて窓の外を眺めた。駅前開発地のフェンスで囲まれた草っぱらが見える。その向こうに夏の夕陽が沈もうとしていた。

7

あちこちで虫の音がしている。夜露に濡れた草を思わせる、湿った穏やかな鳴き声だ。これはサンパウロとは違う。サンパウロは暑くからからに乾いていて、夏の虫は風に鳴る鈴のように美しい音を立てる。

宮森カズオは夏草の茂みの中に両膝を抱えて蹲っていた。さっきからしつこい藪蚊《やぶか》が数匹いて、そいつがカズオの体にまとわりついて離れない。Tシャツから出た腕を何ヵ所刺されたかわからないが、ともかく動いてはいけない。カズオが自分に課した今の試練だった。いつも何かの試練を自分に課して耐えるのは、カズオのやり方だ。試練を与えなければ、自分という人間はすぐ駄目になると考えている。

暗闇の中で耳を澄ましていると、虫の音だけではなく、水の流れる音も密やかに聞こえてきた。さらさらではなく、ごうごうでもなく、とろとろと濃度を感じさせる音だ。それが、あの耐え難い臭いを放つ、暗渠の腐ったどぶ水だということをカズオは知っていた。糞尿や動物の死骸やゴミを混ぜ合わせて淀んだ濁り水でさえも、絶え間なく流れる音を立てるのだ。

風が吹いてきて夏草がざわっと揺れた。同時にカズオの背後にある錆びついたシャッターも、生き物が鳴くようにごうっと音をたてた。その後ろに穴蔵のように広がる廃工場の空虚を思わせる寂しい音だった。あそこにあの人を力任せに押しつけたのだ。カズオの背に冷たい汗が流れた。何ということをしたのだろう。ゆうべの自分は本当にどうかしていたのだ。試練を忘れると、自分はただの嫌な人間になり下がる。

カズオは目の前にあるエノコログサを千切り、子猫のしっぽのような穂先を指でなぶった。

宮森カズオの父親は、戦後の移民が再開された一九五三年、宮崎県から単身ブラジルに渡った。まだ十九歳だった。サンパウロ郊外の日系農園で働く親戚を頼って一旗上げようとやって来たのだが、戦後の自由教育を受けた世代と戦前に渡って苦労した日系移民との意識の差は大きかった。独立心の強いカズオの父はやがて農園を飛び出し、誰も知る人のいないサンパウロの街を彷徨《さまよ》った。

そこで彼を助けてくれたのは、紐帯《ちゅうたい》の強いはずの日系人ではなく、ブラジル人の気のいい床屋だった。カズオの父は床屋の見習いとなり、三十歳を過ぎると店を任されるようになった。生活が落ち着いた彼は、ムラートと呼ばれる白人と黒人の美しい混血の娘と結婚し、すぐにロベルト・カズオが生まれたのだ。だが、カズオがまだ十歳の時に父は事故であっけなく死んだ。だから、カズオは父の国の言葉も文化もほとんど知らない。カズオに残された日本の名残《なごり》は、その国籍とカズオという名前だけだ。

サンパウロの高校を出て、印刷所で働きはじめたカズオは、ある日、街で一枚のポスターを見た。それには、「日本での勤労者募集　絶好のチャンス！」と書いてあった。日本国籍を有する日系ブラジル人はビザを取る必要もなく日本に入国できて、好きな年数だけ働けるのだそうだ。しかも日本は景気がよくて労働者が足りず、引く手あまたなのだという。

それは本当のことだろうか。知り合いの日系人に聞いてみると、日本ほど豊かな国は世界のどこにもないのだと彼は答えた。店に行けば何でもあるし、日本での週給は、印刷所で貰う給料の一月分に近いのだと言う。カズオは自分が日本人の血を引いていることが晴れがましかった。いつかは父親のふるさとを見ることができれば、と思った。

数年後、カズオが日本について相談した日系人が新車に乗ってカズオの前に現れた。車欲しさに、日本の自動車工場で二年働いて帰ってきたところだと言う。カズオは心底羨ましかった。ブラジルではいつ果てるとも知れない不況が続いていた。印刷所の安い給料では、車を買うことなど夢のまた夢だろう。カズオは日本で働くことを決意した。二年間我慢して働けば、車が持てるのだ。もっと辛抱して金を貯めれば、家も買えるだろう。それに父の国も見たい。

カズオは母親に日本行きを切り出した。反対されるのでは、と内心恐れていたのだが、案に相違して、母親はぜひ行けと言ってくれた。言葉を知らなくても、文化が違っても、カズオの血の半分は日本人なのだから同胞《パトリシオ》のはずだ。同胞には絶対に親切にしてくれるのが人情ではないか、と。

同じ日系人でも、成功した者の子供たちは大学に行き、高い教育を受けてブラジルでも有数のエリートになっていく。だが自分は違う。下町の床屋の息子だ。だったら、父の国、日本に行って金を貯め、その金を持って帰りブラジルで成功してやるのだ。そのほうが独立心旺盛だった父親の息子である自分らしいではないか。

カズオは六年間勤めた印刷所を辞めて、半年前、成田空港に降り立った。父が十九歳で単身ブラジルに渡ったことを考えると感無量だった。カズオは二十五歳で、しかも二年間という期限つきのデカセギなのだ。

だが、父の祖国はその血を引くカズオをパトリシオとは認めてくれなかった。カズオは空港で、街で、自分をガイジンとして見る目に遭うたびに叫びたかった。「俺は半分日本人だ。日本の国籍を持っている」と。

しかし日本人は、自分たちと顔つきが違ったり、日本語が喋れないと決して同じ日本人とは認めないのだった。結局、日本人というのは外見で判断する人々なのだとカズオは気が付いた。そもそも、この国の人々には同胞という意識そのものが薄いのだ。同胞とは形而上的な認識の問題なのに、その意識はないに等しい。この顔と体を持つ限り、自分は永久にガイジンなのだということを悟ったカズオは日本に絶望した。弁当工場での労働も、ブラジルでの仕事に比べれば単純できつく、意気をそがれるものだった。

だから、カズオは日本での日々を試練だと考えることにしたのだ。二年間の試練。金を貯めるため、車を手に入れるための試練。しかし、熱心なカトリック教徒の母親とは違う。カズオの考える試練とは、彼の意志から出た目的に向かうための禁欲と自律であって、神が与えたもうたものではない。昨夜は珍しくその試練を忘れたのだ。

カズオはエノコログサをくわえて、天を仰いだ。ブラジルとは比べものにならないほど星の数は少なかった。

昨日は五日に一度の休みだった。弁当工場のブラジル人勤労者には、常に五日のサイクルで順番に休日がやってくる。それもまた、体内に培われていたこれまでの時間の観念を麻痺させる。そのため、五日目の休みが来る頃には、皆くたくたになっているのだった。待ちに待った休みの日だったが、カズオは疲れから一日寝ていようかと思った。どういう訳か気が塞いで仕方がなかった。たぶん、初めて経験する日本の梅雨が悪いのだろうとカズオは考えた。大気の湿り気がカズオの艶のある黒い髪をべたつかせ、浅黒い肌を冴えない顔色に見せる。洗濯物は乾かず、気分は萎える。

カズオは思い切ってリトル・ブラジルと呼ばれる群馬県と埼玉県の県境にある町まで買い物がてら遠出することにした。車で行けば近いのだが、カズオには免許も車もない。電車とバスを乗り継ぎ、二時間近くかけて行った。

ブラジリアン・プラザにある本屋でサッカー雑誌を立ち読みし、なくてはならないブラジルの日常食品を買い、ビデオ屋を冷やかした。武蔵村山に帰る頃にはすっかり里心がついていた。サンパウロが恋しかった。カズオは帰りを遅らせるようにレストランに入り、ブラジルのビールをしこたま飲んだ。友達はいなかったが、見知らぬブラジル人と話しているとサンパウロの下町にいるみたいで楽しかった。

弁当工場のそばに、会社が借りてくれているブラジル人の単身労働者のためのアパートがある。1DKに二人ずつ。カズオはアルベルトという男と一緒に暮らしている。九時過ぎ、リトル・ブラジルから暗い部屋に酔って帰ると、彼は食事にでも出かけたのか姿が見えなかった。非番のカズオはすっかり気が緩み、酔いも手伝って二段ベッドの上段でうとうとした。

喘ぐ声で目が覚めたのは、一時間後だった。いつの間に帰って来たのだろう。下のベッドでアルベルトとガールフレンドが睦《むつ》み合っているのだった。二人はカズオが寝ていることにまったく気が付いていない様子で遠慮がない。女の甘く切ない声をすぐ耳元で聞いたのは久しぶりだった。カズオは耳を塞いだがすでに遅く、体の中の何かに点火されたような気がした。せっかく、試練のために火薬そのものを奥深く隠していたのに、導火線は確実に身内に存在しているのだった。導火線に火がつけば、やがて爆発するだろう。カズオは気が狂いそうになって必死に耳を塞ぎ、口を押さえ、ベッドの上段で音を殺し、のたうちまわった。

勤務時間が近づいた二人は身支度をして、大げさなキスを交わしながら出て行った。カズオは部屋を転がるように出て、女を捜して夜の道をほっつき歩いた。ともかく火がついているのだ。このもやもやした気分を治めないと死んでしまう。これほど逼迫《ひっぱく》したことは、今まで生きてきて、ついぞ経験したことがなかった。カズオは自分が課している試練が、今の爆発に凶暴な力を与えているのだと思うと空恐ろしかったが、それを止めることはどうしてもできなかった。

カズオはアパートから工場へ向かう暗い道まで来た。廃工場や閉鎖されたボウリング場が並ぶ寂しい道だ。ここで待っていれば、パートタイマーの一人や二人、通りかかるだろうと考えたのだ。彼女たちのほとんどが自分の母親と同年か、年上だということも知っていたが、そんなことすらどうでもよかった。だが、時間が遅いのか、もう誰も通りかからない。

これでよかったのだとほっとし、しかし、獲物が来ないことに焦《じ》れる猟人の荒ぶる気分を抱え、カズオは複雑な思いで暗い道を見つめていた。そんな時に、あの人が一人、足早に夜道を歩いて来たのだった。

女は何かに心を奪われている様子で、話しかけようとカズオが近づいていっても勘づかなかった。だから、思わず腕を取ってしまったのだ。反射的に振り払われ、目に恐怖の色が浮かんだのが闇の中で見てとれると、カズオは女を草むらに引きずり込んでいた。強姦する気など毛頭なかったといっては嘘になるだろうか。カズオはただ女に優しく抱かれたかっただけだ。あの柔らかい感触を腕の中に欲しかっただけなのだ。なのに、抵抗されると凶暴に押さえつけたくなった。女は自分の顔を知っていて冷静に言った。

「あんた、宮森じゃない？」

その途端、恐怖が襲ってきた。よく見ると、自分も女の顔を知っていた。あの綺麗な女と一緒にいる、背の高い、滅多に笑わない女だ。あの顔つきは自分と同様に何か辛いものに耐えているのかもしれないと、いつも思っていた。その当人だったのだ。カズオの恐怖は激しい後悔にとって代わった。自分が今、犯罪を犯していることに気付いたからだ。

女が「二人だけで会おう」と言いだした時、カズオは縋《すが》りついた。瞬間、このはるか年上の女と恋をしたいような気分になったのは確かだ。だがすぐに、それがこの状況から逃れたいための女のでまかせだとわかり、今度はどす黒い怒りが湧いてきた。

寂しいだけなのにどうして許されない。強姦したい訳じゃない。優しくされたいだけなのにどうして許されないのだ。こんな感情の奔流にどう対処していいのかわからず、カズオは女をシャッターに押さえつけ、無理矢理キスしたのだ。

恥ずかしいことをした。

カズオは耐えられず、両手に顔を埋めた。その後に起こったことも恥ずかしかった。

女がカズオを振り払って逃げるように行ってしまうと、カズオは工場の主任や警察に通報されるのではないかと恐れた。痴漢騒ぎのあることを思い出したのだ。最近、工場付近に痴漢が出没するという噂は、ブラジル人労働者の間でも話の種になっていた。悪質なデマにすぎないとか、誰が怪しいとか、寄るとさわるとその話ばかりしている連中もいる。断じて犯人は自分ではないのだ。せめてそのことをあの人に釈明して、許しを乞わなくてはならない。

一睡もせずに辺りをうろつき、カズオは朝になるのを待った。雨が降ってきた。カズオの苦手な、しめやかに降る細かい日本の雨だ。カズオは部屋に一本だけあった傘を取りに行き、工場の出口で女を待った。が、濡れて待っていたのに、ようやく現れた女はひどく冷たかった。自分の謝罪に碌に耳を傾けようとしなかったばかりか、犯人ではないという釈明すらもできなかった。

当たり前だ。もし自分の恋人や母親がそんな目に遭えば、相手を半殺しにしなければ気が済まない。それほどの罪を犯したのだ。カズオは女が許してくれるまで謝り続けることを自らに課した。新たな、そして難しい試練だった。だから、こうして約束の九時からずっと、この草むらで動かずに待っている。来ないかもしれないが、自分は約束を果たす。

駐車場のほうから足音が近づいてきた。カズオははっとして身を屈めた。背の高い女のような人影がこちらに向かって来る。あの人だ、と草の陰から覗いていたカズオの胸は微《かす》かに躍った。そのまま通り過ぎるかと思ったのに、女はカズオの隠れている夏草の茂みの前で立ち止まった。もしかすると、ゆうべの約束を果たしにきたのだろうか。カズオは嬉しくなった。

しかし、それが甘い幻想だということはすぐにわかった。女はカズオの潜む草むらを一瞥《いちべつ》もせずにバッグから何かを取り出し、暗渠の上に被せたコンクリートの蓋の隙間から投げ入れた。カズオの耳は、それが金属だということを聞き分けていた。ぽちゃんという着水の音と同時に、川底に当たったカチンという音が聞こえてきたのだ。どぶ川に女はいったい何を捨てたのだろうか。カズオは不思議に思った。ここに隠れている自分を知っての当てつけだろうか。いや、あの人は絶対に自分の存在に気付いていなかった。明日の朝、明るくなったら何を捨てたのか覗いてみてもいい。

女の姿が視界から消えるとともに、カズオは痺《しび》れた足を伸ばし、立ち上がった。血が巡り、藪蚊に刺された箇所が急激に痒《かゆ》くなる。カズオはかきむしりながら左腕の時計の針を闇に透かして眺めた。午後十一時三十分。自分もそろそろ出勤する時間だった。

同じ工場で、あの女が立ち働いているのかと思うと気後れと期待とが交錯した。試練と思った色のない期間の中で、初めて生きている実感を摑んだ夜だった。

サロンに入って行く。すぐにあの女の姿が目に飛び込んできた。入口付近に置いてある飲み物の自動販売機の前で、いつも一緒にいる年輩の女と何事かひそひそと立ち話をしていたからだ。

ジーンズに色褪《いろあ》せた大きなダンガリーシャツを着て、固く腕組みをしている。普段と同じ構わない格好をしているにもかかわらず、早朝、夜勤明けに彼女を見た時と印象が違っていることにカズオは驚き、女の顔を見つめた。女がカズオを見返した。鋭い目つきにカズオはたじろいだが、かろうじて挨拶した。

「おはようございます」

女は何も言わず、カズオを無視した。が、連れの背の低い年輩の女が、微笑みを見せて頷いてくれた。この年輩の女が一目置かれた熟練工で、「シショー」と呼ばれていることはブラジル人の間でも有名だった。

カズオはもっと話しかけたい気がして、知っている日本語の語彙《ごい》からあれこれ探って考えていたが、その間に、二人はさっさと更衣室に向かって行ってしまった。がっかりしてカズオも更衣室で自分の作業衣のかかったハンガーを探し出し、手早く着替えた。そして、いつもブラジル人従業員がたむろしているサロンの隅に目立たぬように座って煙草を口にくわえ、動悸をおさえながら更衣室の女子の側を盗み見た。

更衣室にはカーテンなどないから、ハンガーにかかった作業衣や衣服越しに女たちが着替えている様子がよく見える。あの女の険しい横顔が見えた。引き結んだ唇の横に皺が寄っている。カズオにも、女が考えていたよりも年齢が上だということぐらいわかっていた。たぶん、四十六歳になる自分の母親と、そう変わらないだろう。あんな何を考えているのかわからない女は会ったことがない。それまでは、いつも一緒にいる綺麗な年若の女のほうが好みだったが、カズオはこの謎めいた女に惹かれるものを感じた。

女がジーンズを脱ぐところを目撃した。カズオの煙草を持つ指が細かく震えた。反射的に目を伏せ、それでも見たいと顔を上げると女と目が合った。作業ズボンをはき終えたところで、床に丸まったジーンズが落ちている。カズオは恥ずかしさに赤くなった。だが、女の視線はカズオを透かして後ろの壁を見ている。無表情だ。女の印象が今朝と違うと感じたのは、自分に対する怒りが消えたと思っていたからだ。しかし、もう自分のことなど何とも思っていないのだ。カズオにはそのほうがはるかに応える。

女とシショーは、白いつくつく帽子を手にまたサロンに出て来た。二人はそのまま工場に降りるらしく、カズオの前を無言で通り過ぎる。カズオは素早く女の作業衣につけられたネームプレートの漢字の形状を記憶した。

従業員たちのほとんどが下の工場に降りて行った。カズオはタイムカードのある場所で、女のタイムカードを抜き出した。そして日本語のできるブラジル人を探して頼んだ。

「これは何て読むんですか」

「カトリマサコ」

礼を言うと、「何だ。気があるのか。ずいぶん年上だよ」と、三十年前にブラジルに移住してまた日本に出戻ってきた男がからかった。

カズオは真面目な顔をした。「借りたものがあるんです」

「金か」男は笑った。

金ならまだいい。カズオは取り合わずにこっそりとカードを返した。

カトリマサコという名を知った途端に、女は特別な存在になった。返す前に眺めたタイムカードには、毎週土曜休みの勤務状況が記されている。昨日のところを見ると、十一時五十九分に工場入りしたとある。それは紛れもなく自分のせいなのだが、唯一のつながりの証《あかし》だった。香取雅子というラベルの貼られた靴箱には、型の崩れたスニーカーが一足入っていた。カズオはその温りを想像した。

カズオは手洗い消毒を急いで済ませると、衛生監視員のチェックを受けて工場につながっている階段をゆっくりと降りた。すぐ下で、作業時間開始を待っている女子工員たちが溜まっているのがわかっているからだった。果たして階段の真下に、扉が開くのを今か今かと待っているパートタイマーの集団が列をなしていた。帽子にマスクという同じ格好をしているからわかりにくいが、カズオはマサコの姿を探した。

マサコはすぐ目の前に立っていた。一人列から離れ、何かを凝視している。その視線の先を追ったカズオは、それがゴミを入れる青いプラスチックのペールであることに驚いた。その中に気になる物でも入っているのだろうか。カズオは屈んで中を覗き込んだ。厨房《ちゅうぼう》で床に落ちた豚カツや天ぷらなど、食材が捨てられている。振り向いたカズオを、マサコの温度の低さを感じさせる目が捉《とら》えていた。カズオは思い切って話しかけた。

「あの……」

「何」と雅子はマスクの中のくぐもった低い声で応じた。

「ごめんなさい、でした」

ほかに言葉を知らないカズオは思わずそう言った。そして、たどたどしくつけ加えた。

「話したいです」

だが、後の言葉はその耳に届いているのかどうか、マサコは急に前に向き直り、他人を寄せつけない堅い表情で前方の扉だけを見つめている。カズオは無視されたことに衝撃を受け、マサコにわかってもらおうなどと甘いことを考えた自分が情けなくなった。

作業開始時間の十二時になり、扉が開いた。パートタイマーたちはぞろぞろと中に入り、手洗い消毒を始める。カズオは食材を台車で厨房から補充する仕事に就いているので、作業時間には工場の横にある厨房に入らなくてはならない。カズオはマサコたちと別れて厨房に向かった。

しかし、これまでは苦痛だった仕事がにわかに楽しみになった。カズオはバットに入った冷えた重い飯を、ラインの先頭にあるご飯出しのオートメーションの機械に入れる仕事を任されているのだ。遅れるとラインが止まってしまう、責任の重い、辛い仕事だった。だが、ラインの先頭には必ず、シショーと一緒にマサコの姿があるはずだ。

白飯を運んで行くと、思った通りマサコとシショーが真ん中のラインの采配を振っていた。

「早く入れてよ。なくなっちまう」

シショーに促され、カズオは重いバットを両手で持ち上げて冷たい飯を機械に入れた。容器を捌《さば》くマサコはカズオのほうを見もしない。カズオはマサコから一メートルと離れていない距離で彼女の横顔を盗み見た。つくつく帽子とマスクに覆われて、目しか見えないのだが、その目が憂えるように伏せられている。シショーと呼ばれる女も、いつもはもっと笑ったり怒ったり騒々しいのに、今夜はしおらしかった。カズオは、一緒に作業しているあの美しい女と、太った女が二人ともラインにいないことに気が付いた。

8

「お母さん、どこに行ってたのよ」

精も根《こん》も使い果たしたヨシエが雅子の家から戻ってくると、奥から意外な声がした。まさか、と驚いて靴を脱ぐのももどかしく駆け上がる。やはり和恵《かずえ》が来ていた。

工場の仲間の誰にも喋ったことはないが、ヨシエには娘が二人いる。そのことを言わなかったのは、和恵が我が娘ながら耐えがたい存在だからだ。

和恵は二十一歳になったはずだ。高校を中退して十八歳の時に駆け落ち同然に年上の男と出ていったきりで音信不通になり、顔を見せたのは実に三年ぶりだった。ヨシエは懐かしい思いと、面倒を抱え込まされるのではという警戒から、大きな溜息をついた。しかし、不肖《ふしょう》の娘とはいえ、久しぶりに顔を見るのはほっとする。雅子の家での出来事といい、今日は思いがけないことばかり起こる。ヨシエは驚きと戸惑いを何とか治めると、三年ぶりに会った和恵の顔をまじまじと見た。

和恵は不自然な栗色に染めたまっすぐな髪を腰の辺りまで下ろしていた。その髪の先を男の幼児が両手で握り、ヨシエを見上げていた。これが二年前に生まれたと風の便りに聞いた自分の初孫らしい。あの碌でもない男にそっくりだ。ヨシエはあまり可愛いと思えずに眺めた。痩せていて顔色が悪く、今の子供にしては珍しく青洟《あおばな》を垂らしている。和恵の相手は、正業にも就かずに街をうろついている中途半端な男だった。そんなヨシエの気持ちがわかるのか、子供は薄気味悪そうに、突然現れた祖母の疲れた顔を見返している。

「あんた、今頃どうしたのよ。これまで電話一本かけてよこさないでさ。そんな突然、来られたってさ。こっちだって困るよ」

出た言葉はぶっきらぼうだった。心配したり、腹が立った時期はとうに過ぎた。今の密かな悩みは、次女の美紀《みき》が和恵にそっくりになりはしないかということなのだから。うっかりいつかれたりしたら、美紀に悪影響を与えるのは間違いない。それに、自分は犯罪を犯してきた。その後始末もまだ残っているのだ。

「どうしたのって、三年ぶりに娘が帰ってきたんだよ。嬉しくないの。ほら、これがあんたの孫だよ」

和恵は女子高生のように細く描いた眉を大げさに上げた。若く造っていても、生活の疲れが滲《にじ》み出ているのは一目でわかる。親子とも、着ている物は古びて貧しく、全体に煤《すす》けていた。

「孫ったって、名前何ていうの」

それすらも知らされていなかったのだという恨みを込めて、ヨシエは訊ねた。

「イッセイていうんだよ。一生って書いて。ほら、いるじゃん。デザイナーに」

「知らないね」不機嫌に言うと、和恵は苦い顔になった。喋り方が蓮っぱになってきて、昔を彷彿《ほうふつ》とさせた。

「何だよ、せっかく帰って来てやったのに感じ悪いじゃん。むかつくなあ。どうしたのよ、疲れた顔しちゃって。そういうのが不景気な面《つら》だっていうんだよ」

「弁当工場で夜勤のパートやってるんだよ」

「へえ、こんなに遅くまで？」

「いや、ちょっと友達のところに寄ってた」

ヨシエは雅子の家から持ち帰らされた健司の死体が詰まった袋が気になった。ひとまとめにして頑丈な紙袋に入っている。和恵に言い訳しながら、それをそっと台所のゴミ置き場に隠した。

「じゃ、いつ寝てるのよ。それじゃ体こわしちゃうじゃない」

少し胴回りが太くなって貫禄がついた和恵は、口先だけは心配そうに言った。だが、和恵こそ、今の美紀と同様、寝たきりの老人がいる狭い家を嫌って飛び出したのだ。あの時の心労は、今話したところで無駄だろう。嫌なことや都合の悪いこと、頭を悩ませなくてはならないことはすべて、この自分に押しつけられる。勤勉を金科玉条にしているヨシエでも、遠慮のない娘だとつい愚痴が出る。

「じゃ、いったい誰が面倒見るんだよ。昼間誰もいないじゃない。あんたが手伝ってくれたことあったかい」

「やめてよ」

「だから、しょうがないよ。それより、お婆ちゃんどうした。大丈夫？」

朝食を食べさせておむつを替えたきり、ほっぽりだして雅子のところに行ってしまったヨシエは心配になって奥の六畳間を覗いた。姑はおとなしく横たわっているが、二人の話を聞いているらしく、かっと目を見開いていた。

「ごめんね、遅くなって」

ヨシエが老人に謝ると、姑は口を歪めた。

「ふん。どこで何してたんだよ。あたしをほっといてさ。もうじき死ぬところだったよ」

ヨシエの心に怒りが渦巻いて、激しいしぶきを上げた。どうして皆、勝手なことばかり言うのだ。私が鋼鉄でできているロボットだと思っているのだろうか。気が付いたら、ヨシエは怒鳴っていた。

「だったら死ねばいい。死んだら、このあたしがあんたをバラバラにして生ゴミで出してやるよ。真っ先にその皺くちゃの首を落としてやるよ」

はっとする間もなく、姑が声を上げて泣きだした。涙はうっすらとしか出ない。嗚咽《おえつ》だけが派手で、その合間に念仏のようにつぶやいている。

「やっと本音が出たね。あんたは鬼のような女だ。おとなしい顔して質《たち》が悪い。鬼に世話される身になってごらん」

そっちも本音を出したくせに何言ってるんだ。まだ憤りが治まらないヨシエは、夏布団の色褪せたスイートピーの柄を見つめて立ちすくんでいる。が、徐々に感情の海が凪《な》いでくると、痛いほどの後悔に襲われた。

自分はとんでもないことを口走ってしまった。自分は変わってしまったのだろうか。それというのも、雅子があんな仕事に自分を引き込んだからだ。雅子が悪いのだ。いや、殺した弥生か。違う、金のために加担した自分が悪いのだ。そうだ、うちに金がないことがすべての源なのだ。

黙って卓袱台に寄りかかっていた和恵が口を出した。

「まあまあ。怒鳴ったって何も解決しないじゃん」

「それもそうだ」

その言葉でヨシエは力が抜け、居間に戻って来た。姑はまだめそめそと泣いている。和恵が諍《いさか》いをとりなすように言った。

「お母さん、あたし、さっきおしめ替えといてあげたよ」

「あ、そう。ありがと」

気の抜けたヨシエは卓袱台の前に座り込んだ。周りには男の子の持ってきたミニカーが散乱して足の踏み場もない。ヨシエは、精巧なパトカーだの消防車だのを腹立ちまぎれに卓袱台の下に叩き込んだ。子供は気が付かず、美紀の部屋に勝手に入って遊んでいる。

「市のヘルパーさんとか頼んでんの？　今来てくれるんだってよ、週に何時間か」

「頼んでるよ。でも、週に三時間じゃ買い物ぐらいしかいけないよ」

「ふーん」

一睡もしていないヨシエは痛みだした頭を振り振り、気がかりな話を切り出した。

「ところで、あんた、今頃何しにきたんだよ」

「それなんだけどさ」和恵はせわしなく唇を舐めた。それが、和恵が嘘をつくときの癖だとヨシエは覚えていた。「あの人、今、大阪のほうに出稼ぎに行ってんのよ。それで、あたしも働きに行きたいから、ちょっと資金を貸してくれないかと思って」

「金なんかないよ。大阪に行ったのなら追いかけていけばいいよ。親子で暮らせばいい」

「でも、どこに行ったのかわからないんだもの」

ヨシエは口をあんぐりと開けた。要するに母子で捨てられたということなのか。この狭い家に長女親子が転がり込んできたらどうしよう。ヨシエは慌てた。

「保育園に入れて働けばいい」

「じゃ、そうするから金貸してよ」和恵は手を出した。「頼むよ。だって少しくらいは蓄えがあるんでしょう。さっき隣のおばさんに聞いたら、ここ壊して新しいアパート建てるっていう話じゃない。そしたらあたしたちだって来ていいでしょ」

「どこに引っ越しの費用があるんだよ」

「やめてよ」和恵は焦れて叫んだ。「生活保護にパート代でしょ。美紀だってバイトさせてんでしょ。福祉手当だってあるでしょうが。頼むよ、あたし、イッセイにハンバーガー食べさせる金もないんだよ」

和恵は涙を浮かべて哀願した。子供は小さな歩幅でちょこまかと歩いてきて、泣きべそをかいている母親を不思議そうに見ている。

ヨシエはポケットを探り、健司の所持金を取り出した。全部で二万八千円ほどあった。

「これ持っていきな。それでしのいでよ。今、それしかない。美紀の修学旅行の費用だって借金したんだから」

「ああ、助かった」

和恵は金を大事そうにポケットに納めて、用事は終わったとばかりに立ち上がった。

「じゃ、あたしこれから職探しに行くから」

「あんた、どこに住んでんの」

「南千住。交通費だって馬鹿にならないんだよ」

和恵はすぐ横の玄関で、底に厚いコルクが張ってある安物のサンダルを履いた。

「子供は？」

「お母さん、悪いけど預かって」

「ちょっと待ってよ」

「お願い。すぐに取りに来るから」

まるで荷物のように言い捨てると、和恵は玄関の戸を開けた。きょとんとした顔の子供が置いて行かれることを悟り、慌てて叫ぶ。

「ママ、どこ行くの」

「イッセイ、おばあちゃんといい子にしてるんだよ。ママ、すぐに迎えに来るから」

ヨシエは声をかけることもできずに、さっさと出て行く娘を見送った。そんなことだろうと思っていたから驚きもしない。和恵の背中には、子供を置いていく後ろめたさなど毛頭なく、せいせいしたという解放感に満ち溢れていた。自分もそうしたかった。面倒な物、嫌な物、何もかもをこの汚い家に打ち捨てて出て行きたかった。ヨシエは和恵が羨ましいと呆然としている。

「ママ、ママ」

子供が両手をだらんとしてミニカーを下に落っことし、立ったまま叫ぶ。

「おいで。おばあちゃんが抱っこしてあげるから」

「いやだ」

子供は思いがけない力でヨシエの手を振り切り、突っ伏して泣きだした。奥の六畳でも、まだ力のない泣き声がしている。

ああ、やりきれない。ヨシエは疲れて、散らかった畳に横になった。目をつぶってじっと二人の泣き声を聞いている。子供のほうがすぐに泣きやんだ。ぶつぶつと独り言をつぶやきながら、またミニカーを拾って遊び始める。他人に預けられることに慣れているらしい。だが、そんな孫が不憫《ふびん》だとは思わなかった。

不憫なのは、この自分だ。ヨシエの頰に涙が伝った。今、ヨシエの心を塞いでいるのは、妻に殺され、雅子と自分にバラバラにされた哀れな健司の金をこんな形で遣ってしまったという情けない思いだった。

とうとう一線を越えたのだ。弥生が亭主を殺した時も同じような気持ちがしただろう。

その夜、文句を言いっ放しの美紀に子供を預け、弁当工場に出勤したヨシエを雅子が待ち受けていた。

二人はサロンの端で、互いの顔をしばらく黙って見つめ合った。雅子はとっくに感傷を殺《そ》いだらしく、その顔つきは凄みを増している。これがこの人の本当の姿なのかもしれない、とヨシエは畏《おそ》れを持って眺めた。自分の顔はこの人にどう見えているのだろう。ヨシエはそんなことが気になった。

「師匠、気分どう」最初に雅子が口を開いた。顔つきは冷静だが、声音には優しさがあった。


「最低だよ」まさか行方不明だった娘が突然現れて、子供を置いて健司の金を持っていったなど他人には言えない。

「寝た？」

雅子の質問はいつも簡潔だった。ヨシエはほとんど眠っていなかったが頷いた。

「例のゴミどうした」

「大丈夫。来る時にあちこちに捨ててきたから」

「ありがと。師匠のことだから安心してるけど。それより心配なのは邦子だ」

「うん」

二人は周りを見まわした。時間だというのに、邦子は出勤していない。

「来てないね」

「ショックで寝込んでるんじゃないの」

ヨシエの言葉に、雅子は小さく舌打ちをした。

「面倒だな。様子を見に行ったほうがいいかもしれない」

「そうしてやんなよ」

「あたしが行ったら、あの子びびるかもしれないけど」

「でも、そこからばれたら大変だよ」

ヨシエは自動販売機の「釣り銭切れ」の表示が点灯しているのを眺めながら答える。ばれてしまえば終わりなのだ。そう考えると、恐ろしくなってくる。自分の人生も、すでに警告ランプが点灯しているのではないだろうか。

「それは邦子だって同じだから、警察に駆け込んだりしないとは思うよ。でも、あの子は人間が弱いから心配だね」

雅子は考え込み、眉間の小さな縦皺を深くした。

「ともかく、あたしはあんたに全部任せるよ。それよっか、山ちゃんのお金の件は大丈夫だよね」

ヨシエは恥も外聞もなく問うた。こうなってしまったら、あれこれ気を揉んだり、考えるのは雅子に任せたほうがいい。家で散々、その役まわりをしているヨシエは雅子の強さに頼る快感を覚えはじめていた。一番気がかりなのは、入るあての金が入らなくなることだ。

「うん、それはOK。親に借金してでも払うって言ってる。あの子、いよいよ明日、捜索願出すらしい」

二人でひそひそと額を突き合わして相談していると、顔見知りのブラジル人の若い男が挨拶して行った。日系人らしいが、がっちりした体つきの、外国人にしか見えない男だ。ヨシエは反射的に応じたが、雅子が意にも介さないのが気になった。

「どうしたんだよ」

「あの人に冷たいね」

ヨシエはちらっと男を見た。男は戸惑ったように立ちすくみ、更衣室に入って行った。雅子は気にも留めずヨシエに訊ねた。

「邦子の家ってどこか知ってる」

「うん、たしか小平の団地だよ」

雅子の頭の中では地図が広げられ、今後の予定があれこれと組み立てられていることだろう。雅子にとって、このことは完全な業務なのだとヨシエは感じ取った。それも、失敗を許されない業務。だが、最初は弥生の人殺しを糾弾した自分にとっては、金儲けと化している。ヨシエは恥ずかしくなった。またしても、情けないという思いがヨシエを打ちのめす。

「ね、人間、転がるのなんて簡単だね」

ヨシエがつぶやくと、雅子は気の毒そうにヨシエを見た。

「そう。あとはブレーキの壊れた自転車が坂道転がるようなもんだよ」

「誰にも止められないってことかい」

「ぶつかれば止まるよ」

自分たちは何にぶつかるのだろう。この先、曲がり角の向こうに何が待っているのだろう。ヨシエは恐怖に戦いた。

第三章　鳥

1

ささやかな夕食のために台所でジャガイモの皮を剝いていると、突然、西陽が目に入ってきた。弥生は包丁を持った手を額にかざし、眩《まぶ》しさに目を背《そむ》けた。

一年で一番日が長いこの時期に限って、日没直前に台所の窓の真っ正面から西陽が射し込む時間帯がある。弥生は、それが罪を犯した自分を神様が断罪しているのではないかと一瞬思った。まるで、レーザー照射のように、自分の中の悪い部分を死に絶えさせるための光。だとしたら、自分は死ななくてはならない。自分は夫を殺した大悪人なのだから。

だが、そう考えているのは弥生の中にかろうじて残っている理性とでも言えるもので、実際は、あの晩に健司の死体を積んだ雅子の車を見送って以来、健司は闇の中に消え去ってしまった気がしていた。子供たちがパパはどうしたの、と問うたびに、ほんとにどうしたんだろうね、とあの晩の濃い闇すら思い浮かばなくなっている。たった三日しか経っていないのに、健司を自らの手で絞め殺した感触すら遠くなっているのはどうしたことだろう。

弥生は目を背けたまま、急いで手製の木綿《もめん》のカーテンを引いて光を遮った。子供の弁当袋を作った残りの青い布で光を遮られた台所は、途端に薄暗くなった。その光量の差に慣れることができず、弥生はしばらく目元を押さえてじっとしている。

子供の世話や家事で気を紛らわせていたはずの気がかりが、沼の底からぶくぶく浮き上がる気泡のように心に浮かんできて、弥生の心臓を激しく打った。

気がかりは健司のことではなかった。新たな心配の種は、邦子のことだった。

昨日の午後、電話もなしに突然、邦子がやって来たのだ。

「ごめんください」

インターホンから女の声がしたので出てみると、邦子が立っていた。流行のノースリーブの白いミニドレスに、白いミュールという派手な格好をしていたが、太っていて色白の邦子には似合わなかった。

「あら、いらっしゃい」

弥生は思いがけない訪問に驚き、家に上げたものかどうか迷った。子供たちは保育園で昼寝をしている時間帯だった。

る。


「何だ、元気そうじゃないですか」

邦子は呆れた顔で弥生を見た。その言い方には、弥生のしでかしたことを自分は知っているのだという優越感が明らかに感じられ、弥生はたちまち嫌な気分になった。いや、この白豚のような女を見ているだけで生理的に不快なのだ、と自身の深い井戸から声が響いてくる。

「ええ、何とか」弥生は戸惑いながら答えた。「どうしたの」

「山本さん、最近ちっとも工場に来ないからさ、お見舞いってやつ？」

「それはどうも」

わざわざ何をしに来たのだろう。邦子が見舞いになど来る訳がない。弥生は不信感を募らせて邦子の金壺眼《かなつぼまなこ》を見つめた。が、アイラインが太くて表情がいまひとつわからない。邦子は躊躇《ためら》う弥生をよそに、合板のドアを強引に摑んだ。

「入ってもいいですか」

仕方なく玄関ドアを大きく開ける。入って来た邦子は辺りを見まわし、声を潜めた。

「ねえ、どこで殺したんですか」

「えっ？」

思わず聞き返すと、邦子は弥生を見つめた。

「どこで殺したのって聞いたんですよ」

工場での邦子は、若輩者《じゃくはいもの》を装っていつも敬語を遣い、控えめな態度を崩さなかった。が、ここにいる、ふてぶてしい笑みを浮かべた女はいったい誰だろう。弥生は焦って掌《てのひら》に汗をかいた。

「何のことだかわかんないけど」

「とぼけないでくださいよ」邦子は鼻先で笑った。「ご主人の胸糞悪い肉を袋に詰めて捨てさせられたのは、このあたしなんですよ」

脱力感を感じて、弥生は雅子に訴えたくなった。こんな女が仲間だとは。邦子はミュールを脱ぎ捨て、勝手に上がり框《がまち》に乗った。湿った足の裏が板の間に張りつくぺたっという音がした。

「ねえ、どこで殺したんですか。よくあるじゃないですか、殺人現場の写真とかいって。そういうところって何か霊が漂ってるとかっていうじゃないですか」

邦子は自分の立っているちょうどその場所が健司の息絶えたところだということも知らず、そんなことを言った。弥生はこれ以上入れまいと、自分よりも体格の大きな邦子の前に立ちはだかった。

「ねえ、何の用なの。そんなこと言いに来たの」

「ああ、ここ暑いですね。エアコンないんですか」

邦子は弥生を押しのけて奥に向かって行く。弥生の家の狭いリビングルームは、節約のためにエアコンをつけていなかった。

「あるのにつけてないんですね。辛抱強いこと」

話し声が洩れると困る。弥生は急いで邦子を追いかけ、エアコンのスイッチを入れてから、あちこちの窓を閉めに走った。邦子はエアコンの風が当たる場所に仁王立ちになり、弥生の慌てる様を面白そうに眺めている。その額には大粒の汗が光って流れていた。

「ほんとに何しに来たの。言ってよ」

弥生が不安を隠さずに重ねて問うと、邦子は軽蔑を隠さなかった。

「驚きましたよ。山本さんて、可愛い顔してるじゃないですか。そんな人がご主人殺しちゃうなんて、あたしほんと、びっくりしましたよ。まったく人って見かけによらないなって。でも、それって自分の子供の父親殺すってことでしょう。すごいことですよね。子供が大きくなって母親が父親殺したってわかったら、いったいどうするつもりなんですかね。そういうのちょっとでも考えたことあるんですか」

「やめて。聞きたくない」

弥生は耳を塞いだ。すると、邦子が弥生の左腕を摑んだ。汗をかいている皮膚がねっとりして気持ちが悪く、逃れようともがいたが力が強くてかなわない。

「聞きたくなくたってしょうがないじゃない。いいですか、あたしは山本さんのご主人の肉をこうやって摘んでゴミの袋に入れさせられたんですよ。それがどんなに気持ち悪くて嫌なことか、わかってます？　え、わかってますか」

「わかってます」

「いや、あんたはわかってない」邦子はさらに弥生の両腕を摑まえた。弥生は悲鳴を上げ、

「やめてよ」と叫んだが邦子は力を緩めなかった。

「いい？　あの人たちがバラバラにしたんだよ。それがさ、どんなにすごいことかわかってないんだよ。あんたは殺した後の亭主の死体だって碌に見てないんだろ。あたしなんか、何度も吐いたんだよ。気持ち悪いし、臭いし。ほんと、最低なんだから。人生観変わるんだから」

「お願い、言わないで。お願い」

「言わないったって、言わずにいられないわよ。あたしがあんたのためにそんなことする義理なんてないんだからさ」

「ごめんなさい。許して」

弥生は小動物のように屈《かが》んで蹲《うずくま》った。邦子はすっと手を放し、意地の悪い笑みを洩らした。

「ま、いいや。そんなこと言いに来たんじゃないんですよね。あの、あたしと師匠に金を払うって聞いたけど本当でしょうね」

「ええ、払います。絶対に払います」

そのことで、わざわざ来たのか。邦子の意図がわかると弥生は安心して、身を庇《かば》うために上げていた両の腕を下ろした。エアコンの冷たい風にさらされた邦子の額の汗が急激に引き、その皮膚が乾いてぱさついてきたのを少し落ち着いた目で眺める。

邦子が二十九歳というのは嘘で、自分よりも年上なのではないだろうか。ふと、そんな気がした。そんなつまらないことに見栄を張って、働く仲間にさえ嘘をつく邦子に、深い嫌悪を感じる。

「その金、いつくれるの」

「あたしも持ち合わせがないので、実家に借りますから。ちょっと待っていただけますか」

「そうですか。あたしは十万って本当ですかね」

「雅子さんが決めてくれたから……」弥生は言いよどんだ。「だから、それぐらいなのかと」

雅子の名前が出ると、邦子はむっとして突き出た腹の上で腕を組んだ。急に言葉遣いが乱暴になった。

「それだけど、あんた雅子さんには幾ら払うの」

「あの人は要らないって」

邦子は信じられないという風に、大げさに目を剝いた。

「何考えてんだろ、あの女。いっつも偉そうに指示しやがってさ」

「でも、助けてくれたし」

「はいはい、そうだよね」邦子は面倒そうに頷いて話題を切り替えた。「そんでさ、あたしの十万って、五十にしてくんないかな」

「はい」どうして反論できるだろうか。弥生は呑むしかなかった。「でも、すぐには払えません」

「いつならいいの」

「父に相談してみますから、二週間後かその先。それも分割みたいにしないと」

ヨシエよりも高くしたなら、ヨシエが文句を言うのではないだろうか。そんなことが心配になり、弥生は躊躇《ためら》った。ほんの一瞬、邦子は考え込んだ。

「じゃ、それは後でいいから、とりあえずこれにサインして判を押してくんない？　三文判で構わないから」

邦子はビニール製のトートバッグから紙を一枚取り出し、ダイニングテーブルの上に置いた。

「これ、何ですか」

「保証人契約書」

邦子は勝手に椅子を引き出して腰かけ、いつものメンソール煙草に火をつけた。弥生は客用の灰皿を邦子の前に置き、それからこわごわと紙を手に取った。「ミリオン消費者センター」というところから利子四十パーセントで借りたということになっているらしい。「遅延同率」とかよくわからないことが小さな字で印刷されていて、保証人の欄が空いていた。そこには弥生のサインを待つように鉛筆で丸印が薄く書いてあった。

「これ、どうしてあたしが判を押すの」

「保証人が必要なんだよ。連帯じゃないよ、ただの保証人。安心しなよ。うちも亭主がいなくなったからさ、困ってんの。でも、誰でもいいんだって。人殺しの判子でもいいんだって」

弥生は、邦子の言葉を聞き咎《とが》めた。

「あなたのご主人いなくなったって、どういうこと」

「どうだっていいじゃん。あたしは殺してないんだから」

邦子はうそぶいて笑いを浮かべる。

「でも」

「あのさ。いくらあたしだって、あんたに借金を肩代わりなんかさせないよ。そこまでワルじゃないもん。だって、あんた、あたしに五十万くれるんでしょ。だったらそれでいいから、早く押してよ」

邦子の言葉に一応安心して、弥生は判を突き、サインした。そうしないと邦子は帰ってくれそうもなかったし、そろそろ保育園のお迎えの時間も迫っていたからだ。それに断って、子供のいる時に押しかけられても困る。

「これでいいですか」

「サンキュー」

邦子は煙草を潰して、用事は済んだとばかりに立ち上がった。玄関まで送ると、邦子はミュールを突っかけ、思い出したように振り返った。

「ね、人殺すのってどんな気分」

弥生は答えずに邦子の汗染《あせじ》みのできた袖《そで》つけの辺りをぼんやりと眺めていた。これは強請《ゆすり》なのだ、とようやく気が付いたところだった。

「ねえ、どんな気分なのよ」

「どんなっていわれても」

「言いなよ」邦子はしつこかった。「どうだったのよ」

「あたしは何ていうか、ざまあみろって思った」

小さな声で答えると、邦子は初めてたじろいだように一歩退がった。その時、十センチはあるミュールのヒールが挫《くじ》け転倒しそうになった。邦子は慌てて下駄箱の端を摑み、怯えた目で弥生を見た。

「あたし、ここで首絞めたの」

弥生は自身が立っている場所をとんとんと足で踏んでみせた。釣られてその箇所を見た邦子の目には恐怖があった。それを見て弥生は、自分のしたことが、この碌でもない邦子をも怖がらせるのだと驚いている。あの夜以来、自分の中の何かが鈍磨しているのかもしれないとは思わなかった。

「当分、工場は来ないの？」

邦子は劣勢を立て直し、傲然《ごうぜん》と顎を上げた。

「行きたいけど、しばらく家にいなよって雅子さんが言うから」

「何でも雅子さん雅子さんだね。あんたらレズじゃないの！」

邦子は吐き捨て、挨拶もせずに出て行った。

白豚！　出てけ！　弥生は苦い思いを嚙みしめながら、上がり框で立ちすくんでいた。つい二日前の夜、夫が死んだその場所で。

雅子に電話をして今のことを話しておこうと受話器を取り上げたが、判を突いたことを叱られるのではないかと懸念し、コールの鳴っている途中でやめてしまった。

そのまま誰にも話さず、今日という日になっているのだった。

たとえ叱られたとしてもこのことを雅子に相談しない訳にはいかないだろう。弥生はようやく決心して、剝いたジャガイモを水にさらし、電話の前に立った。

ちょうどその時、インターホンが鳴った。弥生は息を呑んだ。小さな悲鳴すら出た。また邦子がやって来たのではないか、と思ったのだ。おそるおそるインターホンに出ると、やや掠《かす》れた男の声が聞こえてきた。

「こちらは武蔵大和署の者ですが」

「あ、はい」

警察と知って、弥生の動悸が激しくなった。

「奥さんですか」

男の口調は丁寧で優しかったが、弥生は慌てている。まさか、警察がこんなに早くやって来るとは。いったい何が起きたのだろうか。弥生の脳裏に、昨日の今日、邦子が警察に行って喋ったのではという疑いが湧き上がった。もう駄目だ、ばれたのだ。弥生は裸足のままで逃げ出したくなった。

「少々、うかがいたいことがあります」

「はい、ただいま」

弥生は気をとり直し玄関に向かった。ドアを開けると、腕に上着をかけた半白髪の貧相な男が愛想良く笑いながら立っていた。生活安全課の課長、井口《いぐち》だった。

「あ、どうも。奥さん、ご主人戻られましたか?」

井口は、弥生が捜索願を出しに窓口に行った時、係の職員がいなかったため届け出の出し方などを懇切《こんせつ》丁寧に教えてくれた男だった。最初にかけた電話を取ったのも井口ということで、弥生に親切だったので印象はよかった。

「いえ、まだです」弥生は不安を抑えつつ答えた。

「そうですか」井口は顔を少し曇らせた。「実はですね。今朝、K公園でバラバラになった男の人の遺体が発見されましてね」

それを聞いて気分が悪くなり、弥生の体から血の気が引いていった。目が眩《くら》み、上半身が頼りなくなった。貧血の兆候だった。弥生は床に崩れそうになるのを、ドアで支えた。やはり、ばれた。どうしたらいいのだろう。ところが、弥生の恐怖の表情を、井口は失踪した亭主を心配する妻の不安と受け取ったらしい。慰めるように慌ててつけ足した。

「大丈夫ですよ。まだお宅のご主人と決まった訳じゃないですから」

「はあ」

「ただ、近辺で捜索願や行方不明届の出ているお宅を訪問して、もっと詳しく聞こうということですから」

「そうですか」と一応安堵の笑みは浮かべたものの、それが間違いなく健司だと知っている弥生は気が気ではなかった。

「ちょっとお邪魔してもよろしいですか」

井口は足先でドアを押さえ、するりと痩せた体を滑り込ませてきた。その時、井口の背後に数人の青い制服を着た男たちがいることに気付いた。

「ここ暗いですね」

居間に入って来た井口は声を上げた。西陽避《よ》けのカーテンが引かれたままになっている。外が明るいのに部屋が薄暗いと淫靡《いんび》な感じがする。自分が責められた気がして、弥生は慌てて窓辺に駆け寄り、カーテンを開けた。夕陽はすでに、やや下方から差し込み、天井を真っ赤に染めている。

「ここは西陽が射すので」と言い訳をすると、井口は剝きかけのジャガイモを眺めた。

「そうか。西向きの台所なんだ。じゃ、夏は暑いでしょう」

冷房のついていない部屋に閉口したのか、井口はハンカチを取り出して汗を拭いた。弥生は急いでエアコンのスイッチを入れ、開いた窓を閉めに走りまわった。まるで昨日の邦子の訪問時と同じだった。

「奥さん、どうぞお構いなく」

井口はのんびりと言いつつも、部屋のあちこちに鋭い目を向けている。弥生にその眼が止まった時、弥生は身のすくむ不安を鳩尾《みぞおち》で感じ、重力を初めて重荷に感じたかのように動けなくなった。しかし、その鳩尾にはまさしく健司との諍《いさか》いの証拠が刻まれているのだ。これは絶対に見せまい、と弥生は自然に腕組みをした。

「ご主人の行きつけの歯医者と、それから指紋、掌紋《しょうもん》を取らせていただいてもよろしいですかね」

弥生はようやく掠れた声で答えた。

「歯医者は駅前の原田さんというところです」

井口は黙ってメモを取った。鑑識らしい男たちは、後ろに立ったまま井口の指揮を待っている。

「奥さん、ご主人のコップとか、日用品ありますかね」

震える足で弥生は洗面所に男たちを案内した。指で指し示すと、たちまち鑑識課員たちが白い粉のようなものを出して仕事を始めた。井口は案に相違して、のんびりと小さな庭先に出してある三輪車などを眺めている。

「お子さん、小さいんですか」

「はい、五歳と三歳の男の子です」

「お子さんがたは遊びに行ってるんですか」

「いいえ、保育園に入れてますから」

「じゃ、奥さんはお仕事なさってるんですね。何を」

「以前はスーパーのレジを打ってましたが、今は弁当工場に夜勤に行ってます」

「ほう、夜勤ね。がんばってますね」

井口の顔に同情の色が浮かんだ。

「ええ、まあ。きついですけど、子供が保育園に行ってる間、眠れますから」

「なるほど。そういう女の人が最近多いらしいですね。あれはお宅の猫ですか」

弥生は驚いて井口の指先を見た。三輪車の横に行き場のないミルクが蹲《うずくま》ってこちらを見ていた。白い毛がすでに薄汚れてきていた。

「そうです」

「白い猫か。入れてやんなくていいんですかね」

井口はエアコンをつけたために閉め切った部屋を気にした。

「いいんです。外が好きですから」

あの晩、逃げて行ったきり、決して中に入ろうとはしなくなった飼い猫を弥生は憎んでいた。自然、吐き捨てる口調になった。井口は気にした風もなく、腕時計を覗いた。

「そろそろ、お子さんのお迎えでしょう」

「ええ。あの、ショウモンて何ですか」

とうとう弥生は気にかかっていたことを訊ねた。

「掌にも紋があるんですよ。その遺体はね、ほんの部分部分で指は指紋が削られてるんです。だけど、掌が残っていたんで、それで何とか身元確認しようということなんですわ。ご主人でないといいんですが、ただ血液型と年格好が一致してます。それだけお伝えしときます」

井口は口早に言うと、目を伏せた。

「バラバラなんですか」

弥生はつぶやいた。井口が説明口調になる。

「はい、K公園で見つかったのは全部で十五個。皆、このぐらいの大きさです。でも、それ全部合わせても全身の五分の一ってとこですかね。今、公園中を必死に捜索してますよ。見つかったきっかけは烏《からす》だったんですよ」

「烏?」弥生は訳がわからない。

「そう、烏。清掃職員のおばさんがね、烏に餌をやろうとゴミ籠を探していて見つけたんです。そんなことを考えなきゃ、永久にわかんなかったかもしれませんね」

弥生は動揺を気どられまいと必死だった。

「もし、それが主人だとしたら、どうしてそんなことになったんでしょう」

井口は何も答えず、逆に聞いてきた。

「最近、ご主人が何かトラブルに巻き込まれたとか、そういうことありませんでしたかね。どこかから借金してるとか」

「ないと思います」

「ご主人、帰りは?」

「あたしが夜勤に行くまでにはいつも帰ってくれてますけど」

「ギャンブルや遊びは」

　ギャンブルと聞いて、バカラ遊びのことが頭に浮かんだが、弥生は首を捻《ひね》った。

「そういうことは聞いてませんが、最近、お酒はよく飲んでいたみたいです」

「失礼ですけど、夫婦喧嘩なんかなさいませんか」

「たまにはありましたけど、子供を可愛がっていたし、いい主人……です」

　思わず過去形になりそうになり、弥生は言葉に詰まった。そして、子供たちにとってはまさしくいい父親だったのだと思い出し、涙ぐみそうになった。愁嘆場《しゅうたんば》を恐れたのか、井口は立ち上がった。

「申し訳ないんですが、もし万が一、身元が確認されたら署にご足労願えますかね」

「はい」

「だけど、お子さんも小さいのに、そんなことになったら大変だね」

　顔を上げると、井口はまた三輪車を眺めていた。猫はまだそこにいた。


　井口たちが帰った後、弥生はすぐに雅子に電話をした。もう何の躊躇もなかった。

「どうしたの」

　雅子は弥生の口調から変事を悟ったらしく、敏感に聞き返してきた。弥生はK公園でバラバラ死体が見つかったことを話した。

「邦子の仕業だよ。あんな杜撰《ずさん》な女に預けたのが甘かったよ」雅子は悔いているのか沈んだ声を出した。「それにしても、鳥とはね」

「あたし、どうしたらいいの」

「掌紋というのでわかるんなら、間違いなく亭主って確認されるよ。遅かれ早かれね。そしたらあんたはしらを切り通すしかないでしょうね。家には帰ってない、朝、出かけるのを見たきりだ、夫婦仲は普通だったたって」

「でも、ここに帰って来たのを見た人がいたらどうしたらいい?」

弥生は雅子と話しているうちに、逆に、段々と心配になってきていた。

「それはあんたが大丈夫だって自分で言ったんじゃない」

「そうだけど」

「しっかりしてよ。このくらいのこと、想像してたんでしょ」

「でも、あたしたちがあれを運ぶところ、誰かに見られてないかしら」

雅子はそれが癖なのか、しんと考え込んでいる。ようやく出てきた答えは弥生を安心させなかった。

「わからないね」

「ね、もちろんおなかの痣《あざ》のことは知られないようにしなくちゃだめよね」

「当たり前だよ。でも、あんたはあの晩アリバイがあるし、運転もできないんだから何とかなるよ。工場に来てたし、翌朝も保育園に行ったりしたでしょう」

「そうよ。ゴミ捨て場の奥さんとも話したし」

弥生は自分を安心させるために言い添えた。

「あんたとあたしの家を結びつけることは、ないと思うから安心してなよ。あんたの家の風呂場を調べたって何も出やしないんだから」

「そうよね」弥生は自分に言い聞かせる。すると、邦子のことを思い出した。もうひとつの不安を。弥生はやっと話す気になった。

「実はね、昨日、邦子さんが来てあたしのこと脅迫してったの」

「どういうこと」

「十万を五十万にしろって」

「あの子が言いそうなことだよ。ドジしたくせにせこいんだから」

「それから、借金の保証人にさせられたんだけど」

「どこの借金」

「サラ金みたいだけどよくわからない」

それればかりは雅子も思ってもみなかったらしく、またしても沈黙した。待つ間、弥生は雅子にどやしつけられるのではないかとびくびくした。だが、雅子は静かに言った。

「それは確かにまずいね。あんたの亭主のことが公になって、その業者が借用書のことを持ち出したりすると、邦子が何かを脅迫に来たんじゃないかって誰でも思うよ。だって、あんたは邦子の保証人になる義理なんかないでしょ」

「そうなの」

「でも、そっちは表に出ないと思う。邦子もすぐにでもあなたに借金を払ってほしいって言った訳じゃないんでしょう？　あの女は禁治産者《きんちさんしゃ》だけど、それ以上でも以下でもないからさ」

「払いたくても、うちに現金ないって言ったら、サインしてほしいって言いだしたの」

勿論、弥生も邦子の言葉を全面的に信用してはいない。その胸の中で揺らめき躍るような不安を何とか抑えようと必死になっていると、雅子が落ち着いた声で言った。

「今、思いついたけど、身元確認されるとたったひとつだけいいことあるよ」

「何」

「保険金が下りるってこと。亭主は当然、生命保険に入ってたでしょ？」

そうだった。弥生は呆然とした。健司は総額五千万の生命保険に加入していたのだった。夫婦喧嘩の末、亭主を殺し、バラバラにして捨ててもらった礼金を払うのに苦慮《くりょ》していた弥生だったが、事件は思わぬ方向に進んで行く。弥生はあまりのことにぼんやりし、黄昏《たそが》れて薄暗くなった部屋で一人、受話器を握りしめていた。

2

雅子は電話を切るとすぐに時計を見た。午後五時二十分。

工場も休みで、いつ帰って来るのかわからない夫と息子を気にすることもなく、のんびりした気分で過ごしていた宵《よい》だったが、たちまち暗転した。思いがけなく早く、事態は動いている。うまくいったと高をくくりはじめると、破綻《はたん》はきちんと用意されていて、足払いをかけるように行先に突然姿を現す。何かを突破するということは、こういうことなのだ。おそらく次から次へと、漆黒《しっこく》の闇が姿を見せて自分たちを飲み込もうとするのだろう。雅子はしばらく、芯の硬い鉛筆の先を細心の注意で尖らせるように、神経を張りつめさせていた。

雅子はテーブルの上にあったテレビのリモコンを手に取った。スイッチを入れ、ニュース番組をやっていないかとあちこちの局を映してみた。が、まだその時間ではなかった。もしかすると夕刊に出ていたのを見落としたのかもしれない。雅子はテレビを消し、ざっと読んでソファに置きっぱなしにしてあった夕刊を再び手に取った。

三面の下段に小さく「公園でバラバラ死体」というベタ記事があるのを発見した。どうしてこれに気付かなかったのだろう、すべてを甘く見ていた証拠かもしれない。自省しながら雅子は急いでその短い記事を読んだ。

それによると、今朝早く、公園の清掃職員が園内のゴミ籠からビニール袋に詰められた死体の一部を発見したのだという。警察が公園内を改めて捜索したところ、あちこちのゴミ籠から全部で十五袋の成人男性の死体の部分が見つかった、とある。それ以上は何も書いていなかった。

場所と個数からいって、例の袋を無理矢理持たされた邦子が面倒がって公園内のゴミ籠に捨ててまわったことは明白だった。邦子を仲間に引きずり込んだのは大きな誤りだったのだ。もともと信用していなかったのだから、あの袋を預けるべきではなかった。自分は大きなミスを犯した、と雅子は苛立って久しぶりに爪を嚙んだ。

公園の死体が健司だとばれるのは時間の問題だった。済んでしまったことは仕方ないにしても、これ以上ドジを踏まないために邦子には念を押しておくべきだろう。その念というものが恫喝《どうかつ》に変わるのは仕方がない。まずは、ヨシエのところに行ってこの事を報告しておいたほうがよさそうだ。

ヨシエは今日も出勤するつもりでいるかもしれない。それなら早く行こう、と雅子は立ち上がった。雅子たちは金曜の夜、すなわち土曜の早朝を週一の休日に決めていた。それは単に、日曜出勤すると、一割時給が高くなるから日曜休みを土曜にしたというだけの話だ。だが、ヨシエだけは一日分でも金が欲しいからと休みなく働いていることのほうが多い。

ヨシエの家の黄ばみかけたプラスチックの簡素なブザーを押すと、すぐに玄関の戸が開けられた。建てつけの悪い音が耳障りだった。

「あれ、どうしたんだい」

ヨシエは夕食の支度の最中らしく、家の中からは出汁《だし》を取る湿気と熱気とが漂い流れた。それにヨシエの家の特有の臭い、クレゾールが微かに臭っている。

「師匠、ちょっと出られる？」

雅子は遠慮がちに囁《ささや》いた。玄関の前の小さな部屋が居間になっていて、そこでは美紀がショートパンツから突き出た足を抱えてテレビに見入っているからだった。美紀はまるで子供のようにアニメ番組に夢中で、雅子のほうを振り向きもしない。

ヨシエは何かを悟ったらしく、顔色を変えた。うっすら汗をかいたその顔は、痛ましいほどはっきりと疲労が刻まれていた。雅子は顔を背け、一足先に外に出てヨシエが出て来るのを待った。

ヨシエの家の玄関の脇には小さな庭があって、ささやかな菜園になっていた。そこに赤いトマトがたわわに実っているのを雅子は不思議な気持ちで眺めていた。

「お待たせ。何見てるんだい」

現れたヨシエは、背後から雅子の見ているものを覗き込んだ。

「トマト。大収穫だなと思って」

「作れるもんなら稲作でもしたいよ」ヨシエは猫の額ほどもない、軒下にほんのちょっとあるだけの土を見て笑った。「トマトばっかじゃ飽きるもの。でも、土とうまく合ったのかすごく甘いんだよ。ね、持っていきなよ」

ヨシエは大ぶりのトマトをひとつもいで雅子の手に載せた。家も、その家の主もくたびれ果てているのに、その実だけは皮が張りつめて、艶やかで豊かだった。雅子はしばらくトマトを掌に載せたまま黙っていた。

「どうしたんだよ」ヨシエが促《うなが》す。

「ああ」と雅子は振り向いた。「師匠、夕刊読んだ?」

「うち、新聞取ってないもの」ヨシエは恥ずかしそうに言った。

「そうか。K公園で例の袋が発見されたんだよ」

「K公園で? あたしじゃないよ」ヨシエは叫んだ。

「わかってる。邦子だよ、間違いない。それで、捜索願を出している山ちゃんのところに警察が来たってさ」

「もう、あそこの旦那だってわかったの?」

「いや、まだ」雅子はヨシエが眉根を寄せる様を見ながら答えた。昨夜、工場で会った時よりくっきりと眼の下に隈が現れている。

「どうしよう」ヨシエはうろたえた。「ばれちゃうよ」

「身元はばれるよ、間違いなく」

「じゃ、どうしたらいいのさ」

「師匠は今日、工場に行くんでしょ」

「うん」ヨシエは迷っている。「一人でも行くつもりだったけど、どうしようか。行ったほうがいいかね」

「行きなよ。ともかく変わったことしないで普通にしててよ。それから、あの日にあたしのところに来たのは誰も知らないよね」

「うん」ヨシエは少し考えるような仕草をしたが、何度も頷いた。

「わかってるだろうけど、そのこと誰にも言わないで。それから、山ちゃんが真っ先に疑われるかもしれないから、もし警察が来ても夫婦喧嘩のことや殴られた話は絶対に出さないで。でないと、あたしたち皆、これだよ」

　雅子は両手を縛られる真似をした。

「わかった」

　ヨシエは唾を飲み込みながら雅子の骨張った手首を見た。その時、小さな動物がよろけながらヨシエの足下にまつわりついた。

「ばあちゃん」

　その生き物は片言の言葉を喋る。痩せた男の幼児がヨシエの膝の抜けたズボンに絡まりついているのだった。家からヨシエを追って出てきたらしく、パンツだけで上半身裸、しかも裸足だった。

「この子は？」

「あたしの孫なんだよ」

ヨシエは幼児の手をしっかり摑んで勝手に駆けだしていくのを防ぎながら、恥じらって答えた。

「孫がいるの？　初耳だよ」

雅子は驚き、子供の頭に触った。柔らかな髪が指に絡まり、伸樹が赤ん坊だった頃を思い出させて懐かしかった。

「あんたに言ってないけど、あたしにはもう一人娘がいるんだよ。その子の子供なんだ」

「預かってるの？」

「そう」

ヨシエは溜息をついて子供を見下ろした。子供は雅子の持っているトマトを欲しがって手を伸ばしている。雅子が手渡してやると、子供はトマトの匂いを嗅ぎ、頰ずりした。雅子はその様子を見てつぶやいた。

「命の塊《かたまり》だね」

「ね」ヨシエは同意した。「だけど、変だよね。あれをばらした後にさ、こんなの引き受けさせられちゃって神経参るよね」

「小さい子じゃ大変だね。まだおむつ取れてないんでしょ」

「おむつも二人分だからね」

ヨシエは笑ったが、その眼の底には他人の死と生を受け持たされた者の怯えと嘆きがあった。雅子はそれを見据えた。

「じゃ、何かあったらまた来るから」

ヨシエは立ち去ろうとする雅子に躊躇《ためら》うように声をかけた。

「あんた、オカシラどうしたの」

声を潜め、孫の耳すら気にしている。子供は両手に余るトマトを大事そうに捧げ持ち、大人たちの会話に注意を払っていない。雅子は後ろを振り返って通る自転車を気にしてから答えた。

「次の日に埋めてきた。大丈夫よ」

「どこに埋めたの？」

「聞かないほうがいいよ」

雅子は表通りに停めてあるカローラに向かって歩きだした。ヨシエには、邦子が弥生を強《ゆ》請《す》ったことも、健司の保険金が弥生に下りるかもしれないことも告げないつもりだった。これ以上、ヨシエの心労を増やしても仕方ない。しかし、本当のところは、雅子は誰をも信用していないのだった。

どこか近くで豆腐屋のラッパが鳴っている。家々の開いた窓からは、食器やテレビの音が響いていた。主婦が家で忙しく立ち働く時間帯だった。雅子は自分の家の空虚な片付いた台所と、あの作業をやり通した風呂場とを思った。台所より乾いた風呂場のほうが今の自分に似合っていた。


邦子の団地は地図で確認した。隣の小平市の外れにある。

団地のエントランスに、木製の郵便受けが並んでいる。掠れかけた子供のシールや「ピンクチラシお断り」のステッカーが雑に貼られ、薄汚れていた。いずれも住み主が始終変わるのか、何度も名前を書き換えた跡がある。ひどいのはマジックで書いた名前を棒線で消し、その横にまたマジックで別の姓が書かれてある。その郵便受けで確認すると、邦子の家は五階だった。

雅子は郵便受け同様、荒れた感じのエレベーターに乗り、五階で降りた。邦子の部屋の前に立ち、インターホンを押す。何度押しても誰も出てこない。下の駐車場に邦子のゴルフがあったことを思えば、どこか近くに買い物にでも行ったに違いなかった。ここで帰りを待とう、と雅子は団地の開放廊下の隅に目立たぬように立った。

蛍光灯の青白い灯目がけて小さな羽虫が飛んで来ては、ぶつかってあっけなく落ちる。雅子は煙草を取り出して火をつけ、コンクリートの床に落ちた虫を数えながら、邦子を待った。

二十分ほど経って、エレベーターホールからコンビニの袋を提げた邦子が歩いてくるのが見えた。蒸し暑いのに、全身黒ずくめの粋な格好をし、鼻歌が聞こえそうなほど機嫌がよかった。雅子はその姿を見て、公園の烏を連想した。

「ああ、びっくりした」

暗がりに立つ雅子を見て、邦子は仰天《ぎょうてん》している。

「話があるんだけどいい？」

「今さら、何ですか」

邦子はむっとして雅子の顔を見た。

「今さらも何も、あんたのせいで大変なことになってるんだよ」

雅子は新聞受けに入っている夕刊を外から抜いて、邦子の眼前に突き出した。乱暴に引いたので大きな音が廊下に響きわたり、邦子は周囲を気にした。

「どういうことですか」

「見ればわかる」

雅子の剣幕《けんまく》に恐れをなしたのか、邦子は慌てて鍵を開けた。

「散らかってるけど入ってください。こんなとこじゃまずいですから」

雅子は邦子の後から部屋の中に入った。本人が言うほど散らかってはいなかった。が、調度の趣味は幼稚と洗練とが同居して、邦子自身を表しているかのようだ。

「そのかわり、すぐ帰ってくれますか」

邦子は冷房をつけ、おどおどと雅子のほうを振り返った。

「いいよ。すぐ終わるから」

雅子は夕刊を開いて三面のその箇所を見つけ、邦子の前に示した。邦子はコンビニの袋を床に置き、慌てて記事を読んだ。仮面を被ったように塗ったファンデーションの下で、明らかに動揺が走っている。それを確かめて、雅子は問いつめた。

「あんたでしょ。こんなところに捨てたのは」

「公園だったらいいかと思ったんだけど……」

「馬鹿ね。公園は管理が厳しいんだよ。だから、家庭のゴミで出せって言ったじゃない」

「あなたに馬鹿って言われる筋合いないと思うわ」

邦子は膨《ふく》れっ面をする。

「馬鹿だから馬鹿って言ったんだよ。あんたのドジで、山ちゃんのところに警察来たんだよ」

「え、もう?」

驚愕した邦子は顔を歪ませる。

「そう。もう来たんだよ。まだばれてはいないけど、あれこれ照合すればすぐわかることだ。明日には大騒ぎになるよ。あの子が殺したってばれたら、あたしたちも共犯だよ」

邦子は思考が停止してしまったらしく、ぼんやりと雅子の顔を見ている。雅子は邦子を見返した。

「それがどういうことかわかるでしょう。万が一、うまくやってあたしたちが捕まらないとしても、あの子が捕まったら、あんたたちに金は入らないんだよ」

ようやく邦子は考えが及んだらしい。

「それどころかさ、あんたが書かせた借金の保証人だって問題になるよ。亭主がバラバラにされたんだからさ。あんたは事件の共犯で、しかも恐喝になるんだよ」

「そんな」と邦子は叫んだ。「そんなことまで考えてなかった」

「何言ってるんだ。強請《ゆす》ったじゃないか」

「あたしも困っていたから、ちょっと助けてもらおうかと思っただけ。だって、お互いに助け合ったっていい訳でしょう。あれだけのことしてやったんだし」

邦子はしどろもどろになって顔から大量の汗を噴き出させた。雅子は邦子の呆けた顔を冷たく見遣った。今、雅子が一番恐れているのは、万が一、健司の保険金が下りた時に、邦子に金を貸した業者がたかりに来ることだった。殺人事件など彼らにはどうでもいいはずだ。

「何が助け合いだよ。足の引っ張り合いしてる癖に」雅子は邦子の前に手を突き出した。

「ね、その保証人契約書はどこにあるの。出して見せて」

「さっき渡してきちゃった」邦子は焦って腕時計を覗く。

「どこに」

「駅前の金融会社。ミリオン消費者センターっていうところ」

「街金だね。すぐ電話して、契約書返してほしいって言いなさい」

雅子が厳然と言い渡すと、邦子は泣きだしそうな顔になった。

「そんなあ。無理です」

「無理でもなんでも面倒なことになるよ。明日には騒ぎになるから、その業者が山ちゃんの周りをうろつくよ」

「わかった」

邦子はしぶしぶバッグから名刺を取り出し、シールがたくさん貼られたコードレスホンを手に取った。

「城之内ですけど。さきほど渡した契約書を返していただけませんか」

業者はそんなことはできないと突っぱねているに違いない。邦子の懇願するような口調にもかかわらず、事態はまったく収拾できないらしい。

「だったら、これから行くから待っててほしいって言いなさい」

雅子は送話口を押さえて邦子に言った。邦子は腰が抜けたように床に座り込む。

「あたしも行くんですか」

「当たり前でしょう」

「どうして」

「あんたが引き起こしたんじゃない」

「だって、バラバラにしたのはあたしじゃないもの」

「うるさい」

雅子は邦子を殴り倒したい衝動と闘いながら怒鳴りつけた。邦子は泣きべそをかいている。

「そこから幾ら借りたの」

「今回は五十」

どうせ、最初に三十万程度用立てて、返済の様子を見てから五十万貸したのだろう。クレジットローンに追われる邦子が、すでに月々の利子しか返済できなくなっているのは薄々見当がついていた。

「だいたい、保証人なんて立てる必要ないんだよ。あんたが騙されたんだ」

邦子は雅子の顔を見て訴えた。

「でも、保証人立てないなら、全額返せって言うんですよ」

「質《たち》の悪いのに引っかかったんだよ」

邦子は信じられないという風に頭を振った。

「そうは見えなかったけど。優しくて紳士的だし。ヤクザみたいな人じゃないんですよ。今日だって、ご苦労さんって言ってくれて」

「相手によって使い分けてるに決まってる。つまり、あんたがその程度だって思われたってことでしょ」

邦子の馬鹿さ加減に、雅子は舌打ちしたいほど呆れている。邦子は癪《しゃく》にさわったのか、意地悪く言った。

「いやに詳しいですね。経験あるんでしょ」

「あんたが知らなさすぎるんだよ。それより、早く支度してよ」

雅子は邦子と話す時間すら惜しんで、玄関でさっさとかかとの潰れたスニーカーを突っかけた。邦子は雅子に対する嫌がらせのように、のろくさとついてくる。

「ミリオン消費者センター」の照明は落ちていた。雅子は構わず階段を登った。薄っぺらなドアをノックすると、「開いてますよ」という男の声が聞こえた。

雅子と邦子はドアを開けて店に入った。薄暮の中、照明もつけずに若い男が一人、窓辺のソファにだらしなく腰かけてのんびり煙草を吸っていた。薄汚いテーブルの上には、皺くちゃのスポーツ新聞と、べたついた汁を垂らした缶入りのコーヒーが置いてある。

「ああ、どうも。どうしたんですか」

男は二人を見て、にこやかに立ち上がった。グレイのスーツに臙脂《えんじ》のタイ。身なりは場違いなほど隙がないが、明るい茶色に染めた髪が服装にそぐわず軽薄に見えた。やや慌てている様子から、邦子が本当に現れるとは思っていなかったようだ。

「十文字さん。あの、さっき渡した保証人の人がどうしても嫌だから返してくれって」

「こちら様ですか」

十文字は雅子のほうを見ながら言った。警戒と探る表情を隠さない。

「いえ、あたしはその人の友人。彼女は主婦だからこういうことをすると困るのよ。返してあげてくれる？」

「それはできかねますけど」

「じゃ、見せてください」

「いいすよ」

十文字は面倒くさそうにデスクの引き出しを開けた。そして、一枚の書類を雅子に手渡した。雅子は一瞥すると、「わざわざ別建てにするなんて、法的に必要ないでしょ。最初からそういう条件じゃなく貸してるんだから。借用書見せてくださいよ」と言った。

「いや」急に十文字は真顔になった。下がり眉が寄せられて険悪な顔が現れた。十文字はファイルから借用書を取り出し、雅子に箇所を指し示した。「ここにありますでしょ。ほら、信用状況に重大な変化があったときはそれに限らないって。城之内さんはご主人が会社辞めていなくなったんですよ。それは変化っていいませんか」

十文字の見え透いた言い訳に、雅子は笑いを浮かべた。

「何とでも言えるでしょうよ、それは。でも、遅れたのは今回だけでしょ。それも一日。こういうことはあまりしないいんじゃない？」

反撃が意外だったと見え、十文字は驚いて雅子の顔を見た。邦子ははらはらした様子で、今にも誰かが出てきて脅すのではないかと部屋の中を見まわしている。十文字は雅子の顔をしばらく見つめていた。

「どっかでお会いしましたっけ」

「いいえ」雅子はにべもなく首を振る。

「そうですか」十文字はまだ首を傾げている。少し語気を緩めた。「でもまあ、失礼ですけどね、こちらの返済計画に真剣味が感じられないもんで」

「必ず返させますよ」雅子は言い放った。

「あなたが保証してくれるんですか」

「保証人にはならないけど、ほかの街金から借りても返させるから」

「じゃ、今後の返済状況によって考えますから」

十文字は諦めたらしく、ソファへ戻り、どっかと足を広げて座った。あっけなく保証人契約書を取り戻せた邦子は驚いて雅子を見た。

「さ、帰るわよ」

邦子を促して帰ろうとすると、十文字が声をかけてきた。

「思い出した。あんた、香取さんでしょう」

雅子は振り向いた。剃《そ》り込みを入れたチンピラ風情《ふぜい》だった頃の十文字の面影が蘇った。下請けの下請けで、債権取り立て業務をしていた男に違いない。その平凡な名前は覚えていないが、相手次第でどうとでも変わる目つきだけは同じだった。

「そういえば。名前が違うから気が付かなかった」

へへっと十文字は笑った。

「香取さんがついてるんじゃかなわねえな」

「どうしてあの人のこと、知ってるんですか」

先に階段を降りた邦子が、聞きたくてたまらない様子で雅子を振り返って見上げた。

「昔勤めていたところに出入りしてた人」

「どんな仕事してたんですか」

「金融」

「サラ金とかですか」

雅子はそれ以上何も言わなかった。邦子は雅子をしばらく見つめていたが、すっかり日が暮れた寂しい街から逃げるように首を突き出し、足早に歩きだした。

雅子は雅子で、思いがけず昔の知り合いに会ったことから、また街の埃くさい闇に捕らわれた思いがしてならなかった。これから先、何が自分を待ち受けているのだろう。さすがに不安に駆られ、邦子とは逆に裏町の路地に入り込み、頭を抱えて蹲《うずくま》りたい気持ちに陥った。雅子にはすでに帰るところなどないのだから。

3

死者とわかっているのに、夢の中ではどうして会話ができるのだろうか。

浅い眠りの中で、雅子の見たのは死んだ父親が庭に佇《たたず》んで無惨に禿《は》げた芝を眺めている夢だった。下顎にできた悪性腫瘍《しゅよう》で世を去った父親は、よく病院で着ていた浴衣姿《ゆかたすがた》で曇天《どんてん》の下、所在なげに立っていた。そして、縁側にいる雅子に気が付くと、度重なる手術で歪んだ頬を緩めた。

「そこで何してるの」

「出かけようかと思ってな」

最期は口が開かなくなってほとんど会話らしい会話もできなかったはずなのに、夢の中の父親は明瞭な言葉で喋った。

「でも、お客さんが来るわよ」

どんな客が来るのかわからないが、雅子はこれから迎える来客のために、あたふたと家中を駆けずりまわっているのだった。庭は父の住まっていた八王子の古い借家でも、家は不思議なことに、この新しい良樹と雅子の家だった。しかも、雅子のジーパンの裾をしっかり掴んでいるのはまだ幼い伸樹らしい。

「それなら風呂場を掃除しないと」

父が心配そうに言うのを雅子は聞き、内心戦《おのの》いていた。なぜなら、風呂場には夥《おびただ》しい量の健司の髪の毛が落ちているからなのだ。それをどうして父は知っているのだろうか。きっと父が死者だからだ。夢の中で納得した雅子は、伸樹の小さな手を振り払い、必死に何か言い訳をしている。すると、父は棒のような痩せた足でこちらに向かって歩いてきた。その顔は青黒く虚ろで、死んだ時の顔と同じだった。

「雅子。死なせてくれ」

声が今度は耳元で聞こえ、雅子ははっとして目を開けた。

口が利けなくなり食物も一切取れなくなった父は、末期に苦しみのあまり、その言葉だけははっきりと雅子に向かって言い放ったのだった。今まで記憶の彼方に消し去っていた声音が耳元で蘇ったことで、雅子は幽霊に会ったように恐ろしさに震えていた。

「おい、雅子」

良樹がベッドの枕元に立っていた。良樹は雅子が寝ている時は滅多に寝室に入ることはない。まだ悪夢から醒めやらない雅子は、いるはずのない良樹の顔を見てぼんやりした。

「ちょっと起きてこれ読んでみろ。きみの知り合いじゃないのか」

良樹は手にしていた朝刊の記事を示した。慌てて半身を起こし、良樹の差し出す新聞の三面トップに「公園のバラバラ死体　武蔵村山の会社員」とあった。雅子が予想していた通り、昨日の夜には身元が判明したらしい。活字になると現実感が失せる。雅子はそれを奇妙に感じながら記事を読んだ。

「妻の弥生さんは、健司さんが行方不明になった当夜は近所の工場にパートに出ており留守だった。捜査当局は山本さんが会社を出た後の足取りを捜査している」とあり、詳しいことは一行も書いてない。死体がビニール袋に詰められ、バラバラで捨てられていたということで、全体の調子は猟奇的興味に注がれていた。

「な、そうだろう?」

「確かにそうだけど、どうして知ってるの」

「たまに電話がかかってくるじゃないか、工場の山本ですって。それに、夜、近所の工場にパートに出るって、この辺りじゃ、あの夜勤しかない」

まさか、あの晩の救いを求める電話を聞いたのではないだろうか。雅子は思わず良樹の目を見た。良樹は興奮していることを恥じて目を背けた。

「早く知っておいたほうがいいと思って」

「ありがとう」

「いったいどうしたんだろう。恨まれたのかな」

「そういう人じゃなかったと思うけど、どうしたのかしらね」

「山本さんと仲がいいんだろう？　行ってやらなくていいのか」

良樹は騒がない雅子を不思議そうに眺めた。

「そうね」

曖昧に返事をしてベッドの上に置かれた新聞を読む振りをしていると、それ以上何も言わない雅子に不審の念を抱いたらしい良樹は、寝室に置いてある洋服ダンスを開けてスーツを取り出した。土曜休みなのに、仕事に行くのだろうか。雅子は慌てて起き上がり、パジャマ姿のまま寝具を整えた。

「なあ、行かなくていいのか」良樹は背を向けて、もう一度言った。「警察が来たりマスコミが来たり、大変なんじゃないか。可哀相に」

「だから、余計なことしないほうがいいんじゃないかな」

雅子が答えると、良樹は黙ってTシャツを脱いだ。雅子は良樹の後ろ姿を眺めた。筋肉が落ち、全体的に殺《そ》げた印象の体つきになった。感情も肉体も悟った老人風になっていく。良樹は背後にある雅子の視線を意識したのか、体を固くした。

良樹と睦み合っていた頃の記憶が薄れてきたのは、触れ合うことをやめたからではなく、二人とも違う扉を開けてそこに移動したからだ。今は互いにこの家での役割を果たしているだけだった。男や女ではなく、父親や母親でもなく、会社に出勤したり家事をしたり、やらねばならない仕事を忠実にこなしているだけなのだった。自分たちはゆっくりと毀《こわ》れてきているのだと雅子は思う。良樹は素肌に直接シャツを着て、振り向いた。

「電話くらいしてやれよ。きみは冷たい」

雅子はその言葉を嚙みしめた。この事件にあまりに近く関わっているため、当たり前の付き合いの範疇《はんちゆう》すらわからなくなっているのかもしれない。常識を忘れるのは、危険だった。

「電話してみるわ」

しぶしぶ答える。良樹は何かを宣告するように雅子の顔を正面から見た。

「自分に関係ないと思うと、きみはすぐに断ち切ろうとする」

「そんなつもりはないけど」

雅子は良樹を見上げた。良樹が雅子の最近の態度を糾弾していることに気付いたからだ。弥生の事件以来、自分が変わったことを良樹も感じとっている。

「よけいなこと言ったな」

良樹は苦さを味わったと顔を歪め、雅子を見た。二人は冷えたものを抱えて、互いの顔にもそれがあることを確かめ合う。雅子は視線を落とすと、ベッドカバーをかけた。良樹がタイを結びながら言った。

「さっき、うなされてたぞ」

雅子はそのタイがスーツと合わない色だと思いつつ、静かに答えた。

「嫌な夢を見てたのよ」

「どんな夢だ」

「死んだ父が出てきて、あれこれ言う夢」

ふうん、と唸《うな》ったきり黙り、良樹はパンツのポケットに定期券や財布を入れている。良樹と死んだ雅子の父親は仲が良かった。だが、良樹が夢の内容を聞こうとしないことが、雅子の心を開ける術《すべ》を放棄したと思えてならなかった。最早、開ける必要も感じなくなったのかもしれない。自分もそうなのだろうか。雅子は時間をかけてカバーの裾を折り込みながら、自分たち夫婦の失われたものを考えている。


良樹が出かけた後、雅子は山本家に電話をしてみた。

「山本でございますが」

またかとうんざりし、くたびれ果てたと思われる声が出た。弥生に似ているが違う。もう少し年輩で訛《なまり》があった。

「香取と申します。弥生さんは？」

「今、薬を飲んで眠っています。そちら様は？」

「工場でご一緒している者ですが、新聞を読んで心配になって」

「それはどうも。何しろ出来事が出来事ですから動転してまして。昨夜から寝込んでおります」

散々言い慣れた様子だった。朝から何本の電話があったのだろう。親戚、健司の仕事関係、弥生の友人、近所、それにマスコミ。留守番電話のテープのように同じ言葉を繰り返しているに違いない。

「弥生さんのお母様ですか」

「そうです」

不用意なことを喋るまいと思っているのか、母親は素《そ》っ気《け》なく答えた。

「大変ですね。皆心配してますから、どうぞお大事に」

電話のことは記録に残るだろう。これでいいのだ、と雅子は思った。電話をしないほうが不自然だ。あとは、ばれないようにできるだけのことをするしかない。

電話をかけ終わったと同時に、伸樹が起きてきた。口を利かずに勝手に朝食をとり、仕事なのか遊びなのかさっさと出かけて行ってしまった。一人になった雅子は、テレビをつけてあちこちのニュースを漁《あさ》った。が、どの局も同じことの繰り返しで、それ以上の進展はなかった。

声を潜めたヨシエから電話がかかってきた。休日の雅子と違い、夜勤から帰って家の仕事を済ませ、姑が寝入ったところを見計らって電話をしてきたらしい。

「やっぱり、あんたの言った通りになったね。今、テレビをつけてびっくりしたよ」

その口調は沈んでいる。

「うん。もうじき工場にも警察が来るかもしれない」

「あたしたちの捨てたゴミは大丈夫かな」

「たぶん」と雅子は答える。

「ねえ、警察には何て言えばいいの」

「あの夜以来、山ちゃんは来てないから何も知らない、と言えばいいんだよ」

「そうだね。それでいいよ」

ヨシエは同じことを何度も繰り返し訊ねては、いつものように自分に言い聞かせているらしい。そんなことでいちいち電話してくるな、と雅子は苛立つ。

ヨシエの電話口からは子供のむずかる声が聞こえてきた。雅子は今朝見た夢を思い出した。ジーパンの裾を引く仲樹の力加減がリアルな感じで蘇った。たぶん、ヨシエの孫を見たからだろうと得心がいく。こうして悪夢の構造がひとつひとつ解析されれば恐怖とは無縁になるはずだった。

「だけどさ」

「ともかく、今夜」

まだ心配そうなヨシエの声を断ち切り、雅子は電話を置いた。邦子からは電話はかかってこない。だが、あれだけ脅してやれば、気の小さい邦子のことだから、しばらくはおとなしくしているに違いない。

雅子は洗濯を始めながら、昨夜久しぶりに会った十文字のことを思い浮かべていた。どうせ荒稼ぎして数年で潰すような金融をやっているのだろう。邦子の借金がどうなろうと雅子の知ったことではないが、万が一、十文字が新聞を読んで、弥生の名前と邦子の保証人の名前を一致させればまずいことになる。

十文字はどんな男だっただろうか。雅子は勤めていた頃の記憶を心の奥底から取り出した。思い出したくないことばかりだった。

雅子は充分水の溜まった洗濯槽の中に洗剤を溶かし入れた。渦を巻いた水に白い粉が溶けて小さな泡が生まれる。それを見ながら、雅子はゆっくりと心の封印を解いていった。

勤め先の記憶は、いつも新年会のお燗番《かんばん》から始まる。

雅子が高校を出てから二十二年も勤めた、T信用金庫の恒例の新年会である。T信金では、仕事始めの前日に、取引先や融資元の農協のお偉方を招待して宴会を催すのを常としていた。その日は、女子社員は振り袖を着て出勤することを義務づけられる。が、それは入社して数年の若い女子社員に限られていた。

ほかの女子社員は、簡単なつまみを作ったり、グラスを洗ったり、給湯室でお燗番をしたり、裏方にまわされる。ビール運びや会場の設営など、力仕事は男性社員が担当していたが、女子社員は朝から晩まで忙しかった。準備と後片付けに追われるからだ。しかも、十二月三十日のご用納めから一月四日の仕事始めまでの期間が正式の休暇なのに、新年会のために休みが一日減ることになる。その出勤は義務づけられているのに、宴会だからといって出勤扱いにはならないのだった。

いつの間にか、女子社員の中で一番の年上になった雅子は、ある時期からお燗番ばかりやらされるようになった。人前に出るのが嫌いな雅子にはうってつけだったが、半日立ちづめで狭い給湯室で燗ばかりつけていると、酒の匂いに酔って気分が悪くなった。しかも、酔った男性社員が女子社員を時々呼びにきては酌をさせるので手薄になる。ほとんど一人っきりで酒の番をしたり、グラスを洗っているのは、惨《みじ》めを通り越して滑稽《こっけい》だった。ひどい年は、酔った社員が吐いた物まで始末させられた。それを見て、あまりの理不尽さに絶望して辞めていった女子社員が大勢いる。

しかし、新年会などは一年に一度しかないのだから気にしてはいられなかった。何よりも雅子が憤りを感じたのは、毎日努力しているのに、何年経っても役職にも就けないし、融資事務という入社した時とまったく同じ仕事をさせられていることだった。朝八時に早出して毎日九時近くまで残業しても、雅子の仕事の内容は、十年一日変わらない。どんなに仕事に励んでも、融資決定など重要な仕事は男性社員がやり、雅子にはその補助の仕事しか与えられないのだ。

同期の男性社員は皆、研修を積んで十年ほどで係長になり、雅子をどんどん追い越していく。後輩の男たちもいつしか自分の上司になるようになった。

ある日、雅子は同い年の男性社員の給与明細を見て頭に血が昇った。年収が自分より二百万近くも多かったのだ。二十年働いた雅子の給与は、年間四百六十万円。

悩んだ挙げ句、雅子は同期だった課長に直談判《じかだんぱん》に行った。自分も男性社員と同じ仕事をしたいし、努力するから役職にも就けるようにしてもらいたい、と。

翌日から露骨な嫌がらせが始まった。まず、話が歪曲《わいきょく》されて伝わったのか、女子社員たちが一斉に冷たくなった。抜け駆けを画策している、と噂が立ったらしい。毎月定例の女子社員の食事会にも呼ばれなくなり、雅子は完全に孤立した。

男性社員たちは、来客があると雅子にばかり茶の用意をさせるようになった。コピー取りも多くなった。自然、雅子は自分の仕事をする時間がなくなって残業が増える。すると、仕事の要領が悪いと査定に響いた。査定が悪いなら役職は無理だ、という論法で難癖《なんくせ》をつけるのだった。

　雅子は耐えていた。遅くまで残業し、やり残した仕事は家に持って帰った。小学生だった伸樹は情緒不安定になり、良樹もそんな会社は辞めろ、と怒る。会社と家族との間をピンポン玉のように往復する毎日なのに、そのどちらもが雅子を孤独に追いやる。雅子の逃げ込む場所はどこにもなかった。

　そんな時、事件が起きた。融資の焦げ付きを巡って、雅子が上司のミスを指摘した時に、いきなり殴られたのだ。上司といっても、雅子より年若で実力もない男だった。

「ババアは黙ってろ」

　残業中のことだったので騒ぎにはならなかったが、雅子の心の奥底で目に見えない深い傷がはっきりと刻まれた。男であることがそんなに偉いことか。大学を出ればそれでよいのか。自分の経験も向上心も、この職場で持つことは許されないのか。これまでに転職も考えなかった訳ではない。しかし、雅子は金融の仕事が好きだったのだ。だが、これまでかもしれない、という絶望感が生まれていた。

　殴打事件が起きたのは、バブルの最盛期だった。信金中が熱に浮かされたように融資に走り、客と見れば碌な審査もせずに金を貸した時期だ。雅子が危ういと思った客にまで貸し、バブルが崩壊するとそれは不良債権の山となった。地価が低迷しているために担保価値が下がり、競売物件ばかり増えていく。しかし、競売自体が追いつかないため不良債権を回収できない。

そのうち資金繰りがうまくいかなくなり、とうとうT信金の経営に農協系の大きな信金が介入してくることになった。あっという間の出来事だった。やがて合併吸収の噂が駆け巡り、リストラが囁かれた。一番年上の女子社員は自分しかいない。しかも煙たがられている。雅子はリストラされるのは自分だろうと覚悟した。案の定、真っ先に人事部に呼ばれた。

「小田原支店に転勤してもらいたい」

伸樹が高校受験の前年だった。小田原に行くなら単身赴任になる。それはできない、と断ると、ならば退職してくれと当然の帰結になった。負けたとは思わなかったが、その後の話が辛かった。雅子が辞めると聞いて、社内で拍手が起きたというのだ。

十文字が信金に出入りしていたのは、バブルが弾《はじ》けて、ぽつぽつと不良債権化が始まった頃だ。逃げまわっている客を厳しく追い込むために、信金も十文字のような男を使っていたのだ。

好景気の時は儲けに走って鷹揚《おうよう》に金を貸し、自分の尻に火がつくと体裁を構わなくなる。そんな弱小金融の悲哀を、雅子はすでに内部から醒めた目で見つめていた。十文字自身も取り立て業務に携わりながら同じことを感じてはいなかっただろうか。個人的な話をしたことはないが、横柄な社員の言動に愛想笑いしつつも、その目は凄《すご》んでいたと思う。

気付くと、洗濯が終了したというブザーが鳴っていた。考えに沈むあまり、洗濯物はまだ一枚も入れてなかった。

洗剤を溶かした渦《うず》が勝手にまわり、排水し、給水し、脱水し……。まるであの時の自分と同じではないか。空まわりだ。雅子は笑った。

4

十文字は腕枕をした側の腕が痺れているのに気付いて目を覚ました。

思わず女の細い首から腕を引き抜いて指を屈伸させる。邪険に頭を転がされた女が目を開けた。細い眉がほとんど消えかかり、子供のような、老けた中年女のような不思議な顔をしている。

「どうしたの」

枕元の時計を見た。午前八時。そろそろ起きなくてはならない時間だった。薄いカーテンからはすでに夏の陽射しで温められている熱が、じわじわと狭い部屋を浸食《しんしょく》しはじめていた。

「おい、起きるぞ」

「やだよ」女は十文字の体にしがみついてきた。

「お前、学校あるんだろ」

女は確かまだ高校一年生のはずだ。女というよりも少女と言ったほうが適切だ。が、十文字は少女にしか欲情しないから女には違いない。

「いいよ、土曜だからさぼる」

「俺はそうはいかない。起きろよ」

「ちえっ」

少女は舌打ちしながら、大きなあくびをした。覗けた口の中の肉がピンク色で、すべてが白とピンクで構成された、幼いが綺麗な肢体《したい》だった。十文字は名残惜しげに眺めた後、起き上がって冷房のスイッチを入れた。埃臭い風が十文字の顔をなぶる。

「おい、飯つくれ」

「やだよ」

「馬鹿。女なら飯つくって食わせろ」

「あたしつくれないもん」

「馬鹿。威張るなよ」

「馬鹿馬鹿言わないでよ。むかつく」少女はふくれっ面をして十文字の煙草をくわえた。

「嫌だね、おじさんてすぐそういうこと言うんだよ」

「俺、まだ三十一だよ」

むきになると、少女が蓮っぱな顔で笑った。

「十分、オヤジだよ」

「じゃ、お前の親父はいくつだよ」

自分では若いつもりの十文字は本気で怒っている。

「四十一かな」

「俺と十歳しか違わないのか」

急に老けた気分になって、十文字はアパートの玄関脇にあるユニットバスのトイレに入って放尿した。洗面をついでに済ませ、湯でも沸かしてあるかと期待しながらドアを開けたら、少女は金茶に染めた長い髪だけをアッパーシーツからはみ出させて寝ていた。十文字はかっとした。

「こら、起きろ。ここから出てけ」

「ちぇっ。ばーか、たーこ！」

少女は太めの足で何回か空を蹴った。ふと、十文字は訊ねた。

「おまえ、お袋いくつだよ」

「四十三。うち年上妻なんだよ」

「へえ。でも、女は三十までだぜ」

「ひってえ。うちの母親若いよ。まだ綺麗だよ」

少女はむっとして言い返した。年上の女になどまったく興味のない十文字は復讐を果たしたような気になって笑う。自分が子供っぽいとは思わなかった。まだむかついた顔をしている少女を相手にせず、十文字は煙草をくわえて朝刊を取ってきた。

ベッドにどっかと腰を下ろすと、少女が腕組みしたまま、非難するようにちらと横目で十文字を見た。その目つきはひどく大人っぽく、十文字の苦手な年輩の女たちを思わせた。この女が年をとるとどんな顔になるんだろうか。その母親の顔を想像し、十文字は少女の顎を指先で摘んで顔を上げさせ、じっと前から横から眺めた。

「何だよー。気持ちわりいな」

「いいじゃねえか」

「やめてよ。何見てんだよ」

「いや、おまえも年とるんだなって思ってさ」

「当たり前じゃん」と少女は十文字の手を振り払った。「あーあ、朝から嫌なこと言うなよな。暗くなるじゃん」

四十三歳といえば、昨日久しぶりに会った香取雅子もそんな年頃ではないか。相変わらず痩せてて、ますます怖いババアになっている。十文字の中で香取雅子の印象は強かった。

香取雅子は田無市にあったT信用金庫の社員だった。過去形なのは、T信金がバブル時の不動産取得ローンの焦げ付きを回収しきれず大手信金に吸収合併されたからだ。そのT信金の膨大《ぼうだい》な不良債権の取り立て業務に、保証会社の下請け社員をしていた十文字が加わっていたので、融資事務を引き受けていた雅子のことはよく覚えていた。

雅子はいつも、クリーニングしたばかりという感じの灰色の制服を端正に着て、オンラインの端末の前に座っていた。ほかの女子社員のように派手な化粧をすることもなく、愛想を振りまくこともなく、黙々と単調な仕事をこなしていた。地味で近寄りがたい女だったが、保証会社の男たちは皆、彼女に一目置いていたはずだ。確かに、その指示は適切で、誰よりも冷静だった。

信金の内部事情など当時の十文字には何の興味もなかったことだが、勤続二十年のベテランの雅子を煙たがる空気があちこちにあったという噂は聞いたことがある。だから真っ先にリストラされたのだとも聞いていた。だが、それだけではないことを十文字は自身の本能的な勘で悟っていた。

雅子の周囲には常に誰も近づけないバリアのようなものが張り巡らされていた。それは、たった一人で世界のすべてと闘っている「印」のようなものだ。部外者でヤクザまがいの自分がそれを感じとれるのは何の不思議もない。類は友を呼ぶだ。たぶん、イジメというのは「印」を持てない人間が引き起こすのだ。

だが、その香取雅子がなんだってあんな不良債権の女と付き合っているのだろう。十文字はそのほうが不思議だった。


「ねえ、腹減ったあ。マクドでも行こうよ」

女の声に十文字は考えを中断され、読むのを忘れていた朝刊を広げた。

「ちょっと待てよ」

「新聞なんてそっちで読めばいいじゃん」

「うるせえな」

まとわりつく少女の腕を払いながら十文字はトップ記事に引きつけられていた。いきなり「武蔵村山」という文字が目に入ったからだ。バラバラ殺人事件についての記事だった。「妻の弥生さん」という記述に十文字の目が止まった。どこか聞き覚えのある名前だった。

《あの保証人の名前ではないか》

これから詳しく調べ上げようと思っていた矢先に、雅子に保証人契約書を奪われてしまったので、うろ覚えだった。確かそんな名前ではなかったか。一緒に新聞を覗き込んでいた少女が声を上げた。

「げー！　あたし、ついこないだK公園行ったばっかだよ。気持ち悪いなあ」興奮して、新聞を奪おうとする。「あのさあ、あそこでスケボーやってる奴がいて、見に来いってしつこくて」

「うるせえな。黙ってろよ」

十文字は乱暴に新聞をひったくって、もう一度最初から真剣に読み始めた。邦子が弁当工場で夜勤をしているという話を思い出したのだ。ということは、この山本弥生という妻が働いている工場というのはそこに違いない。やはり、あの保証人だ、間違いはない。二人は同僚なのだ。それにしても、あの不良債権の邦子が頼んだ保証人の夫がバラバラ殺人の犠牲者とは、いったいどういうことだ。あまりにできすぎた話ではないか。

香取雅子が必死に契約書を奪い返しに来たのは、弥生の身の上に何が起きたのかわかっていたということになる。みすみす手渡した自分が悔やまれてならない。

「畜生」

しかし、待てよ。十文字はもう一度記事を読んだ。火曜の夜から家には帰っていなかったことから、その日に殺害されすぐにバラバラにされたのではないかと捜査当局は見ている、とある。とすれば、香取雅子が行方不明の夫を案じる弥生の立場を心配して、契約書を取り返しに来ても何の不思議はないのだ。それはそれでいい。それなら、どうして邦子は面倒を抱えている弥生などに保証人を頼んだのだ。なぜ弥生は保証人になるのを承知したのだ。夫が行方不明になったら心痛でそれどころではないだろう。

そして、香取雅子は二人の間で何をしているのだ。あのババアは他人のために安っぽい同情なんかしないタイプのはずだ。十文字の頭に疑問が渦巻いた。

もっと調べてみよう、十文字は新聞を閉じて乱暴に埃だらけのカーペットの上に置いた。十文字の様子に恐れをなしたのか、それまで黙り込んでいた少女がおずおずと新聞に手を伸ばし、テレビ欄を眺めはじめた。それをぼんやりと見遣りながら十文字は大きく息を吸った。ここには金の匂いがする。十文字はわくわくした。

若い奴らは無人機で金を借りている時代だった。もう、街金も手詰まりで儲からない。「ミリオン消費者センター」など来年は潰れるだろうから、今度は紹介屋でもやるしかないと思っていた矢先に転がり込んできた大事件だった。目の前に本物の札束があるかのように、十文字はもう一度深呼吸した。

「ねえ、腹減ったよ。どっか行こうよ」

少女が口を尖らせた。

「よし、行こうか」

上機嫌になった十文字はそう答えて少女を驚かせた。

5

弥生は人々の同情と疑惑の最中《さなか》にいた。さながらテニスボールのように、ふたつの濃い感情の間をやりとりされていた。そして、本人はというと、どう振る舞っていいかわからず、困惑しきっていた。

武蔵大和署生活安全課課長、井口の示していた同情は、その夜、死体の掌紋と健司のものが一致した時点から、転調するように弥生に対する疑惑に移行したらしい。

「K公園のバラバラ死体は掌紋からご主人と断定されました。死体損壊《そんかい》・遺棄《いき》容疑に切り替わって、これからは捜査一課と本庁一課が担当します。重大事件ということで、武蔵大和署に捜査本部が設置されましたので、奥さんもご協力お願いします」

署に来るようにと言っていたにもかかわらず、再び玄関先に現れた井口の小さな目には、庭の三輪車を眺めていた時の穏やかさは微塵《みじん》もなく、弥生を凍りつかせるに充分だった。しかし、それはまだほんの序の口だった。

午後十時過ぎ、武蔵大和署の一課と本庁一課から、井口とは明らかに種類の違う目つきをした刑事が二人到着した。

「本庁の衣笠《きぬがさ》です」

と名乗って、黒革の警察手帳を見せた刑事は四十代後半。色褪せた黒いラコステのポロシャツにチノパンという若作りの格好をしているが、短軀猪首《たんくいくび》で角刈りという一見暴力団員とも見紛《みまが》うような風貌をしていた。弥生には本庁が何かも、一課が何をするところなのかもわからなかった。ただ、そんな凶暴そうな男と対峙《たいじ》しているだけで、胴震いが止まらない。

もう一人の細身で顎がない地元の刑事のほうは、「今井です」とだけ言った。今井のほうが若く、明らかに衣笠に遠慮して万事控えにまわっていることだけはわかった。

二人は家に入ると同時に、心配そうに娘の側に立ちすくむ弥生の父親に子供たちを連れ外してほしいと頼んだ。弥生の両親は、夕方の弥生からの電話に仰天して、甲府《こうふ》からすぐさま車で駆けつけたのだった。眠いとむずかる下の息子と緊張でこわばった長男とを連れて、両親は出かけて行った。娘が疑われているという想像はまったくなかったに違いない。彼らにとっては、信じられない災難だった。

「奥さん、お取り込み中申し訳ないですが、ちょっと聞きますよ」

今井が口火を切った。二人がリビングルームに入って来ると、天井が重く低く感じられ、弥生は溜息をついた。健司というといつも機嫌の悪い男がようやくいなくなり、親子三人ほっとして暮らしているところだったのに。弥生は二人の男たちに圧迫されるような胸苦しさを覚えた。

「はい」

消え入るような声で弥生が答えると、衣笠は口を噤《つぐ》んだまま無遠慮に弥生の全身をじろじろと眺めた。こんな男に恫喝されれば、たちまち喋ってしまうかもしれない。弥生が反射的に身をすくめると、衣笠がヤニ臭い息で喋った。その声音《こわね》は案外優しくて甲高く、弥生は拍子抜けした。

「奥さん。協力してくれれば犯人すぐ捕まりますからね」

「はい」

衣笠は厚い唇を舐《な》め、弥生の目を見た。なぜ泣かないのだろうと訝《いぶか》っているのかもしれない。弥生はまた迷った。しかし、涙の源は涸《か》れてしまっている。

「あの晩のことだけど。奥さんは旦那さんが帰って来ないのに勤めに行ったそうだね。よくお子さんを置いて行けたね。火事とか地震とか心配じゃないですかね」

衣笠は狡猾《こうかつ》とも見える細い目をさらに細めた。それが衣笠の笑いの表情なのだと気付いたのはかなり後だった。

「いつも」

いつもそうだから慣れているとはいえ心配でした、と答えそうになった弥生は口籠《くちご》もった。いつもそうだと言ってしまえば、不仲がばれてしまうではないか。弥生は慌てて言い直した。

「いつもは帰って来てくれますけど、その日に限って遅かったので心配しながら出かけました。でも、帰って来たらいなかったので呆然としました」

「呆然としたの、そう。それはどうして」

衣笠はチノパンの尻ポケットから茶のビニール製の手帳を取り出し、何やら書き込んだ。

「どうしてって」急に弥生は腹が立った。「刑事さんにはお子さんいらっしゃらないんですか」

「いますよ。上が大学で下の娘は高校。今井君は?」

「うちは上二人が小学生で下が幼稚園です」今井は律儀《りちぎ》に答える。

「だったらおわかりでしょうに。小さな子を二人も一晩置きっぱなしなんて。だから、私は最初怒ってました」

衣笠は何か書きつけた。今井は、完全に衣笠に牛耳《ぎゅうじ》られたという体《てい》で手帳を開き黙って聞いている。

「怒っていたというのはご主人に、だよね」

「当たり前じゃないですか。私が勤めに出るのを知ってるのに遅く帰るなんて」

遅く帰る、と健司に対するこれまでの憤怒が思わず飛び出た弥生は、口を滑らせたことに気付いて黙った。すぐに訂正する。

「帰らなかったんですよね」

そして肩を落とした。初めて、健司がもう二度と帰っては来ないのだということを思い知らされた感じだった。殺した癖に、と自分の中の何かがそっと囁いたが、弥生は無視した。

「そうね。で、そういうことはこれまでにもあったの」

「帰らないことですか」

「そう」

「ありません。たまに飲んで遅くなって、私の出勤時間に間に合わないってことはありました。でも勿論、急いで帰って来てくれました」

「男だから付き合いもあるしね。遅いこともあるわね」

　衣笠はしたり顔に頷く。

「ええ。それを思うと気の毒だなと思ってましたけど、あの人、優しい人ですから」

《嘘つき。嘘つき》

　弥生の心の中に反発するものがあった。あの人は急いで帰って来たことなんか一度もなかった。いつも、あたしが子供たちを置いていくのが心配でぎりぎりまで待ち、後ろ髪を引かれる思いで出勤しているのを知っていたのに、顔を合わせるのが嫌でわざと遅く帰ってきたのだ。ひどい男だ。本当にひどい。

「じゃ、初めて外泊したのに腹が立ったのはどうしてかな。普通、心配になるでしょう」

「一日くらいじゃ、遊んでるのかなと思います」

　弥生は小さな声で答えた。

「ご主人とは喧嘩なんかしなかったの」

「たまにはしました」

「どういうことで」

「つまらないことです」

「そうね、夫婦喧嘩ってだいたいつまんないことだよね。じゃ、その日のことをもう一度聞くけど。ええと、ご主人は朝、いつもと変わらず出勤したんだね」

「そうです」

「服装は」

「はい。普段通りです。夏のスーツに……」

答えた後、弥生はあの晩の健司がジャケットを着ていなかったことをふと思い出した。確か、帰宅した時は着ていなかったし、手にも持っていなかったはずだ。もしや家の中にまだあるのではないだろうか。あるいは酔って近所で落としてきたのかもしれない。今の今までまったく気が付かなかった。不安になると鳩尾がきりきりと痛みだし、息が詰まりそうになったが、弥生はかろうじて踏みとどまった。

「大丈夫？」と衣笠がまた目を細めた。いかつい見かけと違って、言葉遣いが優しいのがかえって鬱陶しかった。

「ええ、すみません。あれが最期の姿だったのかと思うと悲しくなって」

「別れって突然来ると辛いからね」衣笠は今井の顔をちらと振り返った。「私ら、こういう仕事してるからね。ほんと、見ているのもやり切れないですよ。なあ、今井君」

「そうですね」

二人とも弥生に同情しているかのごとく振る舞っているが、弥生が何かぼろを出すのを待っているのは明白だった。

悟られてはならない。一人で耐えなければならない。絶対に隠し通さなくてはならない。何度もシミュレーションし、肝《きも》に銘《めい》じていたはずだった。なのに、自分を胡散《うさん》臭く見る目に晒《さら》されると、弥生は鳩尾の痣までを透視されているように感じられて仕方がなかった。その辛さから服を脱いで、痣を人前に曝《さら》け出したいという欲望すら感じる。

自分は危うい。いつの間にか、弥生は必死に両手を握り合わせていた。まるで空気の中に目に見えない雑巾があって、それを絞っていれば「意志」というものが流れ出て自分を守ってくれるような気がしたのだ。「意志」とは、この場合、自由になりたい本能のための道具だった。

「すみません、取り乱して」

「いいの、いいの。みんなそうなんだから。気持ちはよくわかるから。奥さん、強いほうよ。ほかの人は皆泣き叫んで、ほとんど話できないから」

衣笠はそう慰めると、弥生の次の言葉を待った。

「あとは白いシャツと、紺の地模様の地味なネクタイをして」ようやく、弥生はあの晩の服装のことを冷静に話しはじめた。「黒の靴ですね」

「スーツの色は」

「明るいグレイです」

「灰色ね」と衣笠は手帳に書きつけた。「メーカーの名前、わからない？」

「メーカーっていうのかわかりませんけど、うちは三並っていう安いところでシャツも皆買ってます」

「靴もそこですか」

「いいえ。メーカーまではわかりませんけど、やはり近所の安い量販店で買ったと思います」

「どこですか」と今井。

「東京靴流通センターというところだと思います」

「下着類はどこ」と再び今井。

「それは私がスーパーで買ってます」

恥ずかしくなった弥生が伏し目になると、衣笠が今井を制した。

「ま、それはまた明日詳しくうかがいますよ。今、時間がないから」

今井は黙って引き下がったが、むっとしたらしい。

「ご主人は、朝何時に出勤なさるんですか」

「はい。午前七時四十五分の新宿行き急行で行きます、それはいつも同じです」

「で、それから一度も姿も見てないし、電話もかかってきてない、という訳ね」

「そうです」

悲しそうに弥生は目を押さえて答えた。衣笠は初めて気付いたように狭い家の中を見まわした。両親が慌てて持参した子供のための絵本や玩具が散乱していた。

「ところでお子さんたちはどうしたんだっけ」

「母たちが外に連れて行きました」

「そら大変だ」

自分から要請しておいて、衣笠が腕時計を見た。すでに午後十一時近い。

「近所のファミリーレストランにでもいると思います」

「そうか。じゃ、早くしましょうや」

「あの、ご主人の家や奥さんのご実家はどちらですか」今井が手帳から顔を上げて問うた。

「主人の家は群馬です。もうじき義母と義兄が着くと思います。私の実家は山梨です」

「ご主人の失踪についてはご存じだったんですね」

「いえ、それが」弥生は口籠もった。「まだ知らせてませんでした」

「それはどうして」衣笠が短い髪をごしごしと両手でしごきながら言った。

「どうしてって言われても。会社の方が男にはたまにあることだから、きっと帰って来るっておっしゃってくれましたから、騒ぎ立てるのはよくないかなと」

今井が不思議そうに手帳を眺めた。

「でも、奥さん。ご主人が帰って来なかった夜が火曜。つまり、水曜の早朝はいなかった。

なのに、水曜の夕方にはもう捜索願を出そうと電話してますよね。実際は木曜の午前受付ですが。届けは早かったのに、実家には知らせてはいなかったのはどうしてでしょう。普通、先に相談しませんか」

「はあ。結婚する時、双方の親に反対されたんで何となく疎遠なんです。それで」

「その理由を聞いてもいいかな」と衣笠。

「理由っていわれても、うちの両親が健司さんをあまり気に入ってなかったので、あちらのお母さんもつむじを曲げられたっていうか」

実際、健司の母親と弥生は不仲だった。ほとんど行き来がないといってもいい。今夜もどんなに取り乱してやって来るかと思うと気が気ではなかった。もしかすると、健司に対してこれほどまでに愛情が冷めたのも、あの母親の息子なら、という憎しみがどこかにあったのかもしれなかった。そんなことをぼんやり考えていると、衣笠に遮られた。

「どうしてあなたのご両親はご主人のことを気に入らなかったの」

「さあ」弥生は首を傾げて躊躇した。「たぶん私が一人娘なんで、結婚を理想化していたんじゃないかと思います。言いにくいけど」

「そうね。奥さん美人だしね」

「いえ、そういうことじゃなくて」

「ん？　どういうことかな」

急に衣笠は父親めいた口調になった。さあ、言ってごらん、お父さんに何でも話してごらん、とでもいうように。弥生は段々不快になってきていた。ここまで聞かれるとは思わなかったからだ。よってたかって健司と弥生という夫婦を調べつくし、好きな像をこしらえて勝手に判断するのだろう。

「結婚前ですけど、主人はギャンブルが好きで、競馬とか競輪とか。いっときですけど借金があったらしいんです。それを両親が聞いて反対したんです。でも、私と付き合ってからは一切止めました」

ギャンブルと聞いて、二人がちらと目線を交わした。衣笠が勢い込んで聞いてきた。

「最近はどうなのかな」

弥生の中で、バカラのことを言ったほうがいいのかどうか迷いが生じた。あれを話すなと雅子に止められていなかっただろうか。思い出せなかった。バカラのことを話すと殴られたのがばれるようで怖い。弥生は押し黙った。

「いいのよ、言って。構わないから言ってごらん」

「あの」

「最近また始めたんでしょう。お宅のご主人」

「そうかもしれません。何かバカラとか言ってました」

はっとしたような空気が流れた。それを察して弥生は身をすくめたが、その言葉によって奇跡的に救われたということは、まだ気付いていなかった。

「バカラね。どこでやってたか知らないですか」

「新宿と言っていたような気がします」

弥生は消え入りそうに答えた。

「あ、そう。ありがとう。そこまで話してくれて本当にありがとう。ご主人殺した犯人は必ず挙げるから」

「あのう、主人に会えないのでしょうか」

事情聴取は終わりに近づいているらしい。弥生はおずおずと言ってみた。今井も衣笠も、そのことに触れないからだ。

「確認はご主人のお兄さんにお願いしようと思っていたんだけどね。あなたが会うのはちょっと無理かもしれないから」

衣笠はそう言いつつも、くたびれたポーチから紙袋を出した。そして、八つ切りのモノクロ写真を数枚取り出すと、トランプゲームのように弥生の目から隠して一枚だけ選び、テーブルの上に出した。

「どうしても会いたいなら、今はこれで我慢してちょうだい」

弥生はおそるおそる写真を手に取った。写っているものはビニール袋とぐちゃぐちゃの肉塊だった。その中にはっきりと健司の手の部分があった。指の先は赤黒く削られている。

「あっ！」

弥生が一瞬感じたのは、雅子たちに対する憎しみだった。こんなにするなんて。ひどすぎる。自分が殺して始末を頼んだのだから理不尽だというのはわかっていたが、いざ健司の肉塊を目にした途端、激しい憤りが湧いて来た。たちまち大量の涙が溢れ出て、弥生はテーブルの上に突っ伏した。

「すみませんね、奥さん」衣笠が肩を叩いて慰めた。「辛いでしょうけど頑張って。残された子供さんたちのためにも頑張って」

刑事たちは気丈だった弥生が泣きだしたので、ほっとした面持ちだった。数分後、弥生は顔を上げ、涙を手の甲で拭った。まさに混乱の極みにいた。邦子がここで言ったことは本当だったのだ。「あんたにはわかってない」。その通りだった。自分は健司がどこかに行ってしまったと思って楽をしていたのだ。

「大丈夫？」

「はい。すみません」

「明日、署のほうに来てもらうから」衣笠が立ち上がりながら言った。「さっきのこと、もうちょっと詳しく訊かせてもらうから」

弥生はぼんやりした頭で考えた。まだあるのか。まだあるのか。いつまで続くのだろう。すると、まだ腰かけてゆっくり手帳をおさらいしていた今井がやっと目を向けた。

「すみませんが、聞き忘れたのでもう一点だけお願いします」

「はい」

いくら拭っても涙は止まらなかった。弥生は涙をこぼしながら今井のほうを見た。今井は弥生の濡れた目を観察するように凝視した。

「翌日のことですが、工場からお帰りになったのは何時ですか。その日の行動を教えてください」

「五時半に作業が終わって、着替えて帰ってきたのが六時ちょっと前でした」

「作業の後は、すぐに帰られるのですか」

今井は冷静に訊ねた。

「ええ。いつもは」弥生は衝撃で靄《もや》のかかった頭で、言っていいことと悪いことをかろうじて選《よ》り分けながら答えた。「お茶を飲んだりお喋りして帰ることもあるんですけど、主人が帰ってなかったんで心配ですぐ帰りました」

「そうでしょうね」今井は頷いた。

「家に着いてから、二時間ほど仮眠してそれから子供たちを保育園に送っていきました」

「雨でしたね。車で？」

「いえ、うちは車がないし、私運転できませんから、自転車の前と後ろに乗せて、です」

また二人が目を合わせた。運転ができないことも弥生にとって有利だった。

「それから」

「はい、九時半頃に帰ってきまして、ゴミ置き場の前で近所の奥さんと立ち話をしました。その後、洗濯や片付けをして、十一時近くにまた寝みました。一時に主人の会社の方から電話をいただいてまだ来てないと言われましたので動転しました」

すらすらと答えているうちに、弥生はまた落ち着いてきた。そして、一瞬たりとも雅子を憎んだことを申し訳なく思うのだった。

「はい。どうも恐れ入ります」

今井は丁寧に礼をすると、手帳をぱたんと閉じた。衣笠は苛ついたように腕組みして待っている。

二人が玄関先で靴を履いている。見送りに出て、弥生は二人の疑惑が少しずつ同情に移行しつつあるのを膚《はだ》で感じとっていた。

「じゃ、明日また」

二人がドアを閉めて帰って行く。弥生は腕時計を見た。もうじき健司の母親と兄が到着するだろう。今度は愁嘆場を覚悟しなくてはならない。弥生はごくっと唾を飲んだ。しかし、それに対抗するにはこちらも泣けばいいのだ。弥生は刑事との会話から、いつしか身の処し方を学習していた。

もう困惑も混乱もしていない。しんとした家の中を見まわすと、いつの間にか健司の死んだ場所の真上に立っているのに気付き、弥生はぽんとジャンプした。

第四章　黒い幻

1

炎天らしい。

佐竹光義は腕組みをしたまま、アパートの二階の窓からブラインド越しに外を眺めている。太陽が当たって照り映える部分と、日陰の暗い部分。真夏の午後の街は、すべてこのふたつの色に塗り分けられていた。街路樹の輝く葉表と黒い葉裏。歩道を歩く人とその影。横断歩道の白線が溶けたように歪んで見える。佐竹は日光に熱せられたアスファルトを踏んだ時の、踵《かかと》がぬたりと沈み込む嫌な感触を思い出し、唾を飲んだ。

新宿西口の高層ビル群がすぐ近くにあった。ビルの側面で垂直に切り取られた真っ青な夏空には雲ひとつなく、白い閃光《せんこう》が満ちて正視に耐えない。佐竹は反射的に目を閉じたが、網《もう》膜《まく》には夏の残像が残っていてなかなか消えはしなかった。

佐竹は光が入らないように注意深くブラインドを閉じて、暗い部屋の中を振り返った。目がようやく慣れてくる。古畳を敷いた六畳間がふたつ、色褪せた襖《ふすま》によって仕切られている。エアコンでよく冷やされた薄暗い部屋の真ん中では、テレビがちかちかと青白い光を放っていた。テレビのほかに家具は見当たらない。玄関横に小さな台所はあるものの、ここで食事を作ることなど滅多にしないため、鍋も食器もない。外見を派手に装っている佐竹にしては、簡素で侘《わ》びしい住まいだ。

住まい同様、自室にいる時の佐竹の服装もまったく構わないものだった。白いシャツに膝の抜けた灰色のパンツ。これがありのままの姿だ。部屋を一歩踏み出した時の外の世界をいかに自分が意識し、店のオーナー佐竹光義という男を演じようとしているかがわかる。佐竹はシャツの袖をまくり上げ、水道の水で手と顔を洗った。水は生温かった。

佐竹はタオルで水分を拭き取ると、大型テレビの前に膝を折って正座した。吹き替えの古いアメリカ映画を放映していた。佐竹は当惑して短く刈った頭を何度も撫で、画面から目を背《そむ》けた。番組を見たいのではなかった。ただ、何の意味もない人工的な電光を浴びていたいだけなのだ。

佐竹は夏が嫌いだった。暑さが苦手なのではなく、都市の裏通りに満ちている真夏の気配を嫌悪している。父親の顎を砕くほどの激しさで殴り倒して家を飛び出したのも高校二年の夏休み中の出来事だったし、人生を変えたあの事件を起こしたのも、八月の、クーラーが唸り続けるマンションの一室だった。

排気ガスと人の熱気でうだるような街の空気に包まれていると、体の内側と外側の境目がわからなくなった。街の腐敗した空気が佐竹の毛穴から入り込んできて汚し、逆に佐竹の膨らんだ感情は体から這い出して街に流れ出す。東京の真夏には、卑しい街と一緒に自分が汚れていくような恐怖があった。だから、クーラーが熱風を路地に吐き出す夏に浸食される前に、夏そのものを遠ざけたほうがいいのだ。

そんな気分になったのも、梅雨が完全に明けて本格的な夏が始まったせいらしい。一刻も早く、この部屋から真夏の街を追い出してしまわなければならない。

佐竹は立ち上がった。隣の部屋に行き、窓を開ける。排気ガス臭い熱風と騒音が侵入してくるのを防ぐために、急いで雨戸を繰り出して閉める。奥の部屋はたちまち真っ暗になった。佐竹は安心して、変色した畳に腰を下ろした。

その部屋には洋服ダンスと、綺麗に折り畳まれた布団が一組置いてあった。布団の角はまるで三角定規でも入れてあるかのように、ぴんと直角に張っている。知っている人間なら、佐竹の部屋がまるで刑務所のようだと思うかもしれない。だが、勿論、刑務所にテレビはない。

受刑中の佐竹を苦しめたのは、殺した女の思い出だけではなかった。その狭い矩形《くけい》の空間も佐竹の心を苛《さいな》んだ。だから、自由の身になった今でも、コンクリートで密封された部屋は避けて、こんな古いアパートに住んでいる。そして、外界とを繋ぐ扉のようにテレビをつけっ放しにしているのはそのせいだった。

佐竹はテレビのある部屋にまた戻り、その前に正座した。こちらの部屋に雨戸はないから、ブラインドの隙間から光が漏れてくるのは仕方がない。佐竹はテレビの音声を消した。部屋の中は、近くを通る山手通りから聞こえてくる自動車の騒音と、低く響くクーラーの音だけになった。

佐竹は煙草に火をつけ、煙に顔を顰めて画面を見るともなしに眺めた。今度はワイドショーが始まっていた。男の司会者がしかつめらしい顔でフリップを片手に何か喋っている。先週郊外の公園で発見されたバラバラ事件の特集らしい。まったく関心のない佐竹は、押し寄せてくる外界のざわめきを避けるために両腕で頭を抱えた。すると、そんな佐竹の様子を見ていたかのように、脇に置いてあった携帯電話のコールが鳴った。

「はい、もしもし」

外界と佐竹とを繋ぐもうひとつの機器に、佐竹は躊躇しながら低い声で出た。封じ込めた過去を彷彿《ほうふつ》とさせる日は、外界と繋がりたくない一方で、気を紛らすために縋《すが》りたい気持ちもある。落ち着かない気分が佐竹を不機嫌にしていた。真夏の路地裏を嫌悪してはいても、佐竹は街にしか住めないのだった。

「おにいちゃん、あたし」

安娜からだった。佐竹は腕にはめたロレックスを眺める。午後一時ちょうど。そろそろルーティンの仕事が待っている。炎天の街に出たものかどうか、迷いながら佐竹は答える。

「どうした。美容院か」

「ううん。今日は暑いからプール行ってもいい？」

「プール？　これからか」

「そう。一緒に行こうよ」

佐竹の身内に、プールのカルキ臭い水の匂いとプールサイドのムスクオイルが香る乾いた風とが蘇った。佐竹が何としても避けたい種類の夏とは違っていたが、今日だけはご免だった。佐竹が夏に慣れるまではもう少し時間がかかる。

「もう遅いだろう。休みの日に行けばいい」

「だって日曜混んでるよ」

「仕方がないよ」

「行こうよ。泳ぎたくないの？　行きたいよ、安娜」

「わかった。連れて行くよ」

佐竹は覚悟を決めて言った。電話を切って、佐竹はもう一本煙草に火をつけた。顎を上げて目を細め、音声を消したテレビに見入る。

テレビでは、強張《こわば》った表情の被害者の妻らしい女が映し出されていた。洗いざらしたTシャツにジーンズという質素な服装で髪をひっつめ、ほとんど化粧もしていない。佐竹は女の顔を観察するように眺めた。思いもかけず、整った顔立ちの女だったからだ。いつもの癖で品定めをする。三十二、三歳といったところか。化粧を施せばまだ売れる顔だった。しかし、亭主が殺された割には落ち着いているな、とそんな益体《やくたい》もないことを考える。画面の下に何度も「被害者山本さんの妻」とテロップが出た。佐竹は山本という名前に何の痛痒《つうよう》も感慨もなかった。あの晩、山本という客を店から追い出して殴ったことなど、とうの昔に忘れていた。

そんなことより佐竹をうち沈ませているのは、このような夏の昼下がりの空気だった。当時も予感というものを感じたなら、あんな事件は起こさなかったのに。あの女に会わなければ、自分は違う人生を送っただろうに。その予感は、今、確実に佐竹の中に存在していた。

十五分後、佐竹はサングラスをかけ、足早に月極《つきぎめ》の立体駐車場に急いだ。遠くを走る車が、暑さで蜃気楼《しんきろう》のように歪んで見える。暗い部屋に馴染んだ佐竹の冷たい皮膚が、街の熱気と強烈な太陽の光にたちまち音を上げた。佐竹は額に噴き出した汗を手の甲で拭い、リフトから自分の車が降りてくるのを忍耐強く待った。ドアを開け、エンジンをかけると同時に冷房のスイッチを入れる。黒革のステアリングは、走りだしてもまだしばらくは手に熱かった。

安娜の気紛れには慣れている。今日は服を買いに行くことにした、美容院を変えたい、獣医を探してくれ。あらゆることに、安娜は佐竹を駆り出した。それが自分の愛情を試しているのだということを佐竹はわかっている。まるで子供だ。佐竹は運転しながら苦笑した。

インターホンを押すと、用意して待っていたらしく安娜がすぐにドアを開けた。つばの大きな黄色い帽子をかぶり、同色のサンドレスを着ている。安娜はもどかしそうに黒いエナメルのサンダルのストラップを留めて唇を尖らせた。

「もっと早く来なくちゃ駄目だよ」

「急だから仕方がないだろう」佐竹はドアを大きく開けた。安娜の部屋特有の、化粧品と犬臭い匂いが混じり合ったものが表に流れ出る。「で、どこに行きたいんだ」

「プールだってば」

安娜は、炎天が変わりないことを確かめるために開放廊下から大きく外に身を乗り出して空を見上げ、叫んだ。今にも走りだしそうに浮き浮きしている。佐竹の重い気持ちには気が付いていない。

「だから、どこにする。京王プラザか、ニューオータニか」

「ホテル高いよ。馬鹿みたい」

「じゃ、どこがいいんだ」

佐竹は歩きながら訊ねる。どうせ佐竹の財布から出る金なのに、締まり屋の安娜は浪費を許さない。

「区営プールでいいよ。二人で四百円だから」

区営なら安いが、混んでいて騒々しいだろう。しかし、佐竹はどうでもよかった。もとより炎天で過ごすことに耐えるつもりでいるのだから、安娜の気の済むようにと諦めてエレベーターに乗り込む。

プールは小学生のグループや、若い男女でいっぱいだった。緩やかな階段状テラスになったプールサイドのてっぺんに木陰がある。そのベンチに佐竹が座っていると、真っ赤な水着に着替えた安娜が更衣室から出て来て佐竹に手を振った。

「おにいちゃーん！」

佐竹は走って来る安娜の見事な肢体を眺めている。プールにいるには膚が白すぎる以外、まったく欠点のない女の体だった。胸と尻の位置が高く盛り上がり、足が長い。太股が肉で張り切って豊満なのに、全体にすっきりしている。

「泳がないの？」

安娜はカルキ臭い水の匂いを吸い込むように大きく深呼吸しながら聞いた。

「ここで安娜を見てるよ」

「どうして」安娜は佐竹の腕を引っ張った。「行こうよ、行こうよ」

「俺はいいよ。早く泳いで来いよ。あと一、二時間で帰るから」

「そんなに短いの」

「最初からその約束だよ。美容院に行く時間が必要だろ」

安娜は拗《す》ねた仕草をしてみせたが、気をとり直したらしく駆け出した。プールに入ろうとして、途中、転がったビーチボールを拾い上げ、そのまま小学生らしい女児の群と一緒にビーチボールで遊び始める。可愛い女だ。佐竹は微笑んだ。安娜のような素直な女は可愛がってやって、ただ一緒にいるだけでいい。佐竹は安娜といると和《なご》む自分を否定できない。しかし、安娜には、突然やって来た真夏が佐竹にもたらした過去の心のざわめきを鎮めることはできない。佐竹はサングラスに隠された目を閉じた。

しばらくして目を開けると、プールサイドで遊んでいた安娜の姿はなかった。水の跳ねる音と子供の悲鳴とで喧噪に満ちている五十メートルプールの中から、白い腕がこちらに向かって大きく振られた。佐竹が自分を確認したことを認めて、安娜は下手なクロールで縦に泳ぎだす。その不器用な泳ぎっぷりをしばらく追っていると、飛び込み台のところにいた若い男が泳ぎ着いた安娜に話しかけているのが見えた。

安娜が佐竹のいる場所に戻ってきた。全身から滴を垂らし、濡れた黒髪を束ねて振り返る。先ほどの若い男がこちらを見ている。長い髪を後ろで結い、片耳にピアスをしている。

「安娜を見ているよ」

「うん。さっき話しかけられた」

「何してる奴だ」

「バンドマンとか言ってた」

安娜はさして関心なさそうに答え、佐竹の反応を窺うように視線をこちらに向けた。佐竹は安娜の腕から足から、皮脂で転がる水滴の玉を眺めている。その若さと美しさを、ただ感じとっている。

「一緒に泳いで来ればいい。まだ時間あるよ」

「何で」

安娜は失望して佐竹の顔を見た。

「だって、ナンパされたんだろ」

「おにいちゃん、怒らないの」

「怒らないよ。仕事さえ来れば」

「あ、そう」

安娜は子供の天真爛漫《てんしんらんまん》さをどこかに隠してしまった。バスタオルを投げ捨て、プールサイドに腰を下ろして所在なげに空を仰いでいる男のところに走って行った。男はあからさまに喜び、佐竹の真意を確かめるように振り返る。

帰途、安娜は口を利かなかった。

「おい、安娜」と佐竹は話しかけた。「美容院寄るからな」

「うん、でも迎えはいいよ」

「どうして」

「一人でタクシーで帰るから」

「そうか。じゃ、そうしてくれ。俺もシャワーを浴びてから店に顔出すから」

安娜を行きつけの美容院で降ろし、佐竹は山手通りを走りだした。太陽が少し傾き、西陽が真っ向から目を射る。夏の夕暮れは、あることを佐竹に思い起こさせた。その思い出は自分でもたじろぐほど強烈だった。佐竹は部屋で持て余していた熱を身内に蘇らせ、長い影を歩道に落としはじめた新宿の街を眺めた。また抑えられない苛立ちが戻ってきていた。


その夜、佐竹が「美香」に顔を出すと、佐竹を客と思ったのか、ホステスたちが一斉にこちらを見た。同じような作り笑いをしてから佐竹と知り、退屈そうな真顔に戻った。

「何だ、夏枯れか」

客の姿のない店内をぐるっと見渡して、佐竹はマネージャーの陳《ちん》に言った。

「これからですよ」

陳はたくし上げた白いワイシャツの袖を慌てて下ろしながら答えた。蝶タイが曲がっているし、黒いズボンは皺だらけだった。服装の乱れが気に入らない佐竹は、陳のタイを乱暴に引っ張った。

「おい、服装気をつけろ」

「すいません」

機嫌の悪い佐竹に、慌てた様子でママの麗華が厨房から出て来た。今日は黒いドレスで真珠のネックレスをしている。その葬式のような辛気《しんき》くさい装いに佐竹は顔をしかめる。

「佐竹さん、どうも。今日は暑いからイマイチね」

「イマイチはないだろう。営業の電話したのかい、麗さんよ。同伴は誰もいないのか。信じられないな」佐竹は店内を見まわし、花瓶の中の花が相変わらずしおたれているのにかっとした。「おい、花瓶!」

いつもは穏やかで、心中を覗かせないことで店の者に畏敬の念を感じさせている佐竹だったが、この夜ばかりは違った。佐竹の剣幕に驚いた陳が、慌てて手近にあるクリスタルの大きな花瓶に駆け寄った。中のトルコ桔梗《ききょう》は無惨にも全部、紫の花の首を折っている。ホステスたちは黙って花瓶と佐竹の両方を見つめている。麗華は佐竹の機嫌を取った。

「皆さん、これからですってよ」

「そんな言葉を信じて待っってても、タカビーでやってりゃ客は来ないよ。外出て、客引いて来いよ」

「そうしますよ」

麗華は愛想笑いをして答えたが、この暑さではすぐに動きそうもなかった。佐竹は怒りを抑えながら再び店内を見回した。何か足りないと思っていたら、安娜がいないことに気付いたのだ。

「おい、安娜はどうしたんだ」

「ああ、安娜ちゃんね。今日は休みです」

「どうして」

「プールで陽に当たりすぎて気分が悪くなったって、さっき電話ありました」

「しようがねえなあ。わかった。また後で様子見に来るから」

「わかりました」

ほっとして麗華が答える。同時に店内の雰囲気も緩む。佐竹は腹立ちを堪《こら》えて「美香」を出た。

たちまち歌舞伎町の夜の熱気が佐竹を包む。日が落ちても、まるで街全体が蒸し風呂に入っているかのように気温も湿度も下がらなかった。毛穴の開かない汚れた中年男みたいに内に熱が籠もって汗もかけない街。佐竹は大きな溜息をつき、いつもよりゆっくりとビルの外階段を上がった。店の綱紀《こうき》が緩みだしている。何とかしなければならない。

「ご苦労さん」

佐竹は「パルコ」のドアを押し、顔を見て駆けつけてきた国松を低い声で労《ねぎら》った。数人のサラリーマン客が遊んでいるのを見て安堵する。

「おはようございます。佐竹さん、今日は早いですね」

国松はそう言った後、はっとして佐竹の全身を見た。銀ねず色のジャケットに、早くも汗染みができているのだった。佐竹は国松の視線を感じて、ジャケットを脱いだ。黒のシルクシャツも濡れて筋肉質の硬い胸にへばりついている。

「ここ、暑いですか?」

国松が佐竹の脱いだジャケットを手にして、おそるおそる訊ねる。

「そんなことないよ。これでいい」

佐竹は息を吐きながら煙草を取り出した。出番を待って大バカラで練習しているディーラーの若い男が佐竹の濡れたシャツを見て顔を少ししかめた。佐竹はその目つきが気に入らなかった。

「あの新入り、何て名前だ」

「柳《やなぎ》です」

「客商売なんだから目つきに気を付けろって言っておけ」

「はい」

佐竹のいつにない不機嫌に、国松は距離を置いて身を引いた。佐竹は立ったまま煙草を一本吸い終わった。すぐにバニーの女が灰皿を取り替えに来る。佐竹は新しい灰皿をまた煙草の灰で汚しはじめた。従業員が遠巻きにして、客よりも気を遣って佐竹の動向をおどおどと眺めている。自分の店だというのに、どういう訳か身の置き所がなかった。こんなことは初めてだった。

「佐竹さん。ちょっといいですか」

国松がやって来た。

「何だ」

「事務所のほうに来てください」

タキシードを着た長身の国松について行き、店の奥にある小さな部屋に入る。そこは机や金庫が置いてあって、一応、国松のオフィスになっていた。

「これ、客の忘れ物なんですがね。どうしますか」

国松が灰色の背広のジャケットをロッカーから取り出した。奥には、先ほど脱いだばかりの佐竹自身の銀ねず色のジャケットがハンガーにかけられている。

「何だ、これ」佐竹は背広を手に取った。夏物のウールで、一目で安物とわかる。「取りに来ないのか」

「それがですね。ここ見てくださいよ」

国松は背広のネームを示した。「山本」と黄色い糸でミシン刺繍されていた。

「山本？　誰だ」

「忘れちゃったんですか。ほら、先週の初めに追い出した奴ですよ」

「ああ、あいつか」

佐竹は安娜につきまとっていた男を叩き出したことを思い出した。

「取りに来ないんですけど、どうしましょうかね」

「捨てちまえよ」

「いいですかね。あとで文句言われないですかね」

「来ねえよ。仮に来たって、ここにはそんなものなかったと言えばいい」

「はあ、わかりました」

国松は承伏しかねるというように小首を傾げたが、それ以上何も言わなかった。それから佐竹は国松と売り上げの相談をし、狭い事務所を出た。機嫌を取るように国松が後をついてくる。店にはいつの間にか風俗嬢らしき若い派手な女が二人、遊びに来ていた。日焼けサロンで焼いたその人工的な膚の色を見て、佐竹は安娜のことを連想した。

「安娜の様子見てくるから、また来るよ」

国松は何も言わずに軽く頭を下げたが、その顔にほっとした表情が浮かぶのを佐竹は見逃さなかった。麗華や「美香」のホステスたちも、「パルコ」の従業員も、本当は佐竹の過去を知っていて、内心は怯えているのではないかと感じるのはこういう瞬間だった。

懸命に自制し、注意深く封じ込めていた佐竹の黒い幻。他人がその輪郭を聞いたらさぞかし怖がることだろう。しかし、あの事件の真実は佐竹とあの女しか知らない。本当に佐竹が欲しているものは誰にもわからないのだ。それを二十六歳で知ってしまった佐竹は孤独を背負っている。


安娜の部屋はどこか様子が変だった。佐竹がインターホンを押してもなかなか応答がない。佐竹が部屋の前で携帯電話を取り出したところで、ようやく安娜の声がした。

「誰ですか」

「俺だよ」

「おにいちゃん？」

「ああ。大丈夫か。ちょっと顔見せてくれ」

「うん」

チェーンを外す音がしたので、佐竹は少し妙に思った。安娜はいつもチェーンをかけない。

「お店、休んでごめん」

安娜が顔を出した。ショートパンツにTシャツという姿で青白い顔をしている。佐竹は三和土《たたき》を見た。流行のスニーカーがあった。

「昼間の奴か」

佐竹の目線を追った安娜の顔色が変わる。が、黙りこくったままだ。

「男遊びしたっていいよ。だが、店は休むな。それから長く続けるな」

佐竹の言葉に、安娜は衝撃を受けたように後ずさり、佐竹を見上げた。

「おにいちゃん、何とも思わないの」

「ああ」

安娜の目にみるみる涙が溜まるのを見て、佐竹は面倒だと思った。安娜は仕事を離れても可愛いが、それは単に可愛がる対象を所有しているだけのことだ。安娜との関係は、佐竹を覆う皮膚のごとく、ごく表面にすぎなかった。

「ずる休みするなよ」

安娜がこのことで店を移るなどと言いだしたら困ると考えながら、佐竹はなるべく優しくドアを閉めた。

帰り道、佐竹はどうして今日は何もかもうまくいかないのかと苛立っていた。封印が解けかかっている危うさを感じる。佐竹は心の扉を閉ざし、厳重に鍵をかけた。

「美香」にはもう顔を出さずに、佐竹は再び「パルコ」に戻った。ドアを開けてくれた国松が訊ねた。

「どうでした、安娜さん。今日は休んでいるんでしょう」

「たいしたことないよ。明日は出勤するそうだ」

「そうですか。下はあれから繁盛《はんじょう》してるみたいですよ」

「そうかい」

それを聞いて安心した佐竹は、改めて「パルコ」の客を勘定しだした。全部で十五人。サラリーマンが半分、あとは明らかに水商売に携わっていると見られる男女が半々。このうちの半数は常連だった。まあまあの賑わいだ。佐竹は満足し、あとは安娜の機嫌をどう取り結ぶかだと考え込んだ。このことでほかの店に移るなどと言い出されたら困る。

冷静さを取り戻した佐竹が善後策を考えはじめたところだった。ドアが開き、二人の客が入って来た。柄物の半袖シャツを着た中年男だ。二人とも、何度か見かけたことのあるような顔をしているが思い出せなかった。サラリーマンか、自営か。しかし、目つきの鋭さが普通の客とは違っている。いつも、たちどころに客を値踏みする佐竹にしては珍しく、どんな種類の客なのかわかりかねた。

「いらっしゃいませ」

国松が愛想よく迎え、奥に案内している。そして、客に乞われるままにルールとゲーム方法を説明しはじめた。説明が終わると、それを黙って見ていたほうの男が懐《ふところ》から黒い手帳を見せ、静かな声で言った。

「警視庁保安課と新宿署の者です。このクラブの経営者はどなたですか。皆さん、動かないでください」

店中がしんと凍りついて動かなかった。国松だけが、してやられたというように下唇を噛み、ちらっと佐竹を見た。

《畜生、「つぶし」だ！》

朝から感じていた予感とはこれだったのか。見たような顔だと思ったのは、サツのツラだったからだ。佐竹は笑いだしたい気持ちを抑えるため、バカラのチップを手に取った。

2

取調室に新顔の刑事が入って来て自己紹介した時、佐竹は耳を疑った。

「本庁一課の衣笠だ」

「それ、どういうことですかね」

「どういうことかだって」衣笠は笑った。ごつい体軀で、いかにも刑事らしい抜け目ない目つきをした嫌な男だった。「ほかの事件との関連を聞きたいだけだよ」

「だから、ほかの事件って何ですか」

容疑は賭博場《とばくじょう》開帳図利《かいちょうとり》だけと思っていたのに、二週間も留置場に留め置かれ、さらに一課が出て来るとはどういうことだ。しかも本庁とは。内心驚いていたのは確かだが、この時点で、佐竹はまだ高をくくっていた。

「どうして一課が出てくるんですか。教えてくださいよ」

「バラバラ事件だよ」

衣笠は、色褪せて鹿子《かのこ》織りの繊維が白く浮き出て見える黒のポロシャツの胸で百円ライターを擦り上げた。そのライターでハイライトに火をつけるといかにも旨そうに煙を吸い込み、佐竹の表情を窺っている。

「バラバラって？」

「青くなりやがった」

佐竹は麗華に差し入れてもらった青いシャツを着ていた。色が気に入らなかったものの、シルクの黒シャツは汗まみれだったので、有り難く着ている。が、そのシャツを着ていると、顔色が悪く見えるのだ。佐竹は笑った。

「違いますよ」

「何が違うんだよ。笑いやがって嫌だね、こういう奴は。のらりくらりしやがってさ」

衣笠はうんざりしたように横にいる新宿署の刑事に向かって肩をすくめた。そちらは主導権を取られて苦笑いしている。

「ブタ箱に慣れてるから度胸が座ってるんでしょう」

「おい、ちょっと待てよ。どういうことなんだよ」

佐竹は慌てた。得体の知れない恐怖に襲われていた。

「つぶし」なんかじゃない。出る杭は打たれるとばかりに、儲かる賭場を狙い打ちされたと考えていた佐竹は愕然とした。ここで初めて、一課が仕組んだ手入れだということに気付かされたからだった。今、自分は何かとんでもない間違いに足下を掬《すく》われて倒されかけている。倒れたら最後、流砂に足を取られでもしたように起き上がるのは並大抵のことではないのはよくわかっていた。

「いいか、佐竹。察しが悪いじゃないの。お前のところに来ていた客で山本健司というのがいただろう。それがガイシャなんだよ。知ってるだろう」

「山本健司、知らないですよ」

佐竹は首を捻った。取調室の窓から西口の高層ビルが、そして垂直に切り取られた夏空が見えた。白い光が眩しい。佐竹は目を閉じた。この新宿署のすぐ近くに自分のアパートがある。その薄暗い部屋に早く逃げ込みたかった。

「じゃ、これは知ってるか」

手元にあった皺くちゃのデパートの紙袋から、衣笠は灰色のジャケットを取り出した。それを見て、佐竹は「あっ」と声を出した。手入れのあった晩、国松に訊かれて「捨てろ」と指示した服だった。

「知ってます。それは客の忘れ物で」

佐竹は息を呑んだ。あの山本という間抜けな客がバラバラ事件の被害者だったのか。そういえば新聞やテレビで山本という名前には見覚えがあった。これはまずいことになった。さすがに声が詰まる。刑事たちは意地悪な目で佐竹の様子を見つめている。

「この客がどうなったのか教えてくれよ。な、佐竹」

「知りません」佐竹は首を振った。

「知らないの？　ほんと？」

衣笠は女のような物言いで薄笑いを浮かべた。嫌な野郎だ。佐竹の頭に血が昇り、その芯が痺れかける。しかし、出所以来、自制のたがを外したことのない佐竹は耐えた。

「ほんとに知りませんよ」

衣笠は、膨らんだ尻ポケットから取り出した手帳を開いてゆっくりと眺めた。

「七月二十日火曜日の夜十時頃。アミューズメントパルコの出口付近でお前とガイシャが殴り合っているのを数人が目撃してるんだよ。お前はガイシャを殴って階段から蹴り落としただろう」

「それは……したかもしれない」

「それはしたかもしれない、か。で、その後はどうした」

「知りません」

「知りませんじゃねえよ。その後ガイシャは失踪してるんだ。おまえはどうしたんだ。どこで何してたんだよ」

佐竹は記憶を探った。あの晩のことは何も覚えていなかった。帰った気もするし、店に残っていたかもしれない。佐竹は条件のいいほうを選ぶ。

「パルコで仕事してました」

「嘘こけ。お前はすぐに帰ったって従業員が口を揃えて言ってるぜ」

「そうですか。じゃ、私は家に帰って寝ました」

衣笠は呆れて腕組みをする。

「どっちだよ」

「家に帰って寝ました」

「いつもは終わりまでいるんだろうが。どうしてその夜に限って家に帰ったんだよ。変じゃねえか」

「あの晩は疲れたんで家に帰って早く寝たんですよ」

そうだった。佐竹はあの後、どこにも顔を出さずに部屋に戻ったことを思い出した。そしてテレビを見ながら寝てしまったのだ。あのままパルコに残っていればよかった、と後悔するがもう手遅れだった。

「一人で寝たのか」

「勿論です」

「どうして疲れたんだよ」

「朝からパチンコ行ったし、その後もホステス送ったり、うちのマネージャーの国松とあれこれ相談したり、目一杯働いたからですよ」

「国松と何の相談したんだよ。どうやってガイシャを始末するか、じゃないか。国松はそう言ってるぜ」

「違いますよ。どうしてそんな馬鹿なことするんですか。うちはただのクラブとカジノですよ」

「舐《な》めんじゃねえよ！」いきなり衣笠が甲高い声で恫喝した。「てめえ、マエがあるくせに何がただのクラブとカジノだよ。しかも、てめえのマエは、女のなぶり殺しじゃねえか。女を何ヵ所刺したんだ。え？　二十か三十か。しかも突っ込みながら刺したっていうじゃねえか。え？　気持ちよかったか、佐竹。え？　まったく、鬼のやることったよ。おまえの調書じっくり読ませてもらって冷や汗が出たぜ。おまえみたいなケダモンがどうして七年で出て来れたんだか、俺にはどうしても納得いかねえよ。説明してくれよ」

佐竹は体中の毛穴から脂汗が流れ出るのを感じた。地獄の蓋。あれだけ封印していた過去が、今こうして無理矢理こじ開けられている。また断末魔の女の顔が目の前にちらついた。佐竹の黒い幻が再び蘇って、ひんやりした手で背中によじ登ろうとしていた。

「何、汗流してんだよ。佐竹」

「いや、これは」

「吐いちまえよ。楽になるぜ」

「とんでもない。私は二度と殺しはやりません。反省してますから」

「みんなそう言うんだよ。でもな、快楽殺人てのはまたやるんだよ」

快楽殺人。その言葉に衝撃を受けて、佐竹は衣笠の勝ち誇った小さな目を見返した。あれは絶対に違う、そう叫びたかった。快楽を感じたのは、あの女の死を共有できたからだ。その瞬間、俺は女に愛情すら抱いたのだ。だからこそ、あの女は俺の生涯の女となって俺を縛っているのだ。殺すのが快楽だったのでは決してない。まして、快楽などという生やさしい言葉では説明できない。

だが、佐竹はこう言ってうつむいた。

「違います」

「まあせいぜい粘れよ。こっちもな、一生懸命、物証上げてやるからよ。おまえにぐうの音も言わせないよ」

衣笠は佐竹の肩の筋肉の辺りを、動物に触れるようにぽんぽんと叩いた。佐竹は身を捩《よじ》って、衣笠の竹刀《しない》だこのできた分厚い手から逃れた。

「ほんとに違いますよ。私はあの男に客として来るなと言っただけですから。あの男はうちのナンバーワンホステスに逆上《のぼ》せて尾《つ》けまわしたりしてたんで、やめてくれと注意したんです。あの後、どうなったかなんて、今初めて知ったんですから」

「注意するっていうのはさ、おまえの文脈じゃ違うんだろう」

「どういうことですか」

「てめえで考えろよ。さんざんいたぶったくせに」

「滅茶苦茶なことを言わないでくださいよ」

「何が滅茶苦茶だよ。女殺して女衒《ぜげん》やって、客殴ってバラバラにしてりゃ世話ないよ。おまえにゃサツなんていねえも同然だろ。ふざけんじゃねえよ、まったく」

佐竹が黙っていると、衣笠がまたハイライトに火をつけ、煙とともに言葉を吐いた。

「佐竹。バラバラにするのは誰に頼んだんだ」

「え？」

「おまえの店には中国の奴らもいるだろう。あいつらの組織なら幾らで請け負う？　時価か。寿司みてえだな。今は時価どのくらいだ」

「まさか。そんなこと考えたこともない」

「一人ばらすのに十万程度だって、週刊誌に出てたな。だったら、おまえのポケットマネーで十人くらいはいけるだろう」

佐竹は論理の飛躍に呆れて思わず嗤《わら》った。

「そんな金ないですよ」

「ベンツ乗ってるそうじゃねえか」

「格好だけです。そんな金出して、馬鹿なことする訳がないですよ」

「もう一回ブタ箱に入ることを思えば、殺した後で幾らでも払うさ。今度は死刑かもしれねえしな」

衣笠は真顔で言った。佐竹はすでに自分が彼らになぎ倒されたことを知った。こいつらは俺が殺して始末を誰かに頼んだと本気で考えている。ここからどうやって這い上がるか。よほど運が良くなければ難しいだろう。佐竹の脳裏に、刑務所の狭い四角い部屋が浮かび、その恐ろしさにまた脂汗が浮いた。すると、尋問を衣笠に任せて静観していた刑事が口を開いた。

「佐竹。山本の奥さんのこと考えたことあるか。弁当工場で夜勤して子供育てるんだってよ。可哀相じゃないか」

佐竹は偶然見たワイドショーに、被害者の妻が映し出されていたことを思い出した。あのつまらない男にしては、意外にも美しい妻だった。

「まだ小さな子が二人もいるんだよ。おまえは子供がいないからわからないだろうけどな。これから大変だよな」

「関係ないですよ」

刑事は佐竹の口調に反駁《はんばく》した。

「関係ないかね。そうか」

「はい」

「そんなこと言えるのかね」

「だって、本当に関係ないんですから。私は知りませんよ」

二人のだらだらとしたやりとりを衣笠は下唇を舐めながら観察している。佐竹はその視線を不快に感じて払いのけるように睨み返した。佐竹の内部には、ひとつの考えが台頭していた。もしかすると、あの妻が真犯人ではないかという思いつきだった。亭主が突然いなくなり、バラバラ死体となって発見されたとする。その時、妻はあんなに落ち着いていられるものだろうか。テレビ画面を見ていて感じた違和感を、貝を食べていて砂粒を嚙んでしまった時の感触を思い出すようにして、佐竹は必死に思い返している。あの妻の顔には経験した者でなければわからない何かが刻まれていた。それは、たぶん達成感だ。

それに、山本は安娜に夢中で「美香」に自腹で日参していた。あの妻の様子では、それほど裕福ではないだろう。だとすると、亭主を恨んでいても不思議はないどころか当たり前ではないか。

「佐竹。何考えてんだよ」

揶揄《やゆ》するような衣笠の挑発に乗り、佐竹は思わず口にした。

「その奥さんはどうなんですか。シロなんですかね」

衣笠は激昂《げっこう》した。

「てめえが心配することじゃねえだろ、佐竹。ガイシャの女房はアリバイもあるし、共犯もない。てめえのほうがよっぽど怪しいぜ」

その口調から、衣笠の捜査対象から妻は完全に外れていることを佐竹は悟った。衣笠はこの俺が怪しいと睨み、一直線にこちらに向かっているのだ。完全な見込み違いだが、状況はあまりに不利だった。佐竹は悔しさに歯嚙みした。

「すみません、余計なこと言って。でも、私は本当に無関係です。誓いますから」

「ほざけよ」

「てめえこそ、ほざけ」

佐竹は取調室の机の下に向かって吐き捨てた。耳ざとく聞きつけた衣笠が、いきなりごつい肘で佐竹のこめかみをどついた。

「佐竹、舐めんなよ」

佐竹は警察を甘く見てはいなかった。こいつらは罪を作ろうと思えばいくらでもできる。その格好の獲物が、この自分なのだ。佐竹は恐怖に震え、そして怒りに燃え上がった。ここから出られたら、自分の手で犯人に復讐してやらなくては気が済まない。とりあえず、その目星は山本の妻だった。

これで「美香」も「パルコ」も駄目かもしれない、と世間というものを知悉《ちしつ》している佐竹は心底残念に思った。出所して十年、何とかここまで築き上げてきたのに、こんな事件に関わってしまうとは。やはり「夏」に負けたのだ。佐竹は運命的なものを感じて溜息をついた。

急に部屋が暗くなったのに気付いて窓の外を見ると、黒い雲が湧き起こり、欅《けやき》の大木が緑の葉を強い風に揺るがせていた。夕立の気配があった。


その夜、佐竹は留置場であの女の夢を見た。

女は佐竹の前に横たわり、苦しげな顔で訴えていた。びょういん、びょういん……と言っているのだった。佐竹は自分で刺した女の腹の傷に指を入れてみた。指はずぶずぶと付け根まで入った。だが、女は何も感じない様子で、口をぱくぱく開いては囁くように「びょういん」と言い続けている。佐竹の指が手首まで鮮血に塗《まみ》れた。佐竹はその血を女の頬で拭った。自分の血で赤く頬を染めた女はこの世のものと思われないほど綺麗だった。

「びょういん……連れてって」

「助からねえよ、諦めな」

佐竹の言葉を聞いた女は、思いもかけない力で佐竹の血だらけの指を摑み、自分の頸《くび》に持っていこうとした。早く殺してほしいという意思表示だった。佐竹は血だらけの手で女の髪を撫でた。

「まだまだ」

女の目に深い絶望が刻まれたのを見て、佐竹の心臓が憐《あわ》れみと歓びときゅっと縮んだ。まだまだ。まだ死ぬな。俺と一緒に行け。女を抱き締めると、佐竹の全身が血でぬるぬるした。

佐竹は目を覚ました。全身が血塗れだった。いや、血かと思ったのは大量の汗だった。隣を見ると、手形詐欺の男が寝た振りをして緊張している。佐竹は構わず暗がりでもぞもぞと体を起こした。十年ぶりに見た女の夢に興奮していた。まだ女の魂がその辺りに漂っているのではないだろうか。佐竹は隅の暗がりをじっと見つめた。女に会いたかった。

3

四年前の冬、安娜が生まれて初めてJR線に乗った日のことである。

夕暮れ時で車内は混雑していた。慣れない安娜は、まるで紛れ込んだ異物だった。人の肩や荷物にぶつかり続け、いつしか車両の中ほどまで押されていった。どうにか人をかきわけながら吊革を摑んで窓の景色を眺めると、オレンジ色に燃える冬の夕陽が今にも沈むところだった。その輝かしさとは逆に、駅や建物は暗い影を落としてほとんど像を結ばず、飛ぶように視界から過ぎ去って行く。目的の駅がわかるだろうか。そこで、うまく降りられるだろうか。不安に駆られた安娜は何度も降車口を振り返った。

その時、雨上がりの夏の朝、地面から立ちのぼる靄《もや》のように、あちこちで上海語《シャンハイ》が響いているのに気付いた。近くに同胞がいる。ほっとした安娜は人の顔を眺めまわしたが、よく耳を澄ませてみると、それは日本語だった。

日本語と上海語、ふたつの言語は音が似ている。そう気付いた瞬間、安娜は急激に異国に一人でいることの寂しさに襲われた。顔つきも言葉の音も似ているのに、誰も自分という人間を知らない世界にたった一人でいる。

再び窓に目を遣ると、すでに陽が落ちて暗くなっていた。ガラス窓には、流行遅れのコートを着て眦《まなじり》を決した娘が映っている。思いがけず自分の姿を見た安娜は、気が遠くなるほどの絶対的な孤独を感じて涙が込み上げてきたのだった。安娜が十九歳の時の出来事だ。

無論、それまでに何度も、豊かな日本に対する気後れと、この忙《せわ》しい大都会にたった一人でいる頼りなさが、交互に、そして同時に湧き上がっては安娜を不安に陥れていた。だが、この日の寂寥感《せきりょうかん》は十九年生きてきて初めてのものだった。

勉強や研究などやりたいことがあって日本に来たのなら、多少、辛い目に遭っても何とか耐えられるかもしれない。しかし、安娜の目的は単に金を得るためだけ。しかも武器は自身の若さと美貌のみである。若い娘をスカウトにきたブローカーに、中国女性は日本で幾らでも金儲けができると勧められて軽い気持ちで来たものの、その安易さが実は聡明で真面目な安娜を落ち込ませていたのだった。小さい頃から優等生で大学に進学するつもりさえあったのに、今の自分は日本の男を相手に安易に金を得ようとしている。それは堕落というものではないだろうか。

安娜の父親はタクシー運転手、母親は市場の青果商。二人は毎晩、自分の商いの成果を誇り、報告し合っていた。知恵と機転で出し抜いて儲ける。それが上海の商人だ。が、果たして、自分の「商いの成果」は両親に報告できるだろうか。

中国一の都会、上海出身だという誇りも、自分は美しいという自負も密かに持っていたのに、裕福な社会に裏打ちされた自信に溢れる東京の若い娘たちにはかなわない。それは安娜にはまだないものだった。不公平だ。焦りと自信の喪失が、そして寂しさが、安娜をおどおどした田舎娘に変えていた。

安娜は身元引受人となったブローカーの勧める語学学校に通い、夜は四谷のクラブでアルバイトをすることになった。

安娜は一生懸命日本語を覚えることに専念した。耳がいいのか、勘がいいのか、日本語はすぐに片言で話すことができるようになった。もう電車に乗っても、集中さえすれば人々の会話の内容が把握できる。デパートで日本の娘が身につけているようなセンスのいい服を買うこともできる。しかし、追い払っても追い払ってもいつの間にか戻ってくる図々しい野良猫のように、あの時電車で感じた寂しさだけは安娜のもとを去っては行かなかった。

ともかく一円でも多く金を稼いで、一日も早く上海に帰るのだ。上海に帰ったら素敵なブティックを開こう。そして金持ちになる。安娜は毎日、語学学校に通い、夜は店に出た。だが、努力を嘲笑《あざわら》うかのように安娜の成果はまったく上がらなかった。物価の高い日本の暮らしも予想外の出費を生む。安娜は焦った。目標額の四分の一も貯まっていないのだから、このままでは帰る訳にいかない。が、ここにも留まりたくない。出口のない塞いだ気分が、茶碗に入った微《かす》かなひびのように安娜の日常を不安で彩った。いつしか自分が毀《こわ》れるのではないだろうか、という不安。

佐竹と出会ったのは、そんな時だった。


佐竹は酒は飲まないが気前が良く、上客の部類に入っていた。以前見かけた時、店の者の対応が違うことに気付いたが、売上高のいいホステスが佐竹についたので自分には縁のない客と安娜は思っていた。しかし、今回の佐竹は安娜を席に呼んでくれた。

「安娜です。はじめまして」

佐竹は、照れたり偉ぶったりするほかの客とは違っていた。安娜の声を楽しむ風に瞼を閉じ、それから語学教師のように日本語を発する安娜の口元を見つめた。安娜は突然指された生徒と同様、上がりそうになった。

「水割りでいいですか」

安娜はほとんど水に近いスコッチの水割りを作りながら、佐竹の顔をちらちらと眺め上げた。三十代後半か。色黒で髪は短い。上がり気味の小さな目と分厚い唇。男前ではないが、どこかに柔らかさを感じさせる顔は魅力的ともいえた。しかし、服装が派手に過ぎた。いかつい体には似合わないブランド物らしい瀟洒《しょうしゃ》な黒のスーツに派手なタイ。金のロレックスに金のカルティエのライター。そのくせ、軽躁に見える服装とはまったく異なった質の、打ち沈んだ目をしている。

この目は沼だ。安娜はいつか雑誌で見たどこかの山の写真を思い出した。高い山のてっぺんにひっそりとある黒い沼。水がどんよりと淀《よど》んで凍るように冷たく、水草の繁茂《はんも》する底には得体の知れない生物の棲《す》む沼。そこでは誰も泳がないし、舟を出そうともしない。夜はまるで地表にぽっかり空いた穴のように黒々と水を湛《たた》えて星の光を吸い込み、そこに存在することも気付かせないだろう。この佐竹という男は、自分の沼から人々の目を背けさせるために派手な服装を好んでしているのかもしれない。

安娜は佐竹の手を見た。装身具は一切ない。肉体労働者には見えない、男にしてはバランスのいい美しい手。いったい何をしている人物なのかわからなかった。真っ当な商売をしているようには到底見えないことから、これが噂に聞いていたヤクザという種類の男ではないだろうか、と安娜は好奇心と怖れを同時に抱いた。

「安娜ちゃんか」

佐竹は一言発すると煙草をくわえたまま、前に座った安娜の顔を長いこと眺めていた。佐竹の沼にはそよとも風が吹かないらしい。安娜を見ても、感嘆も落胆も、目には何の色も浮かばなかった。が、声音は低く優しく、耳に心地よかった。安娜はその声をもう一度聞きたいと思った。

安娜は佐竹の煙草に気付き、店の者に教え込まれた通り火をつけようとライターを手に取った。気が利かない女と思われたかもしれない。慌てたので、ライターは安娜の手の中で跳ねて落ちそうになった。佐竹はそれを見ると表情を緩ませた。

「慌てなくていいんだよ」

「すみません」

「二十歳くらいか」

「はい」安娜は、ついひと月前に二十歳の誕生日を日本で迎えたばかりだった。

「その服、自分で選んだの？」

「ううん」安娜は首を振った。同じアパートに住む同僚から譲ってもらった真っ赤な安物のドレスを着ていた。「貰ったものです」

「そうだろ。サイズが合わないね」

「じゃ、買って」とは安娜はまだ言えなかった。ただ困惑して曖昧な笑いを浮かべた。佐竹がその頭の中で、紙でできた着せ替え人形のようにいろんな服を安娜にあてがって楽しんでいるとは想像もできなかった。

「どんな服着たらいいか、よくわからない」

「安娜ちゃんなら何でも似合うよ」

思っていることをすぐ口に出す幼稚な客がいるが、佐竹がそうではないことだけは若い安娜にもわかった。しばしの沈黙の後、佐竹は煙草を潰しながら問うた。

「俺の顔見てたね。何をしてると思う」

「カイシャインですか」

「いや」佐竹は真顔で否定する。

「じゃ、ヤクザですか」

佐竹は初めて小さく笑った。丈夫そうな大きな歯が見えた。

「極道には違いないがヤクザじゃない。俺は女衒《ぜげん》だよ」

「ゼゲン？　ゼゲンて何」

佐竹は内ポケットから高価なボールペンを取り出すと、紙ナプキンに小さな字で「女衒」と書いた。安娜は読んでから眉を顰めた。

「女を売る商売だよ」

「誰に売るんですか」

「その女を欲しいという男に売るんだよ」

売春を斡旋《あっせん》するということだろうか。あまりにも率直な佐竹の言葉に安娜は虚を衝かれて黙った。すると佐竹が、紙ナプキンを摑んだ安娜の指先を眺めて聞いた。

「安娜ちゃん、男が好きかい」

安娜は首を傾げた。

「素敵な人なら好き」

「どういうのが素敵なの」

「トニー・レオン。香港の俳優だけど」

「そいつが安娜ちゃんを欲しがったら売ってほしいかい」

「ええ。だけど、そんなこと絶対ないね。わたし、そんなに綺麗じゃないし」

安娜が考え込んで答えると、佐竹は即座に否定した。

「いや、俺が会った女の中では一番綺麗だよ」

「嘘」安娜は笑った。到底信じられなかった。こんな小さな店でベストテンにも入れないのだから。「嘘です」

「俺は嘘をついたことはないよ」

「だけど」

「自信がないだけだろう。俺のところに来たら、自分がもっと綺麗で素敵な女だって思うようになれるよ」

「だって、バイシュンでしょう」安娜は唇を尖らせた。

「いや、それは冗談だ。クラブをやってるんだよ」

しかし、クラブなら今と変わらない。日本で出稼ぎを続けることに虚しさを覚える安娜はうつむいた。佐竹は安娜の様子を見ながら、氷の溶けかかった水割りのグラスにできた水滴を、関節と長さのバランスが絶妙な指で何度もなぞった。佐竹の指が触れた箇所はつつっと滴が流れ落ちてきて、コースターに黒い染みをつける。酒は少しも減っておらず、安娜は佐竹がこの仕草をするためにグラスを置いているのかという錯覚に陥った。

「この仕事が嫌なのか」

「そうではないけど」

おずおずと答えた安娜はフロアで采配《さいはい》を振るママのほうを遠慮がちに見遣った。その目つきを佐竹は追った。

「迷ってるんだな。だけど金を稼ぎに来たんだろう。だったら稼げばいい。すごい才能が眠ってるよ」

「才能？」

「うん、綺麗だってことは才能なんだから作家や絵描きと同じことなんだよ。誰にでも与えられたものじゃない、天分なんだ。作家や絵描きはさらに努力してる。だから、あんたも自分の才能を磨かなくちゃならないんだよ。それが、安娜ちゃんの仕事だ。つまり、女の芸術家なんだ。俺はそう思うな。それなのにさぼっているんだよ、安娜ちゃんはね」

このまま聞いていると柔らかな声音に酔いそうになる。しかし、安娜はきっと顔を上げた。うまいことを言って自分の店にスカウトをする気なのだ。それだけは気をつけるようにと固く戒められていた。佐竹は安娜の心配を見越して笑い、深い溜息とともに言った。

「もったいないね」

「でも、わたし才能ないよ」

「ある。人生を思い通りにしたくないのか」

「それは、したいけど」

「思い通りになると、見えるものがあるんだ」

「何が見えるの」

「自分の運命だよ」

「なぜ」

「どうしても思い通りにならないことがあるからさ。それが運命なんだ」

佐竹は真顔で言うと、チップなのか安娜に綺麗に折り畳んだ万札を渡した。今の言葉を発した佐竹の目の沼に何かの姿がちらっと見えた気がして、安娜は万札を受け取る時、慌てて目を伏せた。見てはいけないものを見た、という気がしたからだ。

「ありがとうございます」

「じゃあな」

そう言った途端、佐竹は安娜に興味を失ったらしく周りに目を向け、別の女を呼べとマネージャーに合図した。たちまち用済みとなった安娜は別の客のヘルプにつかされてがっかりした。自分が色よい返事をしなかったから、佐竹は失望したのだろう。

安娜は、自分のところに来るともっと綺麗になる、という佐竹の言葉にいたく心を動かされていたのだった。佐竹の言うのが本当ならば、自分の運命というものを見たくもある。自分は変われるチャンスを逃したのだろうか。安娜は後悔した。

アパートに帰って佐竹に貰った札を取り出すと、そこには「美香」という店の名と電話番号が書いてあった。


店を移った安娜に、佐竹はいろんなことを教えてくれた。

客の前では日本語がまだあまりできない振りをすること。黙っていたほうが日本の男たちは控えめだと喜ぶ。しかし、積極的に筆談をすること。漢字を正確にうまく書けば達筆だと感心される。男は、頭がいいが控えめな女が好きなのだから、と。そして、客には学校に通っていて、小遣いのためにホステスのアルバイトしている、自分はあくまでも学生なのだ、と主張すること。それが嘘とわかってはいても、経済的優位に立つと錯覚する男たちは可愛がって金を出す。忘れてはならないのは、上海ではお嬢さん育ちだったとさり気なく主張すること。そうすれば、さらに男は安心する。佐竹は男が好む化粧法から、服の選び方までを安娜につきっきりで指導した。

　ここは日本だ。女が自己主張して男と同等に稼ぐのが当たり前、と納得している上海の男たちとは万事違っているのだ。そうはわかっていても迷いのあった安娜が、佐竹の教えてくれたことは仕事としての技術なのだと割り切った途端に、それを身につけ長《た》けるのは早かった。自分自身がそういう女になるのではなく、プロとして演じ、商いに徹すればいいのだということに気付いたからだった。それは両親に恥じない「商いの成果」に違いない。しかも、安娜には佐竹の言うところの才能があった。演ずれば演ずるほど、二重三重に安娜は謎めいた美しい女になっていく。佐竹の見る目は確かだった。

　安娜はたちまち「美香」のナンバーワンホステスになった。人気が出れば自信がつく。自信ができれば、この道で生きていく覚悟ができる。安娜は野良猫を永久に追い払うことができたのだった。

　安娜は佐竹のことを「おにいちゃん」と呼ぶようになった。佐竹もそれに応え安娜を一番大事にし、可愛がっていることを隠しはしなかった。そのうち安娜は、佐竹がほかのホステスたちにしているように自分に客を紹介しようとしないのは、自分を好きだと思っている証拠ではないかと考えるようになった。その心を読んだのか、佐竹が客を紹介したいと電話をしてきた。

「安娜ちゃんに格好の男が見つかったよ」

「どういう人」

「金があって優しいのがいいだろう」

その男はもちろんトニー・レオンではなかった。ハンサムでもなく若くもなかった。ただ金が唸っていた。一回会うごとに、安娜に百万ずつくれた。百万が十回で一千万。一年でそれだけなら充分だった。ずっと付き合っていれば、いつかは安娜は億万長者になれるだろう。貯金が目標額を超えた頃、安娜はトニー・レオンを忘れた。

美しい俳優の代わりに安娜の心に忍び込んだのは、いかつい佐竹だった。あの沼に入っていって底に棲む生物を見たい。いや、この手で捕まえるのだ。狩をするように、安娜の心は逸《はや》り、昂《たか》ぶった。初めて会った日に、「どうしても思い通りにならないことがあるからさ。それが運命なんだ」と言った佐竹の沼にちらっと垣間見えたものは何だったのだろう。自分ならそれを捕まえることができるのではないだろうか。なぜなら、自分は佐竹にとって特別な女なのだから。

しかし、いざ佐竹を知ろうとすると、安娜は佐竹のことを何も知らされていないことに気付いた。佐竹が注意深く自分自身を隠しているのだ。

佐竹は自分の部屋を誰にも見せない。偶然、佐竹らしい男を見かけたというマネージャーの陳の話だと、そこは西新宿にある二階建ての古いアパートの前だったという。そこで陳は、ブランド物の服を着ている佐竹ではない、平凡な目立たぬ服装をした男を見たのだという。男は膝の出た古いズボンに肘《ひじ》の抜けたセーターを着てゴミを捨てに出てきた。くたびれた勤め人にしか見えないその男は、散乱したゴミに顔をしかめて辺りを片付けだした。その挙措《きょそ》は「美香」のオーナー佐竹だったという。陳は驚いたが、同時に怖さも感じたのだと安娜に言った。

「店でのオーナーは派手でかっこいい。黙っていても頼りになる。だけど俺が見たのが本物のオーナーだとしたら落差がありすぎる。店での姿は、全部演技なんじゃないかと思うと不思議だった。どうして演技なんかする必要があるんだ。なぜ自分を曝《さら》け出さないんだろう。俺たちを信用してないのか。誰も信用しないで生きていくなんてそんなことはできないよ。だって、それは自分を信用してないことじゃないか」

佐竹は得体が知れない。謎めいている。その話を聞いた店の従業員は不気味に思うと同時に、佐竹が注意深く自分を曝け出さないことに強く惹きつけられもしたのだった。なぜなのか。佐竹はいったいどんな人間なのか。皆がそれぞれの意見を持っていた。

しかし、信用していないのはほかならぬ佐竹自身なのだ、という陳の意見に安娜は頷けなかった。安娜が感じたのは、恋する若い女らしく嫉妬だった。自分のほかに誰か好きな女がいるのだ。その女の前の佐竹は飾らないでいられる。

「おにいちゃん、誰か女の人と住んでいる？」

ある日、とうとう安娜は佐竹に訊ねた。佐竹は驚いて安娜を眺め、一瞬だけぼんやりとした。それが図星の証拠の逡巡《しゅんじゅん》なのかと、安娜は問いつめた。

「それ、誰」

「違うよ」と佐竹は笑いかけて、それから店の照明を落とした時のように沼の光を一切消した。「俺は女と住んだことはないよ」

「じゃ、おにいちゃん、女の人嫌い？」

安娜は佐竹に女の噂がないのを安心していたが、同性愛者なのかもしれないと恐れた。

「好きだよ。安娜ちゃんのような綺麗な可愛い女が一番好きだよ。ほんとに信じられない贈り物みたいに感じるんだよ」

佐竹はそう言うと安娜の細く長い指を取り、自分の左手の掌《てのひら》の上に置いて右手で撫でさすった。その仕草が道具の具合を確かめるみたいだと安娜は思った。佐竹の「好き」というのは、男が女を愛《め》でるという意味でしかないことも感じとっていた。

「それ、誰からの贈り物」

「神様が男にくれた贈り物なんだよ」

「女には贈り物はない？」

安娜は佐竹のことを言ったのだが、佐竹にはわからない様子だった。

「さあ。トニー・レオンみたいな男がそうだと思えばいいんだ。どうだ」

安娜は首を傾げた。

「違うと思う」

なぜなら、女はいつも男の魂に触れたいのだ。外見だけの男では足りないのは当たり前のことだ。触れたい魂はたったひとつしかない。自分の魂と呼応するもの。なのに、佐竹の言う「可愛い女」とは魂の容れ物ではなく、ただ可愛がる対象でしかないらしい。佐竹は女の魂など必要としないのだろうか。もしそうだとしたら、可愛いと思う女なら誰でもいいことになりはしないか。安娜にとって、佐竹に代わる男などこの世に存在しないのに。安娜は不満に思った。

「じゃ、おにいちゃんは綺麗で可愛い女ならそれだけでいいの」

「男はそれ以上のことなんか望んでいないよ」

安娜は口を噤んだ。佐竹の何かが毀れているのを直感で悟ったからだった。過去に、女で痛い目に遭ったのかもしれないとも思った。幼い同情が湧いてきて、自分なら修復できるのではないかと楽しみすら覚えた。

しかし、プールに行った日、安娜の幻想は崩れた。

安娜はいつも我儘を聞いてくれる佐竹が、プールについてきてくれたことを最初喜んでいた。だが、あの若い男に誘われた時の佐竹の反応には落胆した。まるで話のわかる叔父のように目を細めて眺めているとは。佐竹は安娜の恋心をまったく理解していないのだと、安娜は悔しく思った。だから、佐竹に対するあてつけで、初めて会った男を誘って部屋に入れたのだった。ほんの少し芽生えた反抗心。なのに、佐竹は自分のことを恋の相手としては認めていなかった。

「男遊びしたっていいよ。でも、店は休むな。それから長く続けるな」

そう言った時の佐竹を、安娜は決して忘れないだろう。佐竹は自分を「美香」の売れる商品、そして男の玩具としてしか考えていなかったのだ。自分が特別可愛がられていたのは、佐竹の言う通りに演じられる、できのいい人形だったからなのだ。

その晩、安娜は眠れなかった。一度消えたはずの茶碗のひびが再び現れたことを意識しながら。だが、翌朝、もっと衝撃的なことが安娜を待っていた。

「安娜さん、オーナー、バカラのことでパクられたんですよ。休んでいたから知らないでしょう」

陳が電話してきたのだ。

「パクられるって何」

「警察に捕まったんですよ。国松さんもほかの従業員も。今日は臨時休業だそうです。もし、警察に何か聞かれても、何も知らない振りをしてください」

陳はそう言って電話を切った。

佐竹に会ったら自分をどう思っているのか問いつめようと決心していたのに、その答え如何《いかん》によっては辞めることまで決意していたのに、急にすることのなくなった安娜は、朝から区営プールに行った。そして真っ赤に日焼けした。

夜、火傷《やけど》したように火照《ほて》る皮膚を眺めていると、佐竹とプールに行った昨日のことが思い出された。佐竹が本心から商品と思っていると考えた自分は少し冷たいのではないだろうか。佐竹が年の差から躊躇しているということだってあり得る。それが証拠に、佐竹はいつも自分を可愛がってくれているではないか。自分は佐竹に特別に大事にされている女ではないか。こんなに世話になって、自分をここまでにしてくれた佐竹を信じていないとは何と薄情な女だろう。安娜の素直で明るい素地がここでも顔を出し、安娜は佐竹に悪いと思った。するると、佐竹が急に恋しくなった。

翌日、逮捕されたパルコの従業員が戻って来た。すぐに佐竹も放免になるだろうと思っていたのに、佐竹だけは戻らず、店の休みは一週間以上続いた。ママの麗華が面会に行って、早めの盆休みにするようにと佐竹の指示を聞いてきた。

安娜は毎日プールに出かけた。陽に焼けて真っ赤になった皮膚は艶を帯びた小麦色になり、安娜の美貌がいっそう冴えた。すれ違う男たちが振り返る。プールでは何人もの男に声をかけられた。安娜は、別の美しさを誇るこういう自分を佐竹はきっと喜ぶに違いない、と佐竹のいないのを残念に思った。

「安娜ちゃん、ちょっと話があるのよ。大事な話」

ママの麗華が安娜のマンションまでやって来たのは、その夜のことだった。

「何ですか」

「佐竹さんのことなんだけど、長引きそうなのよ」

麗華は普通語《プートン》で安娜と会話した。台湾出身の麗華は上海語ができない。

「どうして」

「それがね、今度の逮捕は賭博のことだけじゃないらしいのよ。あたしも事情聴取されて聞き込んできたんだけど、バラバラ事件に関連しているらしいのよ」

「バラバラ事件て何」

安娜は足下にうるさくまとわりつく犬を追い払った。麗華は煙草に火をつけ、安娜の顔を探るように見た。

「知らないの？　三週間くらい前にバラバラの死体が見つかったのよ。殺されたのは、あの山本って客なんだって」

安娜は驚愕した。「山本って、あのお客の山本さん？　安娜にしつこくしてた」

「そうなんだって。みんな驚いてるのよ」

「信じられないね」

山本は安娜をいつも指名し、片時もそばから離さなかった。前に座れば手を取り、酔ってソファに押し倒そうとしたことさえある。安娜を怖れさせたのは、その執拗さではなく、山本が明らかに淋しがっているのがわかったからだった。遊びなら付き合うが、淋しい男などまっぴらだ。だから、姿を見なくなったことを喜び、その存在すら忘れていた。

「あんたのところにも警察が来るから早く引っ越したほうがいいよ」

麗華は安娜の金のかかった住まいを値踏みするように眺めながら言った。

「何で」

「山本さんがしつこい客だから佐竹さんが殺したと思われてるのよ。そして、中国マフィアに頼んでバラバラにしたって」

「おにいちゃんはそんなことしないよ！」

「でも、パルコで殴ったって」

「それは聞いて知ってるけど、……それだけよ」

「だけどね」麗華は声を低くした。「佐竹さん、女の人を殺してるんだって」

安娜は息を詰めた。喉が渇き切って唾を飲み込もうとしてもできない。

「それも、普通の殺し方じゃないの。私も聞いてびっくりした。あれを聞いたら店の女の子は怖がって辞めてしまうと思うわ」

「どういう殺し方なの？」

佐竹の沼が底から怪しい光を放つのを安娜は感じた。

「昔ね、佐竹さんがヤクザの用心棒みたいなことをしていた頃の話なのよ。この辺りの有名なヤクザらしいんだけど、その人はもう死んだそうよ。そのヤクザは覚醒剤を売ったり、売春をやって儲けていたのね。それで佐竹さんがそこから逃亡する女の人を連れ戻したり、借金を回収しに行ったりする仕事を引き受けてやっていたらしいの。ある日、店の女の人がこっそり抜けたんですって。やり手の女の人が別の店にこっそり斡旋《あっせん》していたのね。で、佐竹さんがその女の人を捕まえて部屋に閉じこめて、拷問するみたいになぶり殺しにしたんだって」

「なぶり殺しってどういうこと？」

安娜は声が震えるのを抑えることができなかった。子供の頃、家族で上海から南京《ナンキン》に旅行した時のことを思い出した。そこの戦争博物館で見た恐ろしい人形。佐竹の沼。その底に潜むものは、このようなおぞましい過去だった。

「ひどいの」麗華はくっきりとアーチ型に描いた眉を大きく顰めた。「人間じゃないよ。裸にして殴って殴って強姦して、ほとんど気絶している女の人の目を覚まさせるようにナイフで何ヵ所も刺したんだって。血だらけになった女の人をまた強姦したって。女の人の遺体は青痣《あおあざ》だらけで歯も欠けてて、ひどかったんですって。そのヤクザの人も驚いて、佐竹さんのことを遠ざけたって話よ」

安娜は長い悲鳴を上げていた。いつの間にか麗華の姿はなく、ただ不思議そうに首を傾げたトーイ・プードルが安娜の横で小さな尻尾を振り続けていた。

「ジュエルちゃん」

縋《すが》るような安娜の声に応え、犬は嬉しそうに吠えた。この犬を買った時のことを思い出す。心から可愛いと思うものを身近に置きたい、そう思ってペットショップに行ったのだ。中でも一番の器量よしを選んだ。それと同じ。自分が犬を欲しがるように、男が女を欲しいことがあるのだと安娜は気付いた。そして、佐竹にもその程度の安娜しか棲んでいないということにも。自分を可愛がったのは、ジュエルを可愛いと思う自分と同じだったのだ。佐竹の沼には決して入れない。安娜は泣きだした。

4

雅子の家に刑事が来たのは、事件が新聞に大きく報道された四日後のことだった。すでに工場で刑事の訪問を受け、簡単な質問に答えていた雅子は、いずれ自宅にも来ることを覚悟していた。弁当工場で、雅子が弥生と一番親しいのは周知の事実だからだ。が、この家の風呂場で健司を解体したことは絶対にばれないという自信はあった。弥生を手助けした理由が自分にもわからない。まして、他人はその動機を推し量《はか》りかねるに違いないという確信があったからだ。

「お疲れのところすみません。すぐ失礼しますから」

今井という若い男は、工場に来た刑事の片割れだった。雅子たちの夜勤体制を知ってか、午前中の訪問にひたすら恐縮している。雅子は時計を見た。まだ午前九時過ぎだった。

「いいですよ。お帰りになったら寝ますから」

「そうですか。しかし、ずいぶん変則的な生活ですね。ご家族に支障は？」

雅子の率直な言葉に、今井は核心に踏み込んできた。雅子は今井が若いからといって侮《あなど》るまいと警戒した。

「みんな慣れてますから」

「それはそうでしょうが、夜、肝腎《かんじん》のお母さんがいないというのはご主人も息子さんも心配なんじゃないですかね」

「さあ、どうでしょう」

自分がこの家で肝腎の存在と言えるだろうか。雅子はリビングルームに今井を請《しょう》じ入れ、苦笑した。

「そりゃ心配ですよ。男ってそういうもんですよ。女が一晩外に出てるっていうのは心配だと思いますよ」

今井はむきになって言う。雅子は自分もテーブルにつくと、茶もいれずに真っ正面から今井と向き合った。刑事とは、若いくせに不自由な発想をするものだと考えている。そんな雅子の気持ちをよそに、白いポロシャツ姿の今井は、手に持っていた薄茶のジャケットをのんびりと椅子の上に置いた。

「香取さんは夜勤に出ることについて、ご主人と協議なさいましたか」

「いえ別に。ただ、きついだろうから大丈夫かと心配はしてましたけど」

嘘だった。良樹は雅子の選択に何も言わなかったし、伸樹はその頃から何も喋らなくなっていた。

「そうですか」今井は今ひとつ納得できないと言うように、首を傾げながら手帳を開いた。「実はですね、被害者の山本さんのお宅もそうなのですが、私は普通の勤め人のご主人が奥さんが夜勤に出ることになんで反対しないのか不思議なのですよ」

雅子は今井の言葉の意外さに顔を上げた。

「どうしてでしょう」

「だって、まず生活が反対になりますよね。家族と擦れ違いになってコミュニケーションが成り立たない。あと、夜勤に行くと言っても本当は何をしてるのかわからない、ということもあるでしょう。それなら普通の昼間の勤めのほうがいいに決まってますよ」

雅子は息を呑んだ。今井が、弥生の男関係を疑っていることに気付いたのだ。なるほど、刑事の想像力というのはそちらに向かうのだと得心する。

「私はともかく、弥生さんはお子さんがいるという理由で昼間のパートを首になったんですよ。だから、夜勤しか選択できなかったのだとご本人が言ってましたが」

「それは聞きました。でも、そうまでするのは何か夜勤のメリットでもあるのかと思ったんですよね」

「ないと思います」雅子は言葉を切った。しつこい今井が鬱陶しくなっていたが顔に出すまいと思う。「あるとしたら、二十五パーセント時給がいいということだけです」

「ただそれだけで、ですか」

「それだけとおっしゃいますけど、あの単調な仕事を三時間少なくできて同じお給料なら、そのほうが絶対にいいと考えますよ。時間が許すならね」

「そうですかねえ」

今井はまだ釈然としない様子だ。

「刑事さんはパートをしたことがないからわからないのかもしれません」

「そりゃ、男ですからしたことないですよ」

今井は真面目に答える。

「もしやってみたら、少しでも高くて、少しでも楽な仕事をしたいと思うのは当然だと思います」

「夜昼逆転してでも、ですか」

「そうです」

「そんなもんですかね。じゃ、山本さんの奥さんはどうして必死に働いてたんでしょうか」

「生活のためでしょう」

「ご主人の収入だけじゃ暮らしていけないからですか」

「よく知りませんけど、そうだと思います」

「ご主人が放蕩《ほうとう》していたからじゃないですか。つまり、金のためだけでなく、嫌がらせというか。顔を合わせたくないというか」

「そこまではわかりません」雅子はきっぱり言った。「そんな話聞いたことないし、少なくともそういう余裕のある話ではないと思いました」

「余裕があるって？」

「刑事さんが言った嫌がらせみたいなことです。彼女は必死に子育てして、必死に働いてましたから」

　今井は頷いた。

「それは僕が言いすぎました。すみません。ただね、山本さんのご主人はご夫婦の貯金を全部遣ってしまったようなんですけどね」

　雅子は初めて聞いた、という顔をして驚いてみせる。

「本当ですか。どうしてでしょう」

「今のところ、酒場通いとバカラ賭博という調べが出てます。香取さんは山本さんと工場で一番仲がいいそうなので単刀直入にうかがいますけど、山本さんのご夫婦仲はどうでしたか」

「わかりませんね。というのは、彼女は何も言ってませんでしたから」

「でも、女の人ってよくそういう愚痴をこぼし合ったりするんじゃないのかなあ」今井は疑わしそうに雅子の目を見つめた。

「人によると思いますよ。あの人はそういう人ではなかったということです」

「なるほど。立派な奥さんだと。でもね、近所の聞き込みによりますとね、しょっちゅう夫婦喧嘩の声が聞こえてたって言うんですよ」

「知りませんでした」

あの晩、自分が車で駆けつけたことをこの刑事は知っているのではないだろうか。雅子は不安になり、思わず今井の目を見た。今井は雅子を値踏みするように静かに見返す。

「山本さんのご主人は、最近遊んでいたらしいので、奥さんともしっくりいってなかったという話があります。これはご主人の会社の方から聞いたんですけどね。山本さんが会社の人にこぼしていたそうです。奥さんとは近頃、すぐ喧嘩になるんで工場に行くまで帰れないってね。でも、奥さんはそんなことなかった、遅くなったのはあの日だけだったと言い張っている。変ですよね。どうしてそんな嘘をつく必要があるんですかね。奥さんはそんな話をあなたにしませんでしたか」

「まったく聞いてません」雅子は首を振り、「じゃ、刑事さんは弥生さんを疑っているんですか」と反撃した。今井は慌てて否定した。

「とんでもない。ただね、自分が弥生さんだとしたら、さぞかし頭に来るだろうなと思いますよ。こっちは夜勤までして頑張っているのに、亭主は貯金を遣って女の店に行き、毎晩バカラをして負けて飲んで帰ってくるなんて。自分が一生懸命水を汲んでくるのに、あっちでざぶざぶ浪費してる感じじゃないですか。すごく無駄なことをしているっていう無力感があるんじゃないかな。これは辛いことですよね。普通の男なら妻が夜勤なんかしないで家にいてほしいと思うのに、山本さんのご主人はむしろそれを歓迎していた節さえある。だから、仲が悪かったんじゃないかと思ったんですがね」

「そうですか。私はぜんぜん知りませんでしたけど」

　とぼけながらも、今井の言ったことがまさしく真実を衝いているのを雅子は皮肉な思いで聞いている。

「つまり、山本さんの奥さんって辛抱強い人なんですかね」

「そう思います」

　今井は手帳から顔を上げた。

「香取さん。そういう時、女の人は新しい恋人を探したりしないのですかね」

「人によると思いますよ。山ちゃんは、彼女は、そういうタイプではないです」

「じゃ、工場でも付き合っている男とかいなかったのですか」

「いません。絶対にいないと思います」

雅子はきっぱりと否定した。今井が自分に聞きたかった質問がにわかに露呈した感じだった。

「じゃ、外ではどうですか」

「知りません」

今井はしばらく躊躇《ためら》っていたが、

「実は、あの晩、休みだった従業員が五人ほどいるんですが、この中に山本さんと親しく付き合っている男はいませんかね」と言って、自分のメモを見せた。

最後の行に「宮森カズオ」の名があるのを見てとって、雅子の動悸は激しくなった。が、厳然と打ち消した。

「いません。あの人は真面目な人です」

「そうか」

「あの、つまり。刑事さんはこう思ってらっしゃるんですか。弥生さんに恋人がいて、その人がご主人をどうかしたと」

「いやいや、とんでもない」今井は苦笑する。「そんな、考えすぎですよ」

しかし、明らかに今井の想像はそちらを向いている。弥生に共犯者がいて、それは男。その男が弥生の殺人を助けて死体を始末したと考えているのだ。

「弥生さんは、いい妻だし、いい母親です。それ以外の言葉であの人を語ることはできないと思いますけど」

雅子はそれが真実だと思っていた。弥生はまさしく良妻賢母《りょうさいけんぼ》だった。だからこそ健司の裏切りを知った時、夜叉《やしゃ》のごとく健司を殺せたのだ。弥生に恋人がいてうまくやっていたら、こういう結末にはならなかっただろう。今井の考えは逆方向に向かっている。

「そうですかねえ」

今井はまだ疑いを捨てきれないといった様子で、未練たらしく手帳を眺めている。雅子は席を立って、冷蔵庫から麦茶を取り出してグラスに注いだ。今井に勧めると、今井は一礼して飲み干した。喉仏が動く。伸樹の喉仏、死体の喉仏。それらを連想して、雅子はしばし見つめ、それからゆっくりと視線を逸《そ》らした。

「念のためにうかがうだけですが、先週の火曜の夜、つまり水曜の早朝から昼にかけてはどうなさってましたか」

グラスをテーブルに置いた今井は、咳払いをして雅子を見た。

「私は普段と同じように工場に行きました。弥生さんとも会いましたし、いつも通り仕事して、同じ時間に帰ってきました」

「でも、香取さんは普段より遅く出勤してますよね」

手帳を見ながら今井はさり気なく切り出した。あの晩、遅刻寸前に工場に入ったことだった。そこまで調べているとは思わなかった。不意を衝かれて焦りながらも、顔には出さず頷いて見せる。

「そうだったかもしれません。道が混んでて遅れました」

「ここから武蔵村山だったらお車ですよね。あそこに停めてあるカローラがそうですか」

今井は手にしたボールペンで玄関を指さした。

「はい、そうです」

「あのお車は香取さん専用ですか」

「ええ」

車のトランクは掃除しておいたはずだが、鑑識に調べられたら何か出てしまうかもしれない。雅子は不安を隠すために煙草に火をつけた。幸いなことに手は震えていない。

「勤務が終わってから、その日は何を？」

「ええ、六時前に帰って来て、それから朝食の準備をして家族と一緒に食べました。みんなが出て行ってから洗濯したり掃除したりして、九時過ぎには寝みましたが。普段と変わりません」

「その間、山本さんの奥さんとはお話は？」

「いえ、工場で会ったきりです」

思いがけない声がリビングルームに響き渡った。

「あの晩、山本さんから電話かかってきたじゃないか」

びっくりして振り向くと、リビングの入口に仲樹が立っていた。雅子は仲樹が口を利いたのを聞いて呆然としていた。今朝、仲樹が起きて来ないので放っておいたのだが、家にいることをすっかり忘れていたのだ。

「こちらは？」落ち着いた声音で今井が問うた。

「長男です」

今井は軽く仲樹に礼をしてから、興味を感じたらしく仲樹と雅子双方を眺めながら訊ねてきた。

「電話があったのは何時頃ですか」

雅子は質問に答えずにぼんやりと仲樹の顔を眺めていた。ほぼ一年ぶりに聞いた息子の言葉が、あの電話のことだとは。それは雅子に対する復讐《ふくしゅう》に思えてならなかった。復讐だとしたら、自分の何に対してだろうか。

「香取さん」今井がもう一度訊いた。「香取さん、電話のことですが」

我に返る。「すみません。この人が喋るのを聞いたの、久しぶりなんで」

話が自分のことになると、仲樹は不機嫌そうに背を丸め、部屋を出て行こうとした。

「と言いますと？」

「何でもねえよ」

仲樹は言い捨て、リビングのドアをばたんと閉め外に駆け出して行った。

「すみません。あの子は高校を退学になってから家で口を利かなくなってしまって」

雅子は母親らしい言い訳めいた口調で説明する。

「なるほどね。年頃の少年は大変ですよね。僕、前に少年課にいたんでよく知ってます」

「そんな子が喋ったんで驚いたんです」

「この事件がショックなんでしょう」

今井はもっともらしく頷いているが、唇を舐め、早く話の先を聞きたいという様子がありありと見えた。雅子は話を戻した。

「電話のことですが、あれは火曜の晩にかかってきたことだと思います」

「火曜の晩って、二十日ですね。何時頃ですか」

今井が勢い込んだ。

「十一時過ぎですかね」と雅子は考えるように答える。「ご主人がまだ帰らないけど、どうしようというような電話でした。だから、大丈夫だから仕事においでよ、と言ったような気がします」

「でも、そういうことは何度かあったんでしょう。その日に限って、なぜ弥生さんは電話してきたのかな」

「何度もあったとは聞いていません。たいがい、十一時半までには帰宅していたと聞いてます。ただ、あの日は、坊やがむずかっていたので心配だとか言ってましたが」

「それはどうして」

「何でも猫がいなくなって機嫌が悪いと言ってました」

雅子は出まかせを言った。後で口裏を合わせる必要がある。それを覚えておかなくてはならないだけだ。しかし、猫のことは事実だから大丈夫だろうと踏んでいた。

「ああ、そうですか」今井はまだ疑わしげだった。

その時、洗濯機の洗濯の終わりを告げるブザーが鳴り響いた。

「あれは？」

「洗濯機です」

「ほう、風呂場を拝見してもいいですかね」

のんびり言って今井は席を立った。雅子は内心、凍りつくような思いで頷き、小さく笑ってみせた。

「構いませんけど」

「いや、改築しようかと思ってましてね。いろんなお宅の風呂場を拝見してるんですよ」

「なら、どうぞ」

雅子は先に立って、今井を風呂場に案内した。今井はきょろきょろと家の中を眺めながら後をついてくる。

「いいお宅ですね。建てて間もないですか」

「ええ。三年前に建てました」

「やあ、風呂場も広いですね。いいなあ」

今井は風呂場を見まわして感心した声を上げた。雅子は、今井がここで健司をバラバラにした可能性を百にひとつは考えていることを悟った。要注意だ。

「息子さんはいつもお宅にいるんですか」

風呂場を見物し終わり、玄関で形の崩れた靴を履きながら、今井は振り返った。雅子は小さな嘘をついた。本当は伸樹はほとんど定時にアルバイトに出ていくのだ。

「いたりいなかったりで、いい加減です」

「なるほど」今井はがっかりしたように唇を嚙み、それから気をとり直して明るく挨拶した。

「どうもお邪魔しました」

今井が帰った後、雅子は二階の伸樹の部屋に上がって行った。そこからなら家の前の道が見渡せるからだった。雅子はレースのカーテン越しに外を透かして見た。案の定、今井はまだ立ち去らず、向かい側の造成地から雅子の家を眺めている。いや、眺めているのは家ではなかった。雅子の古いカローラだった。

今井が去るのを確認すると、雅子はすぐに弥生に電話をした。電話をするのは、新聞を見て以来のことだった。

「もしもし」と低い声で当人が出てきた。雅子はほっとした。

「あたしだけど、今喋っても大丈夫？」

「ああ、雅子さん」弥生は嬉しそうに叫ぶ。「大丈夫よ。誰もいない」

「亭主の親戚とか、あなたのお母さんは？」

「義母は警察の事情聴取。義兄はもう帰ったし、母は買い物に行ってくれてる」

弥生には、両親の庇護《ひご》のもとに置かれた気楽さが戻ってきているようだった。

「そう。監視されてないの？」

「それがね、どういう訳だか、刑事さんもあんまり来なくなったのよ」弥生は他人事《ひとごと》みたいに暢気《のんき》に言った。「歌舞伎町のカジノとかで、あの人の背広が出て来たんだって。それでそっちを調べているらしいの」

不幸中の幸いだった。雅子は安堵したが、なお今井という刑事には不安を感じている。

「今井って刑事に気をつけて」

「ああ、あの背の高い若い人ね。わかったわ。でも、いい人じゃない」

「何がいい人よ」と雅子は呆れる。「刑事にいい人なんていないよ」

「そうかしら。みんなあたしに同情してるみたいだよ」

雅子は弥生の能天気振りに怒りさえ感じる。

「だけどね、あなたからあの晩電話があったことがばれたの。猫がいなくなったので坊やが不機嫌になったたって説明しておいた」

「うまいわね」弥生は手を叩いて笑った。まるで自分が殺したことなど忘れているかのような落ち着いた声音を聞いて、雅子の二の腕に鳥肌が立った。

「だから、口裏合わせてよ」

「うん、わかった。でも、何か平気そうよ。あたしそんな感じする」

「調子に乗らないで」

「わかってるわよ。ねえ、明後日《あさって》、ワイドショーが来るんだって」

「葬式が終わったばかりなのに？」

「そう。断ったんだけどしつこくてとうとう出ることになった」

「馬鹿ね。やめなさいよ。誰が見るかわからないよ」

雅子はたしなめた。

「あたしもやめたいわよ。でも、母が出て、言い含められちゃったらしいのよ。ほんの三分でいいからって言われて」

雅子は言葉もなく沈み込む。やはり、弥生にも死体の始末を手伝わせるべきだった。弥生は自分が殺した事実すらも、忘れかけている。しかし、そのことが弥生に疑いを持っている世間に対していいのか、まずいのか、それすらも今の雅子は判断しかねているのだった。

さっき、伸樹が刑事に自分を売ったことが大きく引っかかっていた。一年ぶりに聞いた息子の言葉が刑事への告げ口とは。これまで伸樹に距離を置いて見守ろうとしてきた自分を、伸樹は許さないのだと感じる。

仕事も家庭も一生懸命してきたつもりだったが、息子に許されないのだとしたら、自分の何が悪かったというのだろう。報われようと思ってしたことは何ひとつないだけに、あからさまな裏切りは応えた。雅子は動揺する心を持て余し、ソファの背を力任せに摑んだ。指がふくよかなウールの布地に食い込む。ちぎり取れるものなら取ってしまいたいほど、抑えられない悲しみが出口を求めて咆哮《ほうこう》していた。嗚咽《おえつ》を堪《こら》え、雅子は瞼を閉じた。

洗濯物を入れずにまわっていた洗濯機を見て、空まわりをしていた信金時代の自分を重ね合わせたことがあった。おそらく、家でも同じことをしていたのだ。それならば、自分の人生はいったい何だったのか。何のために働き、何のために生きていくのか。磨り減り、行き場をなくした自分を思うと、涙が溢れてきた。

だからこそ、自分は夜の工場勤務を選んだのかもしれない。昼間寝て、夜働く。体を動かし、綿のように疲れて考えないようにする。家族と反対の生活を送る。それは怒りと悲しみを増しただけだった。良樹も伸樹も、誰も自分を救えない。

だからこそ、なおも自分は境界を越えたのかもしれなかった。絶望がもうひとつの世界を望んだのだ。雅子はつい先ほどまでわからなかった、弥生を手助けした自分の動機を初めて理解した。しかし、境界を越えた世界で、何が自分を待っているというのだろう。何も待ってやしない。雅子はまだソファを摑んでいる白くなった指先を眺めた。警察が来て捕まろうと、弥生が手伝った自分の真の動機を理解しようと、雅子の心には最早何も触れない。背後でドアの閉まる音が幾つも聞こえる。雅子は孤独のまっただ中にいた。

5

今井は汗を拭き拭き、明らかに元は農道と思える細い道を歩いていた。辺りは開発から取り残されたような小さな古い住宅が並ぶ一角だった。色褪せた茶色のトタン屋根は無惨にめくれ、ささくれた格子戸《こうしど》や錆びた雨樋《あまどい》が、建ってから三十年は経つだろうと想像させた。いずれの家も、火をつけたらたちまちめらめらと燃え上がりそうな、そそけた木造住宅だ。

本庁の衣笠は、山本健司が失踪した当日立ち寄ったという、歌舞伎町のクラブとカジノの経営者に当たりをつけて新宿署に入り浸っている。今井は衣笠と別れ、単独で聞き込みにまわることにした。

衣笠はカジノの経営者に前科があるのを知って張り切っているが、今井は弥生に釈然としないものを感じるのだった。言葉ではうまく説明できない勘のようなものだ。弥生にはどこか出来事の芯とでもいうものを必死に隠している気配がある。それがどうしても気にかかっているのだ。

今井は道の真ん中で立ち止まって手帳を取り出し、最初からページを繰って眺めながら考えた。髪を濡らしたプール帰りらしい小学生のグループが、不思議そうに今井を見遣って、横を擦り抜けて行く。

弥生が亭主を殺したとする。喧嘩が絶えなかったというのだから動機は十分だ。発作的に殺してしまうことは誰にでもあり得る。しかし、弥生の体格は女にしても小柄なほうだ。自分が怪我をせずに殺すには、亭主が就寝中か泥酔《でいすい》でもしていない限りは難しいだろう。だが、亭主は十時頃まで新宿にいてまっすぐ帰宅したとしても十一時。酒はかなり覚めているはずだ。それに殺すほどの喧嘩になれば、近隣に聞こえ、なおかつ子供も起きることだろう。西武新宿線の車中でも駅でも、山本健司は誰にも目撃されていない。新宿からの足取りが摑めないのはどういう訳だ。

仮に、弥生がうまく亭主を殺し、何食わぬ顔で工場に行ったとする。なら、死体の始末は誰がしたのだ。弥生の家の風呂場は狭く、ルミノール反応も出なかった。

工場の仲間の誰かが弥生に同情して始末を手伝ったとしよう。女だからといってあり得ないことではない。案外、女とバラバラ殺人事件は相性がいい。今井は過去のバラバラ事件に関する資料を読み込んでいた。女の関わったバラバラ殺人事件に共通するのは、「場当たり的」だということと、女同士の「連帯感」だった。

衝動的に殺人を犯した女は、真っ先に死体の始末に困る。なぜなら、非力で一人では運べないからだ。そのためやむなくバラバラにすることが多い。男の動機は身元隠しのためだったり、猟奇的興味ということもままあるが、女の場合は単に持ち運びに苦慮するからなのだ。場当たり的だというのは、そこに根拠がある。福岡で美容師が殺されてバラバラにされた事件があったが、犯人の女は殺してしまってから死体を運べないことに気付き、解体して捨てに行った。

また、女は互いの境遇が似通っていると、同情から共犯関係になりやすい。娘が酒乱の亭主を殺してしまってから母親に泣きつき、あの亭主なら仕方がないと同情した母親が一緒に死体をバラしたという事件もある。親友同士が、片方の女にくっついたヒモのようなろくでなしを、共謀して刺殺し、二人で細かく解体して川に流した事件もあった。逮捕されてからも、二人はいいことをしたと思っている、とさばさばした表情で供述したという。

女は毎日料理をするから、男よりもずっと動物の肉や血に慣れているはずだ。包丁捌きもいいし、ゴミの処理もうまい。まして出産を経験した女なら、人の生死にもっとも近い位置に自分を置いたことがある訳だから肝も据わる。自分の妻がいい例だ。今井は、冗談ともつかない思いで考え込む。

それでは、さっき訪問した香取雅子が死体の始末を手伝ったと仮定しよう。

今井は雅子の落ち着きはらった賢そうな顔と、広い風呂場を思い浮かべた。雅子は運転できるし、あの晩、奇《く》しくも弥生から電話があったというのも怪しい。

弥生が亭主を殺してしまい、雅子に助けの電話を入れたとする。雅子は出勤の途中、弥生の家に寄り、亭主の死体をあの車に隠す。だが、その夜、二人は何事もなかったかのように出勤しているのだ。雅子だけではない。仲がいいとされる、二人の仲間、吾妻ヨシエと城之内邦子もいつもと変わらず出勤している。度胸が良すぎるし、頭脳的にすぎる。今井は女のバラバラ殺人事件が「場当たり的」だという分析を思い出し、首を傾げた。

翌朝、弥生は家に戻って、その日は一日家にいたと供述している。事実、それは近所の聞き込みでも実証された。だから、弥生が亭主の解体に参加したとは考えにくい。では、雅子が自宅に弥生の亭主の死体を持ち帰って、一人、もしくは仲間とバラバラにすることができるだろうか。犯人の弥生は家にのうのうとしているというのに、雅子たちがどうしてそこまでしてやる必要がある？　弥生の亭主に、同じ恨みを持っていたなんてことはあるまい。理知的な雅子がそんなリスクを冒すとは到底思えなかった。

しかも、女同士の「連帯感」が二人にあるとは考えられない。弥生と雅子の境遇はそれほど似ていない。第一、年も環境も違う。弥生はまだ小さな子供がいて若く、さほど裕福ではない。雅子のほうは、どうして夜勤になんか出ているのだろうと今井が不思議に思うほど、質素ながらも安定した生活をしているように見えた。亭主は一流といえないこともない企業勤めだし、家も新築一戸建てだ。いまだ狭い官舎暮らしで子沢山の今井は、羨ましく思った。息子も多少問題がありそうだが十七歳で、子育て期間はひとまず終わったといえよう。夜勤なんか辞めても、悠々自適で暮らしていけるだろう。それに聞いた限りでは、二人の付き合いは工場だけに留まっているようだ。

それなら金か。今井は、雅子がパート労働の理不尽さに言及した時の怒りの表情を思い出した。雅子はその辺はシビアに見える。だとすれば、弥生が金で雅子に依託したことも考えられなくもない。自分はアリバイ作りのために行けないから始末してほしい、金なら払うと言って。だったら、吾妻ヨシエや城之内邦子なんかに声をかけることもできるかもしれない。しかし、そんな経済的余裕は弥生の暮らしぶりではあり得そうもない。

保険金で払うつもりだったのか。別の考えが浮かんだ。弥生に保険金が下りそうだという話は聞いていた。保険金で支払うからと雅子や仲間に持ちかけたのか。それならば、死体をバラバラにする必要はなかった。身元がすぐに確認されなければならないのだから。今井はまたしても問題に突き当たった。動機という点でも、今井の仮説は暗礁《あんしょう》に乗り上げるのだった。

今井は亭主の死体写真を見た時の、弥生の激しく動揺した様を思い出した。あれは演技ではない。本物の驚愕と恐怖だった。弥生が亭主を解体したのでないことは確かだった。

当夜、山本家の付近で雅子の赤いカローラは目撃されていないし、死体の捨てられたK公園付近でもそんな情報はない。弥生が亭主を殺して、雅子に依頼した、あるいは雅子か工場の仲間の誰かが自発的に死体を解体した、という仮説を今井はしぶしぶ取り下げたのだった。

次に考えたのは、弥生に共犯となる男がいるのではないかということだった。弥生は美人だし、それもあり得ないことではない。が、どこにもそんな情報はなかった。

今井は手帳に蛍光ペンで記《しる》された箇所を読んだ。近所の聞き込みで得た気になることが書かれてあった。

山本夫婦が、始終、夫婦喧嘩をしていたこと。一緒の部屋では寝ていなかったこと。上の息子が父親は一度帰ってきたと証言していること（しかし、それは弥生が子供は寝ぼけていたと否定している）。さらに、あの晩以来、飼い猫が家に入らなくなったこと、など。

「猫か」

今井は独り言を言い、周囲を見た。うらぶれた平屋の、月見草の茂る庭に茶虎の猫がこちらを警戒するように腰を屈《かが》めていた。今井は猫の黄色い目を見つめた。当夜、山本家の猫は何かを目撃したのかもしれない。だから怯えて、家に戻らなくなったのではないだろうか。しかし、猫に尋問するわけにはいかない。今井は苦笑する。

それにしても暑い。今井は皺だらけのハンカチで汗を拭き、歩きだした。少し先にある昔懐かしい駄菓子屋に入り、冷たいウーロン茶を買ってその場で飲み干した。太った中年男が暇そうに液晶テレビを眺めているのを見て、今井は話しかけた。

「吾妻さんのお宅はどちらでしょうか」

店主は角の家を指さした。

「どうも。吾妻さんのところはご主人亡くなられたそうですね」

「そう。何年も前にね。あそこは寝たきりのおばあさんがいるから大変よ。それに孫もいてね。今日も駄菓子買いに来たよ」

そんな状態では、割に合わない死体の始末を手伝う余力はあるまい。今井はますます、自分の考えた仮定が朝の露のように消えていくのを感じるのだった。

ヨシエの家の玄関を開けた今井は、強烈な糞便の匂いにたじろいだ。三和土《たたき》から部屋の奥まで見渡せる小さな家の中で、ヨシエが寝たきりらしい老人の排泄《はいせつ》処理をしている真っ最中だった。

「あ、これはどうもすみません」

「誰」

「武蔵大和署の今井といいますが」

「刑事さん？　今、手が放せないんだけど後にしてくれない」

ヨシエに怒鳴られた今井は出直すべきか迷った。だが折角《せっかく》来たのだから、と思い返した。

「じゃ、すみませんが、そのまま話していただけますか」

「いいけどさ」ヨシエは不機嫌に振り向いた。髪が乱れ、額に玉の汗が浮いていた。

「あんた、臭いでしょう」

「いいえ、こちらこそ忙しい時にすみませんね」

「何を聞きに来たの。山ちゃんのこと？」

「そうです。仲がいいとうかがいましたんでね」

「特にいいってわけじゃないよ。だって年が違うもの」

ヨシエはよいしょっとかけ声をかけて老人の両足を持ち上げ、トイレットペーパーで汚れた尻を拭き始めた。今井は目の遣りどころに困って顔を背け、玄関に脱ぎ捨ててあるアニメの絵のついた小さな運動靴を眺めた。右手の流し台とガス台があるきりの暗い台所の床で、幼児が座り込んで無心にジュースを飲んでいるのに気が付いた。これがヨシエの孫らしい。この狭さでは死体を持ち込んでバラバラにするなど、とても無理だと思う。風呂場を見るまでのこともなかった。

「最近、山本さんの奥さんに変わったことはありませんでしたか」

「だからさ、あたしは何も知らないんだよ」

尻を拭き終えたヨシエは新しいおしめを老人の腰に当てがった。

「はあ、そうですか。じゃ、山本さんの奥さんはどういう人ですかね」

「尽くすタイプ」すぐに答えが返ってきた。「あの子は尽くすタイプだからさ、あんな死に方されてほんとに可哀相だと思うよ」

ヨシエの語尾が震えたのは、力仕事をしているせいだと今井は思った。

「山本さんは前の日に工場で転んだと聞いてますけど」

「よく知ってるわね」ヨシエは今井の顔を見た。「そうそう。豚カツソースに躓《つまず》いたんだよ」

「それは何か原因でもあったんでしょうかね。心配事みたいな」

「まさか。工場は誰でも滑るの」

ヨシエはうんざりしたように言い捨て、汚れたおむつを持って立ち上がった。それを子供の遊んでいる台所の入口に無造作に置いて、重労働で曲がった腰を伸ばしながら今井のほうを向いた。

「あとは何を聞きたいの」

「そうですね。じゃ、吾妻さんは水曜の朝は何をしてらしたんですか」

「これと同じことだよ」

「その日一日は?」

「これと同じこと」

今井は礼を言うと、ほうほうの体でヨシエの家を後にした。夜勤の後で、寝たきり老人の世話をするヨシエの苦労を眼前にして参っていた。工場で衣笠と聞いてまわった時はおどおどしていて何となく怪しいと思ったのだが、見込み違いもいいところだったらしい。

次に向かうのは、もう一人の仲間の城之内邦子というパート従業員のところだった。が、今井は面倒になっていた。再び同じ駄菓子屋に立ち寄り、二本目のウーロン茶を飲み干した。

「吾妻さん、いた？」と店主。

「ええ。忙しそうでした。ところで、先週の水曜、吾妻さんはどこかにお出かけになりませんでしたか」

「水曜？」問い返す店主の目に、胡散臭《うさん》いものを見る濁りを感じ、今井は警察手帳を見せた。

「実は同じ工場でバラバラ事件の被害者の奥さんがご一緒なんで」

「ああ、あれ」店主の目が輝いた。「ひどい話だよね。そうそう。被害者の奥さん、弁当工場の人なんだってね」

「水曜は吾妻さん、どうでした」

「あの人は家に縛りつけられてるよ」

店主はどうしてヨシエのことを聞くのか、と好奇心まるだしに答えた。今井は何も言わずに店を出た。すでに徒労を感じ始めていた。

途中、東大和駅の駅前に出て冷やし中華を食べ、邦子の家に着いたのはすでに午後をかなり過ぎていた。インターホンを押しても誰も出てこない。何度も押して、諦めて帰ろうかと踵《きびす》を返したちょうどその時、受話器を外す音がして不愛想な女の声がした。

「はい、どちら様」

今井が名乗ると、すぐにドアが開いた。明らかに寝ていたとわかる仏頂面《ぶっちょうづら》で、邦子が顔を出した。

「すみませんね、お休みのところ」

邦子という女は今井の突然の訪問に怯えたように目を伏せた。今井は興味を感じて邦子の部屋の中を見まわした。

「いつも、この時間はお休みなんですか」

「そうです。だって、夜通し働いてるんだもの」

「ご主人はお勤めですか」

「ええ、まあ」邦子は言葉を濁した。

「どちらにですか」

今井は相手の意識の裂け目に言葉を素早く捩《ね》じ込んだ。こうすると、すぐにぼろが出る。

「実は辞めたんです。それで今は別居してます」

「別居ですか」職業的食指が動きかける。しかし、弥生と関係があるとは思えなかった。

「その理由をうかがってもいいですか」

「理由なんて、ただうまくいかないだけですよ」

邦子は明らかに下着をつけていない緩んだ胸をTシャツの下で揺らして、バッグの中から煙草を取り出した。今井は奥の部屋を眺めた。乱れたベッドが見えた。こんな女と暮らすのは気が滅入るだろう、と今井は男の目になって、邦子が煙草を口の端にくわえて吸う様を見つめている。

「山本さんの奥さんと仲がいいとうかがったので、そのことを聞きたいんですけど」

「別に、そんなに仲良くないですよ」

邦子は横を向いたまま言った。

「そうですか。工場では四人でいつも行動していると聞いてますが」

「工場ではね。でも、あの人はお高いっていうか、顔も可愛いの自慢ぽいし、それほど親しくはないですよ」

今井は邦子の心の底に潜む悪意に気付いた。弥生に対して同情心がないのだろうか。弥生は被害者の妻で、世間的には気の毒な立場にあるのに。

ヨシエも邦子も、弥生と仲がさして良くないと言い張るのはどうしてだろう。今井の心にわずかな引っかかりが生まれた。工場で聞いた話では、いつも四人で行動し、仕事の終わった後も、茶を飲みながらお喋りして帰るのを常としていたというではないか。これまでの経験上、そういう場合の周囲の反応というのはおしなべて過剰に同情的なものだが。

「じゃ、仕事のほかではお付き合いはないんですね」

「ほとんどないですね」

邦子は素っ気なく言うと、立って冷蔵庫に行き、ミネラルウォーターのボトルから水をグラスに注いだ。

「飲みますか。といっても、ただの水道の水だけど」

「いや、結構です」

邦子が冷蔵庫を開けた時に、今井は中を素早く見ていた。主婦がいるとは思えないほど何も入っていなかった。残り物も食材も、一本のジュースもない。この家では料理というものをしないのか。今井は不思議に思った。そういえば、邦子の持ち物や着ている物は金がかかっているようだが、CDや本も見あたらず、部屋全体に貧しさが漂っていた。

「お料理、しないんですか」

今井は部屋の隅に捨てられた弁当殻を眺めて口に出した。

「嫌いなんですよ」

邦子は顔を歪め、吐き捨てた。が、すぐに恥ずかしそうな顔になった。見栄っ張りだと今井は思う。

「そうですか。実はバラバラ事件のことですけど、城之内さんは水曜の夜、休んでますよね。その理由を教えていただければ」

「水曜？」

どきっとしたように邦子はえくぼのある太った手を胸に当てた。

「はあ。その前日の夜、つまり火曜の深夜から、山本さんのご主人が行方不明になって、金曜にバラバラになった状態で発見されたんですけど、城之内さんは水曜の夜に休まれていますよね。だから、一応、その理由を」

邦子はうろたえた。「たしか、おなかが痛くなって工場に行くの面倒になったんですよ」

確かめるために間を置き、今井は続けた。

「山本さんの奥さんには恋人とかいませんでしたか」

「さあ」と邦子は肩をすくめた。「いないんじゃないの」

「雅子さんはどうですか」

「雅子さん？」

思いがけない名前が出たので驚いたのか、邦子は素《す》っ頓狂《とんきょう》な声をあげた。

「ええ、香取雅子さんです」

「いないでしょう。あんな怖い人」

「怖いですか」

「ええ、怖いっていうか」

ほかに表現が見つからないのか邦子は黙り込んだ。今井はそれが邦子の本音なのだろうと察して黙って待っている。それにしても、雅子のどこがどうしてそんなに怖いのか。今井は首を捻った。

「ともかく、あんな工場はもう辞めようと思います。バラバラ事件はあるし、運が悪くなる感じがして」

邦子は話を違うほうに持っていった。今井は頷いた。

「そうでしょうね。じゃ、仕事を探すんですか」

「昼間の仕事に変えようかと思って。だって、あそこ痴漢は出るし、何だか物騒じゃないですか」

「痴漢?」初耳だった。今井は手帳を開いた。「工場に出るんですか」

「いやだ、出るっていうと幽霊みたいよね」

話が変わった途端、邦子は急に元気になった。

「関係ないとは思いますが、詳しく聞かせてください」

邦子は今年の四月頃から、痴漢が出没するようになった経緯を話しだした。その談話を書きつけながら、今井は女たちが夜勤に出る大変さを考えている。

邦子の家を出ると、午後の長い日射しがコンクリートの駐車場をかっと照りつけていた。今井は炎天のもと、歩いてバス停に行く面倒を思い、またそこでバスを待つ時間を思い、ふうっと溜息をついた。契約駐車場に色とりどりの車が停まっている。ひときわ派手なダークグリーンのゴルフカブリオレが目についた。

この団地の誰が乗っているのだろう、と今井は想像したが、部屋に貧しさが漂っている邦子の愛車だとは思いもよらなかった。

出直しだな、これは。これから、火曜の夜に休んでいた男の従業員五人を訪ねてみるつもりだったが、それは翌日にまわすことにしよう。しかし、これで自分の仮説が完全に潰《つい》えれば、また衣笠にヘゲモニーを取られたままついてまわるはめになる。

今井は浮かぬ顔をして、炎天の中を歩きだした。数歩も行かないうちに汗が噴き出してポロシャツの背を濡らしはじめた。

6

宮森カズオは、二段ベッドの上段にうつぶせに寝そべって日本語のテキストを読んでいた。

試練と思った弁当工場での労働の日々に、新たな試練がふたつ加わることになった。ひとつは、マサコに完全な許しを得ること。もうひとつは、そのために日本語に習熟することだった。白飯をベルトコンベアに運ぶ単純な作業とは違い、この試練にはどこか甘美な味がした。

「私の名前は宮森カズオです」
「趣味はサッカーを見ることです」
「あなたはサッカーが好きですか」
「あなたの好きな食べ物は何ですか」
「私はあなたが好きです」

それらの構文を小さな声で数回ずつつぶやくと、カズオは腹這いのまま目を横に転じた。ベッドの端からほんの上部だけ見える窓に、濃いオレンジ色の夕焼けが映っていた。夏の空が暮れていくところだった。鮮やかなオレンジ色に染まった雲の上は濃い藍色の夜空に変わりつつある。そうだ、早く夜になれ、とカズオは願った。そうすれば工場でマサコに会えるからだ。

あの日以来、マサコと話はしていなかった。話しかけても無視されるのが辛かったからだ。だが、マサコがあの晩、暗渠《あんきょ》の川に捨てた物はこっそり拾い上げていた。

カズオは枕の下から銀色の鍵を取り出し、手で握った。冷たい鍵はカズオの手の温もりでゆっくり温かくなっていった。それが、自分のマサコに対する思いのような気がしてカズオは幸せな気持ちになった。

同僚に言えば、年が違いすぎると笑うだろう。また、付き合うならブラジルの女を選べと説教されるかもしれない。誰にもわからなくていい。あの年上の女には、きっと自分だけが理解できる何かがあるはずだ。そして、カズオもまた、マサコだけがわかってくれるものを持っているはずだった。知り合えば、二人はきっと似ているに違いない。その思いがこの鍵に籠められている。

カズオは銀の鎖に鍵をつけ、首からかけた。ありふれた代物だから、これがマサコの捨てた鍵などとはマサコ自身にもわかるまい。まるで初恋をしている高校生みたいな振る舞いが、二十五歳のカズオには愉快でならなかった。

この行為が、冷たい父の母国での憂さ晴らしだとは決して思わなかった。マサコのような女に邂逅《かいこう》するのはブラジルでも稀有《けう》なことだと、聡明なカズオは考えている。

暗渠に行ってみたのは昨日の早朝のことだ。

ブラジル人従業員はパートタイマーと違い、午前六時までの就業が義務づけられている。その終業から午前九時の昼の部の始業まで、工場には完全に人がいなくなる。カズオはその隙を狙って廃工場前の暗渠に向かったのだった。

マサコが物を投げ込んだ場所はだいたい覚えていた。マサコがあそこに何を捨てたのか興味があった。金属の音がしていたから流れてはいないだろうという期待もある。

駅へ急ぐ勤め人や学生を数人見送った後、カズオは人通りのないのを見計らって暗渠の上のコンクリートの蓋を渾身《こんしん》の力を込めてずらした。陽が当たることのない汚水に、清潔な夏の朝陽が反射して、一瞬だけ水面が輝いた。カズオは中を覗き込んだ。水は黒く濁っていたが思っていたより浅いのが見てとれると、カズオは思い切って、一メートルほど下の川にジョギングシューズのまま飛び降りた。

汚泥が跳ねて、カズオのジーンズに黒い染みを飛ばし、足首まで嫌な匂いのする水に浸かってナイキのシューズを駄目にしたが気にはならなかった。ひしゃげた空のペットボトルの下に、黒革のプレートのついたキーホルダーが引っかかっているのが見える。

カズオは温い水に手を入れてキーホルダーを摘み上げた。革のプレートはさんざん使い込んだのか、角は擦れて白くなっている。銀色の鍵が一本ついていた。陽の光に当て、これはたぶん住宅の鍵だろうと思った。マサコはどうしてこんなものを捨てたのか、と疑問が湧いたが、マサコの物を拾えた喜びのほうが勝っていた。カズオは長く汚泥に浸かっていた黒革のキーホルダーは捨て、鍵だけを外してポケットに入れたのだった。

その日、工場に早めに出勤したカズオは二階の入口の周りをうろうろしてマサコが出て来るのを待った。

本当は駐車場からこちらに向かう、例の廃工場のある道で、歩いて来る彼女を見たかったのだが、それはできなかった。もうマサコを怖がらせてはいけないからだ。いや、そうではない。怖いのは自分のほうなのだ。カズオは一人苦笑した。そんなことをして、マサコにさらに嫌われるのをこの世で一番恐れている。

カズオは衛生監視員のコマダの横にさり気なく立ち、事務所前のタイムレコーダーに用がある振りをして玄関を窺っていた。やがて、普段とほぼ同時刻に、マサコの長身の姿が現れた。赤いパンチカーペットの上に黒いバッグを置き、素早い身ごなしでスニーカーを脱いでいる。その時、ちらとカズオのほうを見た。視線は相変わらず、カズオを通り抜けて後ろの壁に向けられていた。だが、カズオの身内には太陽が昇るのを見ているような原始的とも言える喜びがこみ上げた。

マサコはコマダに挨拶してから背を向け、コマダが埃取りのローラーをあちこちに転がすのを黙って受けている。サイズの大きな緑のポロシャツにジーンズ。バッグは手に持っている。カズオはマサコの姿を見るといつも感じる動悸を呼吸で抑えながら、そっと全身を盗み見た。若い男みたいな構わないなりをしてるが、余計なものを削り取った顔と姿には感動すら覚える。マサコが目の前を通り過ぎて行く。カズオは思い切って挨拶した。

「おはよう」

「おはよう」

マサコは意外だという顔でカズオに答え、そのままサロンに入って行った。カズオは胸に下げた鍵に感謝してそっと握り締めた。マサコが挨拶してくれたことが嬉しかったのだ。そのセレモニーが終わるのを待っていたとばかりに事務所のドアが開いた。

「宮森さん、ちょうどよかった。ちょっと」

日本人の工場長が手招きしている。早朝部の事務所には初老のガードマンしかいなくなるから、工場長がこんな時間までいること自体が驚きだった。請われるままに中に入ってカズオはさらに驚いた。通訳までが呼ばれていたのだ。

「何ですか」

「警察の人があんたに聞きたいと言ってるから、十二時にここに来てくれないか」

通訳に言わせて工場長は後ろを振り返った。奥のビニール張りの応接セットで、日本人従業員の男が刑事らしい痩せた男に何かを訊ねられていた。

「警察?」

「そう。あの人なんだけど」

「僕にですか」

「そう、きみに」

カズオの心臓は一瞬、縮み上がった。マサコが痴漢行為のことを喋ったに違いなかった。

裏切られた思いがして、たちまち眼前が暗くなる。警察に言わないでほしいというのは確かに虫のいい願いだった。しかし、マサコがその場しのぎで自分に嘘をついたとは思ってもいなかったのだ。マサコの許しを得ることを試練と思っていたが、勝手にそう考えた自分は愚かだったのか。

「わかりました」

ポルトガル語で答え、カズオは悄然《しょうぜん》とサロンに戻った。入口横に置いてある飲み物の自販機の前で、まだ着替えていないマサコが一人、立ったまま煙草を吸っていた。シショーという熟練工も、クニコという太った女もまだ姿を見せていないから、誰も喋る相手がいないらしい。あの綺麗なヤヨイが来なくなってからというもの、マサコの後ろ姿にはどことなく違う雰囲気が漂うようになった。拒否だ。すべてを拒否している雰囲気だ。しかし、カズオは怒りに震える声で話しかけていた。

「マサコさん」

マサコが振り向いた。その目を見つめながら、カズオは激しい勢いでたどたどしく日本語を喋った。

「あなた話しましたか」

「何を」

マサコは驚き、骨張った腕を組んだ。率直な目が大きく見開かれた。

「ケーサツ、来てます」

「どういうことかしら」

「あなた約束しました、でしょう」

それだけを告げ終わるとカズオはマサコの顔を見つめた。だが、マサコは唇を引き結び、カズオの顔を見据えているだけで何も言わなかった。カズオは失望し、肩を落として更衣室に入って行った。警察に検挙され、ここを首になるかもしれないという心配より、焦がれたマサコに裏切られたことが衝撃だったのだ。

十二時の始業時間から聴取されるということは、もう着替えていなくてはならない時間だった。カズオは自分の作業衣のかかったハンガーを探し当て、支度を終えた。工場内では装身具は一切禁止となっているので、鍵のついた鎖を外し、それだけは丁寧にズボンのポケットに入れる。ブラジル人従業員の印である青いつくつく帽子を手にサロンに戻ると、マサコがさっきの場所に立ってカズオが歩いて来るのを見ているのに気付いた。マサコもすでに着替え終わっていたが、急いだのか、ほつれ毛がネットから数本飛び出ていた。

「ねえ」

通り過ぎようとした時、マサコの手がカズオの太い腕にかけられた。カズオはマサコに顔を背け、構わず事務所に向かった。

マサコが裏切ったならばこれで試練は終わりだ、と自分の命も絶てるほどの強い思いがあった。しかし、腕にマサコの手の感触を覚えた後、カズオは歩きながら我に返った。いや、これも試練のひとつなのだ、自分は彼女の与えた試練に耐えなくてはならない。ポケットの中の鍵が、確実にそこにあることを、太股からその冷たさで伝えてくる。

　事務所のドアをノックすると、すぐに中から開けられた。ブラジル人の通訳と、刑事がカズオを待っていた。カズオは動悸を抑えるため、無意識にポケットに手を入れ、鍵をぎゅっと握った。

「イマイと言います」刑事は警察手帳を見せた。

「宮森・ロベルト・カズオです」

　イマイという刑事は長身で顎がない。好人物に見えたが、目つきは鋭い。

「失礼ですが、日本国籍ですか」

「はい。父が日本人で、母はブラジル人です」

「ああ、それでハンサムなんだな」とイマイは笑った。カズオは自分の血を揶揄《やゆ》されたような気がしてにこりともしなかった。

「ちょっと聞きたいことがあるんで、すみませんね。この時間は仕事の時間に組み入れてもらってますから」

「そうですか」

　カズオはいよいよ核心に入るのかと思い、緊張し身構えた。だが、刑事の質問は思ってもいないことだった。

「山本弥生さんを知っていますか」

カズオは驚き、思わず通訳の顔を見た。通訳が答えを促す。

「はい、知っています」と頷く。イマイの真意がよくわからなかった。

「じゃ、山本さんのご主人のことも知ってますね」

「ええ。みんなが噂してましたから」

これはいったい何に関する質問なのだ。カズオは焦った。刑事は迷わず質問をぶつけてくる。

「山本さんのご主人に会ったことは」

「一度もありません」

「じゃ、山本さんと話したことはありますか」

「挨拶くらいならたまにしますけど。あの、これはいったい何の尋問なんですか」

カズオの後半の問いは訳されていないらしい。刑事は構わず続けた。

「先週の火曜の夜、あなたは非番でしたね。その日の行動を教えていただけますか」

「僕が疑われているのですか」

意外な出来事にカズオはうろたえたが、同時に怒りも湧いてきた。自分にはまったく関係のないことだからだ。

「いえいえ」刑事は笑いを浮かべて否定した。「山本さんの交友関係を調べているんですよ。だから、その日にお休みだった人に念のため聞いてるだけですから」

　納得いかなかったが、カズオはその日の行動を伝えた。

「昼まで寝ていて、そのあと大泉町に出かけました。そこのブラジリアン・プラザで半日遊んでいて、夜九時頃部屋に戻って寝てましたけど」

「あなたはその夜、部屋に戻ってないとルームメイトのかたが言ってるようですがね」

　刑事がおや、という顔をして手帳を見ながら言う。カズオは抗議した。

「アルベルトはガールフレンドと帰って来たので気が付いてないだけで、僕は部屋の自分のベッドで寝てました。間違いないです」

「どうして彼はわからなかったのだろう」

「僕のベッドは二段ベッドの上なんです。そこで寝込んでいたから、彼らは気付かなかった」

　カズオは当夜のことを思い出し、顔を赤らめた。

「なるほど。その人は恋人と帰って来たんですね」

　察しよく、刑事はにやっと笑った。きまりの悪くなったカズオは、誰もいない事務所を見まわした。事務机が三列ずらっと並び、それぞれの机の上のパソコンに透明ビニールのカバーがかけられているのをぼんやりと眺める。日本に行ったらパソコンの勉強もしたいと思っていたのだが、自分は弁当工場で白飯の運搬をやっている。そのことが急にひどく理不尽に感じられた。

「じゃ、夜中はどうしてましたか。部屋にいたんですか」

カズオは返事に詰まった。あの夜はマサコを襲い、後悔して恥ずかしさのあまり、一晩中この辺をほっつき歩いていたのだ。雨が降りだしたので、部屋に傘を取りに戻ったのは明け方で、それからまた外に出てマサコを待っていた。ルームメイトのアルベルトは工場に出たから、それを知る由もない。

「散歩してました」

「一晩中？　どこをですか」

「この工場の周りです」

「どうして」

「理由はないです。何となく部屋にいるのがつまらなかった」

刑事は少し気の毒そうな顔でカズオを見た。

「きみ、幾つ」

「二十五歳です」

イマイという名の刑事は何事か悟ったのか、ふうんと頷きながら考え込んで、手帳を眺めたまましばらく口を利かなかった。

「もう行っていいですか」

沈黙に耐えかねたカズオが言うと、刑事は手で制した。

「ある人から聞いたんですが、このあたりに痴漢が出るという噂を知ってますか」

遂に聞かれた。カズオはポケットの中の鍵を握り締めた。

「聞いたことはあります。ある人って誰ですか」

「これは別に言っても構わないだろうな」イマイは小さく笑った。「城之内さんというパートの人から聞いたんですがね」

カズオは手の中の鍵を離した。掌に汗をかいていた。しかし、マサコではなかったことに感謝している。後でまた謝らなくてはならない。

「これは山本さんの事件とは関係ないですが、その痴漢騒ぎというのはブラジルの人の間で噂はありませんかね。つまり、誰がやったとか、やられたとか」

「ないです」

カズオはきっぱり言って壁の時計に目を遣り、勝手に青いつくつく帽子を被った。イマイはそれ以上の質問を諦めて、「どうもありがとう」と礼を言った。

ラインはとっくに動いていた。すでにでき上がった弁当が手際よく、ラインのどん詰まりで山と積まれていく。クニコもシショーも今日は休みで、マサコが一人、ラインの先頭で「ご飯出し」をしていた。あのヤヨイの夫の事件以来、四人が顔を揃えることはなくなっている。カズオはそれを妙に思った。しかし、マサコに仲間がいないことは喜ばしかった。急いで支度すれば、帰りにマサコに話しかけることができるかもしれない。

ブラジル人従業員のカズオが仕事から解放されたのは、午前六時をかなり過ぎてからだった。十五分残業になったからだ。せっかくのチャンスだったのに、マサコは帰ってしまっただろう。カズオは落胆しながら工場を出た。澄んだ夏の朝陽が、自動車工場の灰色の塀を斜めに染め上げている。こんなに美しい夏の早朝なのに、自分は部屋を真っ暗にして動物のように眠らなくてはならない。カズオは憂鬱になって尻ポケットから黒いキャップを出して被った。そして、目を上げ、驚いて立ち止まった。自分が雨の中でマサコを待っていたのと同じ場所に、マサコが立っていた。

「宮森さん」

マサコが寝不足の青白い顔で話しかけてきた時、カズオは思わず首にかけていた鍵をTシャツの上に出した。鍵に感謝したのだ。マサコは一瞬、カズオの白いTシャツの上の鍵に目を遣った。が、それが自分の捨てた物だとは結びつかない様子で、すぐまたカズオの顔に目を転じた。

「さっきのことだけど、どういうこと」

日本語があまり通じないことをまったく気にも留めていないらしい。が、カズオには内容が伝わった。

「ごめんなさい。間違いです」

　カズオは日本人の仕草を真似て頭を下げた。マサコは釈然としないという顔で、カズオの黒い目を見つめた。

「あなたのことは誰にも言ってないよ」

「はい」とカズオは何度も頷いた。

「警察は山ちゃんの事件のことで来たんでしょ」

　そう言って、マサコは駐車場に向かう道を歩きだした。引きつけられて、カズオもその後をついていく。数人の男女のブラジル人従業員ががやがやと陽気に喋りながら工場の玄関から出て来た。その目を気にして、カズオはマサコと数メートルの距離をとった。マサコはカズオが一緒に歩いて来るのを何とも思っていないらしく、背筋を伸ばして前方を見つめさっさと足を運んで行く。

　ブラジル人の同僚たちが宿舎への道へ曲がって消えた時、カズオとマサコはいつしか廃工場の前を歩いていた。生い茂る夏草の匂いが爽やかに立ち込め、どぶ川の腐った匂いをほんの少し消していた。が、夏の熱気がもうすぐ側まで来ていた。あと数時間もすれば、道は埃で白く乾き、草は暑さでうなだれながらもっと濃密な匂いを放つだろう。

　マサコが何気なく暗渠を見て、はっとして立ちすくむのをカズオは感じ取った。暗渠のコンクリートの蓋がずれている。昨日、カズオが開けたそのままになっているのだった。カズオはマサコの顔に恐怖の色が浮かぶのを見て、困惑した。自分がしたことを告げるべきか。しかし、マサコの捨てた物を拾ったとはあまりにさもしくて言い出せず、ジーンズの尻ポケットに両手を突っ込み、ただうつむいている。

マサコが青白い顔をさらに青くして暗渠に近寄り、裂け目から下を覗いている。カズオはその後ろ姿を見ているしかなかった。が、とうとう口にした。出てきた言葉は、さんざん聞き慣れた工場の主任、中山の口癖だった。

「何してる」

乱暴な言葉なのだろうとは思ったが、カズオの乏しい語彙《ごい》の中からはこれしかこの状況に合うものはなかった。マサコは振り向き、カズオの顔を、そしてカズオの胸に下がった鍵を見つめた。

「それ、あなたの鍵?」

カズオはゆっくり頷き、それから首を横に振った。マサコに嘘をつくのは辛かった。その曖昧な態度に苛立ったのか、マサコは目を細めた。

「まさか、それ、ここから拾ったんじゃないでしょうね」

カズオは両手を広げて肩をすくめた。正直に言うしかないだろう。

「そうです」

「どうして」

マサコは近づいてきて、カズオの胸の前に立った。背の高いマサコは、カズオの口元まで身長がある。カズオはその迫力にたじろいで思わず両手で鍵を握った。マサコに奪い取られたくなかったのだ。

「いつ見たの。あんた、あそこにいたの？」

マサコは廃工場の前の夏草の茂みを激しい勢いで指さした。指の先から熱線が出ているかのように、茂みから甲虫らしい虫が飛び立った。カズオは釣られて頷いた。

「どうして」

「あなたを待っていました」

「なぜそんなことをしたの」

「約束しました、でしょう」

「あたしはしてないよ。それ返して」

マサコが熱を感じさせる右手をさっと伸ばした。カズオは取られまいとして、また鍵を摑んだ。

「だめです」

マサコは両手を腰に当て、首を傾げた。

「なんでそんなものが欲しいの」

なぜこんなことがわからないのか。自分の口から言わせるのか。カズオは、何という残酷な女だろうと畏《おそ》れる目でマサコを見た。

「返して。大事な物なの。必要なの」

マサコの言っていることはほぼわかったが、カズオは承知しない。大事な物なら捨てなければいい。彼女が返してほしいと思っているのは、この自分が身につけているからなのだ。

「だめです」

マサコは諦めたように薄い唇を噛み、次の策を考えているのか押し黙った。その肩が落ちたのを見て、カズオはマサコの手を取っていた。マサコの手はカズオの大きな手の中にふたつ入るほど細く、まったくといっていいほど肉がなかった。

「私はあなたが好きです」

驚愕してマサコはカズオを見返した。

「どうして。あの晩、あんなことしたから？」

カズオは、自分はきっとマサコが理解できる、ということを伝えたかった。が、言葉が思い浮かばない。もどかしいカズオは日本語のレッスンのように同じ言葉を繰り返した。

「私はあなたが好きです」

マサコはカズオの手から自分の手を抜き取った。

「あたしには応えられない」

カズオはそれが拒絶だということを悟り、失望の井戸の中に転落した。マサコは立ちすくむカズオをそこに置き去りにしたまま、朝の道を歩いて行く。追いかけようとカズオは足を踏みだしかけた。が、その背にはっきりと自分を拒むものを感じて、カズオはさらに井戸の底に溜まった泥の中に埋もれたことを知った。

7

工場の駐車場は平地に見えて、実は緩やかな片流れの斜面だった。夜はほとんど気付かないが、疲れた夜勤明けの朝は立っている地面が歪んで見えることがある。

雅子は軽い立ち眩みを感じて、カローラの屋根に両手を突いて体を支えた。車の屋根には、夜の大気の湿り気が小さな水滴となって無数についていた。たちまち、水面に両手を浸したかのように雅子の掌が濡れる。雅子は両手をジーンズの脇で拭いた。

あの若いブラジル人があんなことを言うとは。それが嘘でないことはよくわかっていた。雅子は、カズオが行き場を失って、途方に暮れた子犬みたいに自分の後を追って来たあの朝のことを思い出した。その日と同様に振り返って眺めると、すでにカズオの姿は道にない。さぞかし、傷ついたことだろうと思う。

雅子は捨てた鍵を拾われたことよりも、カズオの感情の濃さに、その輝きと翳《かげ》りの深さに衝撃を受けている。今の雅子にはまったく無縁の、そして必要としない感情だった。自分はその回路すら捨ててしまったのだろうか。これからもこうして生きていけるのだろうか。先日の孤独感がくっきりと今また姿を現した。

あの日、何かの境界を越えたからだ。死体を解体し、捨て、その思い出すらも抹殺《まっさつ》しようとしているからだ。でも、もう二度と元には戻れない。雅子は吐き気を催し、車の脇に嘔吐した。が、吐いても吐いても嘔吐感は止まらなかった。雅子は車の横に膝をつき、涙を流しながら黄色い胃液を吐き続けた。


涙と涎《よだれ》をティッシュで拭うと、雅子は車を発進させた。家には向かわずに、がらがらに空いた新青梅街道から狭山湖に向かう道を左折する。道は急に左右にカーブを繰り返す急坂になった。雅子は車の往来のない早朝の山道をセカンドギアで登って行く。途中、カブに乗った老人と擦れ違っただけだった。

山あいにダムを堰《せ》き止めて造った狭山湖が橋の左右にのっぺりと姿を現した。薄茶色の造成土が湖を囲み、周りの景色はディズニーランドみたいに平べったく、人造湖特有の嘘臭さが漂っていた。仲樹が子供の頃、この湖を見て脅えて泣いたことがあった。仲樹は、湖から恐竜が出て来るよ、と泣き叫び、雅子の腹に顔を押しつけて決して湖面を見ようとはしなかったのだ。雅子はそのことを思い出し、声を出さずに笑った。

人造湖は朝の太陽に水面を輝かせている。寝不足のせいで、その多すぎる光量が目に眩しかった。雅子は目を細めて湖を一瞥すると、ユネスコ村に向かう道を折れた。そしてしばらく山道を走った。やがて、見覚えのある場所が見えてくる。雅子は夏草のはみ出た路肩に車を停めた。ここから歩いて五分ほど入った林の中に、健司の首が埋まっていた。

車を出てドアをロックし、雅子は林に分け入って行く。この行為が危険だということは百も承知だった。が、自分が今ここで、何をしようとしているのかさえわからなかった。ただ、自然に足が向く。

雅子は目印の大きな欅《けやき》の木の下を、数十メートル離れたところからじっと眺めた。下草の間に、わずかに土が出ているところがある。辺りは何も変わりはなかった。が、今が頂点の夏の山は勢いがよく、十日ほど前よりさらに、全体が生きているかのごとく命の匂いに満ちていた。今頃、健司の首は腐ってどろどろに溶け、土の中の虫たちのいい食餌となっていることだろう。その想像は無惨だが、ほんの少し愉快だった。山の命に首をくれてやったのだから。

斜めから突き刺す木漏《こも》れ日《び》が目に痛い。雅子は腕組みした手をほどいて庇《ひさし》を作り、同じ箇所を何十分も見つめている。蛇口を開けたままの水道から水が流れるように想念が流れ出し、時間の経つのも忘れていた。

あの日、雅子は首を入れた紙袋を持って埋める場所を物色していた。健司の首は重く、二重にしたデパートの紙袋は底が抜けそうだった。しかも、腕にはスコップまで抱えている。雅子は噴き出る額の汗を軍手で拭い、何度も紙袋を抱え持ち替えた。その時、健司の顎の部分を二の腕に感じ、全身が総毛だった。その時の感触を今またはっきりと感じ、雅子はぶるっと震える。

雅子は「ガルシアの首」という映画を思い浮かべている。映画の中の男は腐りかけた首に氷をまぶして、炎天のメキシコをブルーバードSSSで突っ走っていた。男の怒りに満ちた悲壮な顔。雅子は、十日前の自分も、この場所を彷徨《さまよ》いながら、きっと同じ形相をしていたに違いないと思う。そうだ、怒っていたのだ。何に対してかはわからない。だが、あの時の自分は確実に怒っていた、と雅子は気付く。たった一人の自分。もう誰にも助けを求めない自分。そんな状況に追い込んだもう一人の自分に腹を立てていたのだろうか。しかし、怒りは自分を解き放つ。あの朝、自分は確実に変わったのだ。

雅子は林から道に出ると、車の中でゆっくりと煙草を一本吸った。もう二度とここに来る気はなかった。煙草を消すとギアをドライブレンジに入れ、バイバイ、と雅子は首に向かって手を振った。

すでに良樹も伸樹も勤めに出た後だった。二人がばらばらに食事した跡が侘びしく食卓の両側に残されている。その食器を流しに置き、雅子は何もかもが面倒になった。いっそのこと寝てしまおうかと、雅子はリビングルームの中央に突っ立ったまま、ぼんやりとした。

　今はすることも考えることもなく、ただ夜勤で綿のようにくたびれた体が休息を欲して訴えているだけだ。ふと、カズオは今頃どうしているだろうと思った。部屋を暗くしても眠れずに、空しい寝返りを打っていることだろう。あるいは、自動車工場の果てしなく連なる灰色の壁の日陰を歩き続けているかもしれない。その想像の中の孤独な姿に、雅子は初めて連帯感に近い感情を抱いた。あの鍵は彼にくれてやろう。

　電話のコールが鳴った。まだ午前八時過ぎ。面倒だった。雅子はベルの音を無視しようと煙草を取り出し、火をつけた。が、電話は鳴り続けている。

「雅子さん？」弥生からだった。

「おはよう。どう」

「うん、さっきも電話したんだけど、まだ帰ってなかったから。今日は遅かったのね」

「ごめん。ちょっと寄るところがあって」

　どこに、と弥生は言わない。代わりに、息せき切って訊ねてきた。

「ね、朝刊読んだ？」

「まだだけど」

　雅子はテーブルの上に置いたままになっている新聞を眺めた。良樹は読んだ新聞をきちんと丁寧に畳む。

「じゃ、早く読んで。驚くから」

「何かあったの」

「ともかく早く読んで。待ってる」

弥生は急《せ》かしたが、声の調子は浮かれて弾んでいた。雅子は受話器を置き、朝刊を開いた。三面記事の中段の見出しに、「K公園バラバラ事件 重要参考人浮かぶ」とあった。斜め読みすると、健司があの晩、立ち寄ったカジノの経営者が疑われているらしい。明らかに別件逮捕と思われる方法で逮捕、勾留《こうりゅう》されているようだ。雅子はあまりに事がうまく運んでいることに恐れすら感じた。

「読んだよ」と雅子は新聞を手にして電話に出た。

「運がいいね、あたしたち」

「まだわからないよ」慎重に答える。

「こんなことってあるんだなと思ってびっくりした。ね、喧嘩したって書いてあるでしょう。あれ、あたし知ってるのよ」

「どうして」

周りに誰もいないらしく、弥生は気楽に喋っている。

「あの人が帰って来た時ね、唇が切れてシャツが少し汚れていたから喧嘩でもしたのかなと思ったの」

「あたしは気付かなかったけど」

弥生は生きている健司について言い、雅子は死体の状況のことを言っている。だが、雅子の言葉など聞いていない弥生は夢見る口調で続けた。

「その人、死刑にならないかな」

「ならないよ。たぶん証拠不十分で出てくるよ、すぐに」

「残念だな」

「ひどいこと言うね」

雅子がたしなめると、弥生は抗議した。

「だって、その人が経営していた店の女に夢中だったのよ、健司は」

「同罪だっていうの？」

「そうじゃないけど、癪《しゃく》に障《さわ》るじゃない」

「あんたの亭主はどうして女に夢中になったんだろうか」

雅子は煙草を潰しながら、答えを期待せずにぽつんと言った。そんな問いを思いついたのも、カズオのことがあったからかもしれない。

「あたしとの生活がつまらなかったからじゃないの」弥生はまだ怒りが治まらないらしい。

「あたしに魅力がなくなったんでしょ」

「そうだろうか」

雅子は健司が生きていたら聞いてみたいとさえ思った。人を好きになるのに理由があるのならぜひ知りたかった。

「そうじゃなければ、あたしに対する復讐よ」

「あんたの何に復讐するの。あんたは良妻賢母の典型じゃない」

しばし、電話の向こうで考えるような沈黙があった。ようやく弥生が答えた。

「そこが嫌だったのよ、きっと」

「どうして」

「そういう女房に安心しているくせに、つまんないのよ」

「なぜ」

「わかんないよ、そんなの。だってあたしは健司じゃないもの」

珍しく弥生が声を荒らげる。雅子は我に返った。

「そうだね」

「何か、今日の雅子さん変だよ。ぼうっとしている」

「眠いんだよ」

「そうか。最近、夜寝ている生活してるからぴんと来なくて」弥生は言い訳する。「師匠は元気にしてる?」

「今日は休みだった。邦子も。みんな疲れてきたんだと思う」

「何に」

雅子は黙った。

「ごめんなさい。あたしのせいだよね。そうそう、健司の保険金全額下りることになったの。だから、あたしみんなにお礼のお金払うわ」

「幾ら払うつもり」

雅子は慌てて訊いた。

「みんなに百ずつ。少ないかしら？」

「そんなに必要ないよ」雅子はきっぱりと言った。「師匠と邦子に五十ずつでいい。邦子なんか要らないくらいだ」

「でも、それじゃみんな怒るでしょう。あたしが五千万も貰うのに」

「保険金のことなんか一言も言う必要ないんだよ。黙って金だけ渡せばいい。その代わり、あたしに二百くれない？」

今まで金を取らないと言っていた雅子が突然金のことに言及したので、弥生は驚いた様子だった。

「いいけど。急にどうしたの」

「何かあった時の資金にすることにしたの。ちょうだい。お願い」

「わかった。雅子さんにはお世話になったから絶対に払うわ」

「よろしくね」

電話を切った雅子は、凪《な》いだような気分から少し脱して、また闘う気概を取り戻していた。それにしてもカジノの経営者が重要参考人とは。警察がどの程度、本気で考えているかわからないが、今のところは一応危機を脱したと思うべきだろう。まだ甘いだろうか。安心したせいか、睡魔が急に襲ってきた。

8

佐竹が勾留期限切れで娑婆《しゃば》に戻って来たのは、台風の過ぎ去った後、ようやく秋風の吹きはじめた八月も終わりのことだった。

佐竹は自分の店が入っている雑居ビルの外階段をゆっくり登って行った。踊り場にファッションヘルスのチラシが散乱している。佐竹は腰を屈めてそれらを拾い、くしゃくしゃに丸めて黒いジャケットのポケットに突っ込んだ。「美香」や「アミューズメントパルコ」が繁盛している頃には、あり得ない光景だった。勢いのある店がふたつ営業していないだけで、ビル全体が落ちぶれて見える。

佐竹はふと視線を感じて目を上げた。二階の奥にあるバーのバーテンが怯えたように佐竹を凝視していた。この男が、佐竹と山本が乱闘していたと証言したことは知っていた。佐竹は両手をパンツのポケットに入れたまま、バーテンを睨《ね》めつけた。

バーテンは慌てて濃い紫色のガラスドアを閉めた。まさか、佐竹がこんなに早く出て来られるとは思ってもいなかったらしい。佐竹はガラスドア越しにこちらを窺っているバーテンの視線を感じながら、「美香」の看板の電気コードが抜かれ、隅に片付けられているのを寂しい思いで眺めた。扉には「店内改装につき、しばらく休みます」と貼り紙がしてある。

佐竹は賭博場開帳図利と売春斡旋容疑で取り調べを受け、賭博場開帳図利だけは立件されたものの、結局、それが目的のバラバラ事件のほうは物証が上がらず、釈放となったのだった。警察の怖さを熟知している佐竹はそれを僥倖《ぎょうこう》と思っていたが、やはり失った物は大きかった。借金から始めて、ほぼ十年がかりで築き上げてきた佐竹の王国は壊滅状態だった。何よりも痛かったのは、過去を皆に知られたことで佐竹の信用までもが失われたことだった。それがこれからの佐竹の出直しを阻《はば》むことは間違いない。

佐竹は、気をとり直して外階段から三階に向かった。「アミューズメントパルコ」で、国松と会う約束になっているのだ。しかし、佐竹の宝といってもよかった「アミューズメントパルコ」はすでに消滅していた。金をかけた一枚板のドアはそのままだが、看板が「東風」という名の雀荘になっている。佐竹はもう他人の物になっている店のドアを遠慮がちに開けた。中にいるのは国松たった一人だった。

「よお」

「佐竹さん。どうも」

店内は薄暗かった。一卓だけ照明がついている。国松はスポットライトが当たっているかのような雀卓から顔を上げて笑い顔を見せた。少し痩せて、照明のせいか目の下に隈が目立った。

「久しぶりだな」

「どうもご苦労さんでした」

国松は中腰で挨拶した。

「国松がまた牌《パイ》をいじってる」

佐竹は思わず口にした。国松と初めて会ったのが銀座の雀荘だったからだ。当時、二十代後半の国松は麻雀ゴロ兼使い走りをして、一日中雀荘で暮らしていた。一見、茫洋《ぼうよう》とした坊や顔の国松が、雀卓に座ると見事に勝負師に変身するのが面白かった。若い癖に賭事の場数を踏んでいるのに感心した佐竹は、カジノをやる時に真っ先に国松に声をかけたのだった。

「いやあ、雀荘なんて今時しょうがないですよ。若い奴らはパソコンで麻雀覚える時代ですからね」

国松は慣れた手つきで、並べた麻雀牌の表面にシッカロールをまぶしている。レンタルらしい卓が六台入っていたが、国松がいる卓以外はまるで葬式のように白い木綿の布が被されていた。

「そうだろうな」

佐竹は店内を見まわし、かつてここに大バカラがあったのだ、ここで客が順番を待っていたのだ、とほんのひと月前の盛況を懐かしく思い出していた。

「だから、僕ももうじき失業だそうです」

国松はシッカロールの缶の蓋を閉めた。笑うと、目尻の皺がやけに目立つようになっていた。

「どうしてだよ」

「雀荘も閉めて、ここカラオケバーにするそうですから」

「カラオケか。儲かるのはカラオケくらいか」

カラオケセットは「美香」にも置いてあったが、人前で声を出すことなど佐竹自身は嫌いだった。

「どこも不景気らしいですよ」

「バカラは儲かったんだがな」

そうでしたね、と国松は寂しい顔をした。そして、「佐竹さん、少し痩せましたね」と、佐竹の顔を初めて見上げた。

その目に、怖じる気配があった。佐竹に女殺しの前科があり、そのことが今度の容疑に繋がったと店の者にもわかってしまった。そうなると世間は冷たい。掌を返したように、借金をすぐ返せだの、あんたに店は貸せないだのと言い出す。国松とて例外ではないだろう。誰も信用していない佐竹はそう思ったが、言葉は穏やかだった。

「そうかもしれないな。あそこじゃ眠れなくてな」

実際、佐竹の留置場生活はほとんど不眠との闘いだった。

「そうでしょうね。大変でしたよね」

国松のほうは、賭博場開帳図利容疑の事情聴取だけで帰されていたが、その後、バラバラ事件関連では何度も呼び出しをくらっていたから、佐竹の置かれた状況はわかっているらしい。

「おまえにも迷惑かけちゃったな」

「いいですよ。いい社会勉強になりましたよ。ま、今頃勉強してももう遅いんですけどね」

三十八歳の国松はそう言うと、鮮やかな手つきで山の端から盲牌しながら、一牌ずつ表にして遊んでいる。ばしっと小気味いい音がして次々に牌が露わになっていく。佐竹はそれを眺め、煙草に火をつけた。勾留中は禁煙を余儀なくされていたから、煙草が肺に沁みてうまかった。これこそ娑婆の味だ、と煙草くらいしか嗜好品《しこうひん》に興味のない佐竹は、思いっきりいがらっぽい煙を吸い込んだ。

「でも、あの山本がバラバラにされたなんて驚きましたね」

国松がちらと佐竹を見た。

「間抜けな野郎はどこまでも間抜けなんだよ」

「佐竹さん、あいつのことをバカラ野郎て言ったんでしたっけ」国松は笑った。

「ああ。ついてねえよ」

「山本が、ですか」

「馬鹿。俺がだよ」

佐竹の言葉に、ええ、と国松は頷いたが、どれほど佐竹を信用しているかは測りかねた。おそらく、本心の半分は、佐竹が本当に殺したのではないかと疑っているのだろう。国松が佐竹の元を去らないのは、ホステスたちと違って賭場以外、ほかに行き場がないからだ。

「だけど、『美香』は残念でしたね。歌舞伎町でも一番儲かっていたのに」

「ああ。だけど、もうこうなったらしようがねえよ」

佐竹は留置所から「美香」を夏休みと称して休むように指示していたのだが、ほとんどが就学ビザしか持たない中国籍の従業員は警察と関わる面倒を恐れて、あっという間にいなくなってしまったのだ。

まず、台湾マフィアとの関連を疑われたママの麗華が台湾に一時帰国してしまった。マネージャーの陳はどこかの店に潜りこんだらしく、行方はわからない。安娜は前から彼女を狙っていた他店に引き抜かれ、ホステスたちも、ビザに問題がある者は帰国し、そうでないものは安娜と同様、他店に移ったと聞いていた。

歌舞伎町では当たり前のことだった。勢いのある時は咲き誇る花に集まる蜂のように群がってくるが、一度転ぶと、被害が及ぶ前に逃げて行く。佐竹は、自分の過去もそのスピードに拍車をかけただろうと察していた。

「佐竹さん、でも、またやるんでしょう?」

佐竹は天井を睨んだ。自ら選んで買ったシャンデリアはそのままになっている。照明は灯されてなかった。

「やめちゃうんですか。『ニュー美香』とかでやらないんですか」

国松はシッカロールだらけの白い手を眺めた。

「やめる」佐竹は言った。「居抜きで売ることにした」

国松は驚いて佐竹の顔を見上げた。

「もったいない。どうしてですか」

「やりたいことができた」

「何ですか。どんな仕事でも手伝いますよ」

国松が長い指を擦り合わせて牌に粉を落としている。佐竹は答えずに、自分の手で首の後ろをゆっくりと揉みほぐした。留置場で眠れない夜を過ごして以来、首の凝りがしつこく直らない。放っておくと、偏頭痛の種となって悩まされる。

「何をするんですか」焦れた国松が再度訊ねる。

「バラバラ事件の真犯人探しさ」

国松は冗談と思ったのか、薄笑いを浮かべた。

「そりゃあいいですね。探偵ごっこみたいで」

「国松、俺本気だよ」

佐竹はまだ首を揉みながら答えた。国松は首を傾げた。

「だけど、犯人探し出してどうするんですかね」

「さあな。その時考えるよ」と佐竹はつぶやいたが、すでにその答えは出ていた。勿論口にはしない。「その時な」

「うまくいきますかね。あてでもあるんですか」

国松は不安を感じたらしく、佐竹の全身を上から下まで眺めた。

「まずは、あいつの女房だ」

「へえ」よほど意外なのか、国松は唇を舐めた。

「国松、おまえ、このこと誰にも言うなよ」

「言いませんよ」

国松は初めて佐竹の心の闇が覗けたかのように、慌てて目を背けながら答えた。

佐竹は国松と別れ、区役所通りに出た。日中の残暑はまだ厳しかったが、夜半になると風が涼しい。佐竹はほっとして、「美香」からほど近い、ステンレスとガラスでできた安っぽい作りの真新しいビルに入って行った。色とりどりの看板が、小さなクラブばかりが集まっていることを示している。佐竹は目指す「魔都」という店の階数を確かめた。エレベーターで上がった佐竹が、「魔都」の黒いドアを押すと、すぐに黒服のマネージャーが迎える。

「いらっしゃいませ」

男は佐竹を見て目を丸くした。陳だった。

「おまえ、ここにいたのか」

陳は愛想笑いをした。が、以前のようにぺこぺこしていない。

「佐竹さん。久しぶり。今日はお客さんですか」と訊ねてきた。

「当たり前だろう」苦笑する。

「ご指名ありますか」

「ここに安娜がいると聞いたんだけど」

陳は奥を覗いた。佐竹も釣られて眺める。「美香」よりも規模は小さいが、調度は中国風で紫檀《したん》の家具を置き、洒落《しゃれ》ていた。

「ご指名ですね。でも、安娜さんは名前違います」

「何ていうんだ」

「美蘭《めいらん》ていう名前です」陳はありふれた名前を告げた。

「じゃ、頼む」

陳の後について佐竹が店の奥に入っていくと、和服姿の顔見知りのママが驚いたように佐竹の顔を見た。

「あら、佐竹さんじゃない。久しぶり。もうあっちのほういいの?」

「あっちのほうはないだろう」

ここのママは日本人だった。

「麗華さん、台湾からまだ帰って来ないんだって?」

「そうらしいな。俺は聞いてないんだ」

「帰って来ると何かまずいことでもあるのかしら」

中国系マフィアとの関連を疑われた佐竹に対するあてこすりだと佐竹は感じたが、黙っていた。

「さあ、知らないよ」

「まあ、今度のことはとんだ災難だったですものね」

佐竹の強張《こわば》りを感じてか、ママは慌ててとりなした。佐竹は曖昧に笑ったが、その胡散臭《うさんくさ》いものを見るような目つきには腹が立っていた。奥の端っこの席に、安娜らしい美しい女の横顔が見えたが、佐竹のほうを振り向きもしない。

佐竹は陳が案内した席に座った。奥が空いているのに、中央の居心地の悪い狭い場所だった。客がカラオケでがなりたて、終わるとパブロフの犬のごとく反射的に、ホステスたちが拍手する。佐竹は騒々しさに辟易《へきえき》して座っている。若いだけが取り柄の日本語も碌にできない女が前に来て作り笑いを浮かべた。うるさくて会話も弾まない。佐竹は黙って冷えたウーロン茶を何杯も飲んだ。

「安娜、いや美蘭はまだか」

と聞くと、女はぷいとどこかに行ってしまった。佐竹はそれから一人で、三十分近く座っていた。そのうち、娑婆に戻った安心からか眠り込んでしまった。それはほんの五分程度のことだったのだろうが、佐竹には数時間にも及ぶ睡眠に感じられた。安らかさは微塵《みじん》もなく、とりあえず助かった、という安堵に身体が緩んでいるのだった。

どこからか香水の匂いが漂ってきて、佐竹は目を開けた。いつの間にか目の前に安娜が座っていた。陽に焼けた素肌が映える真っ白な絹のパンツスーツを身につけている。

「佐竹さん、こんばんは」

もう、おにいちゃんとは呼ばなかった。

「おう。元気か」

「はい、元気です」

安娜はにこにこして答えたが、心の芯は佐竹に気を許していないことを佐竹は悟っている。

「ずいぶん陽に焼けてるな」

「そう、プール毎日行ったからね」

　そう答えた後、あの日、プールに行ったことから始まった佐竹との出来事を思い出したのか安娜はしばし黙り込んだ。手慣れた仕草で佐竹の名で勝手に店側が入れたスコッチのボトルから薄い水割りをふたつ作った。そして、飲めない佐竹の前に試すように置いた。佐竹は安娜の顔を見た。

「この店ではどうだ」

「うまくいってる。今週の売り上げ一番だった。美香のお客さん皆来てくれたからね」

「そうか、それはよかったな」

「それから引っ越したの」

「どこに」

「池袋」

　池袋のどことは安娜は言わない。二人の間に気まずい沈黙が横たわった。安娜が突然、問う。

「どうして女の人を殺せたの」

　虚を衝かれた佐竹は、安娜の光の強い目を見た。

「どうしてなのか、俺にもわからない」

「憎んでいたの」

「いや、そういう訳じゃない」

実際、その女のことは、遣り手で頭がまわると感心していたくらいだった。若い安娜に、憎しみという感情は、相手を容れたいと願う欲望から生じるのだと説明しても無駄だと思った。

「その人幾つ」

「年は知らない。確か三十五くらいだった」

「名前は何ていうの」

「覚えてないよ」

公判で何度も聞いたが、平凡な名で忘れてしまった。名前という記号よりも、佐竹の心を占めているのは女の顔と声だった。

「好きじゃなかったの？　付き合ってた人じゃないの？」

「違う。あの晩、初めて会った」

「じゃ、どうしてそんな殺し方したの」安娜は容赦なく問い詰めた。「ママに聞いたよ。いじめていじめて殺したんだって。好きでも嫌いでもないのに、どうしてそんないじめるような殺し方したの」

憤激した安娜の声を聞いて隣のテーブルの客が佐竹を見たが、話の内容に驚いたらしく恐ろしげに顔を伏せた。

「わからないんだ」佐竹は静かに答えた。「ほんとにどうしてあんなことをしたのかわからないんだ」

「安娜に優しくしたのは、その女の人の代わり？」

「そうじゃない」

「だったら、どうしておにいちゃんの中に二人のおにいちゃんがいる。一人は女を殺すおにいちゃん。もう一人は安娜を可愛がるおにいちゃん。どうして」

安娜は興奮して、おにいちゃんと佐竹を呼んだ。佐竹は口を開かない。安娜は続けた。

「おにいちゃんは安娜のことを犬と同じと思ってる。だから優しくした。違う？　ペットショップで売ってる犬みたいに綺麗にして男たちに売った。それが楽しかった。安娜はおにいちゃんの商品だった。安娜が反抗すると、その女の人みたいに殺すの」

「違うよ」佐竹は煙草をくわえ、自分で火をつけた。安娜はそのことにも気付いていない。

「安娜は可愛い。あの女は……」

言葉に窮して佐竹は黙った。安娜は待って佐竹をじっと見つめている。だが、答えは出なかった。

「おにいちゃんは安娜のこと可愛いって言うけど、ほんとは可愛いだけで何も思ってないんだよ。安娜、その女の人のことすごく可哀相と思ったね、話聞いた時。だけど、安娜も可哀相って思った。どうしてかわかる？　おにいちゃん。だって、安娜のこと、仕事で怒るけど、その女の人みたいに殺すまで憎んでくれないからね。いじめて殺されるくらいに、憎まれておにいちゃんの心の中に入り込んだってことでしょ。安娜、それだけはどうしてもできなかった。安娜だっておにいちゃんにならなら殺されたっていいって思うことあったよ。でも、おにいちゃんはその女の人殺したから、代わりに安娜のこと優しくしたね。でも優しいだけ。つまんないよ。悲しいよ。安娜、それ気が付いた。だから、安娜もすごく可哀相。これ、おにいちゃん、わかる？」

安娜は目に涙を浮かべた。開いた小鼻の横に涙が転がり落ちてきた。周りのテーブルの客やホステスが何事かと、驚いて佐竹と安娜を見た。心配そうにママがこちらを窺っている。

「わかった。もう来ないよ。安心して仕事しな」

安娜は何も言わなかった。佐竹は立って勘定を払うと、作り笑いをした陳に見送られて外に出た。安娜も誰も送りに出てこないのは、当然というものだろう。もう歌舞伎町に自分のいる場所はない。

衣笠に尋問を受けたその日から、十七年という年を経て、あの女が佐竹の背に張りついたのを感じた。それ以来、佐竹はあの女と向き合う覚悟をしている。閉じ込めた思い出が今、堅い殻を落とし、中にある実を、種子を、佐竹に差し出そうとしている。

佐竹は久しぶりに自分のアパートの部屋に帰ってきた。

突然の逮捕、勾留から、ほぼ四週間ぶりの帰宅だった。ドアを開けると、真夏に長い間閉め切っていた部屋特有のむっと籠もった匂いがした。佐竹はどこからか人の話し声が聞こえるのに気付き、慌てて靴を脱いで部屋に駆け上がった。真っ暗な中、青白い光もちらちらと瞬《またた》いている。

テレビがついていた。あの、急に真夏になった日、気分が落ち着かないままテレビをつけっぱなしにして出かけてしまったと見える。家宅捜索したくせに、テレビは消していかねえのか。佐竹は苦笑し、テレビの前に正座した。ニュース番組が終わるところだった。

佐竹の身内のざわめきは夏の終わりとともに鎮められようとしていた。夏は今、過ぎ去ろうとしている。佐竹は立ち上がり、部屋の窓を開けた。山手通りから騒音と排気ガス臭い、しかし冷えた夜気が入り込んできて、籠もった部屋の空気と混じり合った。高層ビルはその輪郭を露わにするように、ライトアップされている。もう大丈夫だ。自分を取り戻した佐竹は深呼吸して街の汚い空気を吸い込んだ。後は、するべきことをするだけだった。

佐竹は古新聞を突っ込んである押入れを開けた。黄色みを帯びて湿った新聞紙を繰って、K公園バラバラ事件の載っていそうな新聞を探し出す。何部か見つけると、佐竹はその箇所を畳の上に開き、小さなメモ帳を取り出してあれこれと書きつけた。それから煙草を一服してしばらくそのメモを見て考えている。

佐竹はテレビを消すと、立ち上がった。あてどなく街の裏通りをほっつき歩こうと思っている。維持したい物も、失う物も、今はもう何もない。深い川をようやく渡ったところで橋が落とされた。戻る道はない。しかし、封じ込めた夢に帰るというよりも、今のこの生活が大きな夢の中で迷っていただけだったのかもしれない。そう思うと、佐竹はヤクザの使い走りをやっていた二十代の頃に戻ったようで昂《たか》ぶりさえ覚えるのだった。行く先がわからずにはぐれていた気分と、戻れないと知った覚悟とはどこか似ていた。解き放たれたのだ。佐竹は笑いを浮かべた。

（下巻につづく）

本書は一九九七年七月に小社より刊行されたものです。

|著者|桐野夏生　1951年生まれ。'93年、『顔に降りかかる雨』で、第39回江戸川乱歩賞を受賞。'97年発表の本作『OUT』は「このミステリーがすごい！」の年間アンケートで国内第1位に選ばれ、翌年同作で日本推理作家協会賞を受賞した。'99年『柔らかな頬』(講談社)で、第121回直木賞を受賞。近著に『ファイアボール・ブルース　2』『光源』(ともに文藝春秋)、『玉蘭』(朝日新聞社)、『ローズガーデン』(講談社)などがある。

OUT《アウト》(上)
桐野夏生《きりのなつお》

講談社文庫
定価はカバーに
表示してあります

2002年6月15日第1刷発行

発行者——野間佐和子
発行所——株式会社　講談社
東京都文京区音羽2-12-21　〒112-8001
電話　出版部　(03)　5395-3510
　　　販売部　(03)　5395-5817
　　　業務部　(03)　5395-3615

デザイン—菊地信義
製版——豊国印刷株式会社
印刷——凸版印刷株式会社
製本——株式会社国宝社

Printed in Japan

ISBN4-06-273447-8

講談社文庫刊行の辞

二十一世紀の到来を目睫に望みながら、われわれはいま、人類史上かつて例を見ない巨大な転換期をむかえようとしている。

世界も、日本も、激動の予兆に対する期待とおののきを内に蔵して、未知の時代に歩み入ろうとしている。このときにあたり、創業の人野間清治の「ナショナル・エデュケイター」への志を現代に甦らせようと意図して、われわれはここに古今の文芸作品はいうまでもなく、ひろく人文・社会・自然の諸科学から東西の名著を網羅する、新しい綜合文庫の発刊を決意した。

激動の転換期はまた断絶の時代である。われわれは戦後二十五年間の出版文化のありかたへの深い反省をこめて、この断絶の時代にあえて人間的な持続を求めようとする。いたずらに浮薄な商業主義のあだ花を追い求めることなく、長期にわたって良書に生命をあたえようとつとめるところにしか、今後の出版文化の真の繁栄はあり得ないと信じるからである。

同時にわれわれはこの綜合文庫の刊行を通じて、人文・社会・自然の諸科学が、結局人間の学にほかならないことを立証しようと願っている。かつて知識とは、「汝自身を知る」ことにつきていた。現代社会の瑣末な情報の氾濫のなかから、力強い知識の源泉を掘り起し、技術文明のただなかに、生きた人間の姿を復活させること。それこそわれわれの切なる希求である。

われわれは権威に盲従せず、俗流に媚びることなく、渾然一体となって日本の「草の根」をかたちづくる若く新しい世代の人々に、心をこめてこの新しい綜合文庫をおくり届けたい。それは知識の泉であるとともに感受性のふるさとであり、もっとも有機的に組織され、社会に開かれた万人のための大学をめざしている。大方の支援と協力を衷心より切望してやまない。

一九七一年七月

野間省一

講談社文庫 最新刊

桐野夏生　OUT《アウト》(上)(下)
主婦、雅子。彼女は、なぜパート仲間が殺した夫の死体をバラバラにして捨てたのか……？

逢坂　剛　イベリアの雷鳴
第二次大戦下のスペイン。諜報の主戦場で日英独の苛烈な闘いを緻密に描くエスピオナージ。

有栖川有栖　ペルシャ猫の謎
ミステリ史上屈指の禁じ手!?が炸裂する表題作ほか粒揃いの傑作集。国名シリーズ第五弾。

新堂冬樹　闇の貴族
闇世界の支配者となるべく策謀を巡らせ、金と暴力で敵を食い尽くす。これぞ悪漢小説！

乾　くるみ　Jの神話
名門女子高を襲う怪事件。暗躍する「ジャック」とは何者か!?　第4回メフィスト賞受賞作。

西澤保彦　複製症候群
光の壁によって閉じこめられた高校生達。異常な状況下で起こる、酸鼻な連続殺人事件。

貫井徳郎　鬼流殺生祭
公家の三男坊・九条惟親が挑む完全犯罪の真実。本格ミステリの真骨頂を示す傑作長編！

竹本健治　ウロボロスの偽書(上)(下)
竹本健治の連載小説の中に、実在する殺人鬼の手記が紛れ込む。奇々怪々な超ミステリ！

二階堂黎人　名探偵の肖像
往年の名探偵の推理に挑戦した短編、芦辺拓氏との対談、随筆を収録した本格推理作品集。

コリン・ハリソン
笹野洋子 訳　闇に消えた女
巨大メディア企業の幹部が地下鉄の中で出会った褐色の美女。めくるめく愛のミステリー！

ジャン・バーク
渋谷比佐子 訳　骨(上)(下)
殺人鬼が仕掛けた驚愕の罠とは？　現代人の心の闇を描く超弩級サスペンス。**MWA賞受賞**

講談社文庫　目録

講談社文庫　目録

講談社文庫　目録

2002年6月15日現在